OR RETURN

PETER WAPNEWSKI

Waz ist minne

Studien zur Mittelhochdeutschen Lyrik

VERLAG C. H. BECK MÜNCHEN

Mit 2 Abbildungen

CIP-Kurztitelaufnahme der Deutschen Bibliothek

Wapnewski, Peter
Waz ist minne: Studien z. Mittelhochdt.
Lyrik.
(Edition Beck)
ISBN 3 406 05865 5

ISBN 3 406 05865 5

© C.H.Beck'sche Verlagsbuchhandlung (Oscar Beck) München 1975
Satz und Druck: C.H.Beck'sche Buchdruckerei Nördlingen
Printed in Germany

INHALT

Für

HELMUT BRACKERT IN FRANKFURT
THOMAS CRAMER IN AACHEN
DIETER KARTSCHOKE IN HANNOVER

die, als manche dieser Arbeiten entstanden, meine
Assistenten waren und von denen ich eine Menge gelernt habe.

VORWORT

Die diesem Bande anvertrauten Abhandlungen gehören zusammen in der Sache wie in der Methode.

Was die Sache anbetrifft, so sind die Untersuchungen einem besseren Verständnis der Mittelhochdeutschen Lyrik, insbesondere des nach wie vor mit manchem Rätsel behafteten, faszinierenden und absurden Phänomens Minnesang und Minnedienst gewidmet.

Was die Methode anbetrifft, so gehen die Untersuchungen in der Regel von der Beobachtung eines bestimmten, als auffällig empfundenen Sachverhalts aus. Der Versuch einer Klärung dieses Sachverhalts führt dann von dem bezeichnenden Detail zu dem durch es bezeichneten größeren Zusammenhang.

Da ist im einen Fall das Institut der Falkenzähmung und Falkenjagd als Handwerk und als Kunst *(Kürenberg)*. Im andern Fall ein Topos, der durch personale Deckung aufgehoben und eben dadurch auf besondere Weise wirksam wird *(Kaiser Heinrich)*. Da ist weiter das Schachspiel und seine Regeltechnik, mittels derer es in hohem Maße symbolträchtig sein und zur Spiegelung höfischer Verhaltensweisen tauglich werden kann *(Walther* 111,23). Da ist die Bestimmung einer Dialog-Partie als Frauenrede, – was in der durch gegebene Ordnungsprinzipien gegliederten Welt des Mittelalters die Zuweisung des ganzen Gedichtes an die Gattung der *Pastourelle* zur Konsequenz hat (*Walther* 74, 20). Da ist der Versuch, die *wîsen* und ihre Weisheit nicht allgemein sondern aus ihrer Rolle in Geschichte, Zeitgeschichte und Religionsgeschichte zu verstehen und ihnen ihren zeitgebundenen Ort bei der Magdeburger Weihnacht, der Magdeburger Weihnacht eine präziser gefaßte politische Funktion und Aktionsrichtung zu geben (*Walther* 19, 5). Auch die Aufsätze, denen es darum zu tun ist, den spezifischen Wert der Anwendung von Wechselform, Erzähltempus und Refrain in *Morungens* Tagelied darzulegen; oder die Funktion der alten Gattung Frauenklage im sich herausbildenden System des Minnesangs; oder weitere Details im Feingespinst der Polemik, die aus der Rivalität Reinmar–Walther Lieder machte: auch diese Aufsätze sind einem heuristischen und hermeneutischen Prinzip verpflichtet, das (nach einem schönen Wort von

Richard Heinzel) den besten Teil der philologischen Kunst in der Fähigkeit sieht, „sich zur rechten Zeit zu wundern und das Auffallende auch auffallend zu finden".

Solche methodisch-materielle Musterung und Bestimmung des Eigenen ist nicht ohne Bedenklichkeit. Sie erklärt sich aus einem erheblichen Vorbehalt gegenüber der Herausgabe einer Aufsatzsammlung und also einem Bedürfnis der Rechtfertigung. Denn ihr Verfasser soll sich arrangieren mit der unzweifelhaften Feststellung, daß Prämisse des Sammelns eine gewisse Wertschätzung des Gesammelten sein muß, die nicht gleich ist der persönlichen Bindung an das eigene Produkt. Wenn das Buch seine Berechtigung haben sollte, durfte es nicht die Addition verstreuter Teile sein, wie sie in achtzehn Jahren hier oder da niedergelegt waren. Sondern die Teile mußten sich zu einem Ganzen fügen lassen, – einem bestimmten Thema zugewandt und in der Methode und ihrer Handhabung einsichtig.

Zwei Gründe also sind es, die nach meinem Dafürhalten eine solche Zusammenstellung rechtfertigen könnten: Zum einen die Lösung des einzelnen Artikels aus seiner Vereinzelung, so daß er in der Kombination mit themengleichen Arbeiten einen neuen Stellenwert erhält und damit also auch einen gewissen Mehrwert. Zum andern die Mitgift originaler, also zum ersten Male gedruckter Beiträge. So habe ich den Titeln aus den Jahren 1957 bis 1967 zwei Arbeiten beigegeben, die 1974/75 entstanden sind (s. Quellenverzeichnis).

Die Versuchung, an Wortlaut und Stil der Studien hier oder da zu ändern, war groß, aber ich glaubte ihr nicht nachgeben zu dürfen. Denn welchen Platz man ihnen immer in der Geschichte der Minnesangforschung anweisen wird, sie sind doch Dokumente, als solche Reflex einer wissenschaftsgeschichtlichen Situation – und natürlich auch Reflex einer biographischen Position des Verfassers. Diese ihre Bedingtheit ihnen zu nehmen, ist nicht des Autors Recht – auch wenn mir beim Wiederlesen gelegentlich unbehaglich zumute war angesichts mancher Passage. Was mir da heute als zu „schön", als allzu persönlich getönt erscheint, hätte ich wohl gerne umretuschiert in sprödere Valeurs. Aber das konnte nicht sein, so wenig wie es mir angemessen schien, hier oder da die Meinungen späterer Forschung zu interpolieren. Einige wenige, vornehmlich technisch bedingte Korrekturen, Ergänzungen oder Zusätze in den Anmerkungen entdecken sich von selbst.

Dem Beck-Verlag danke ich dafür, daß er auch diesen Band in seine Obhut nahm.

Karlsruhe im Frühjahr 1975   P. W.

ZWEI ALTDEUTSCHE FRAUENLIEDER

I: *Ez stuont ein frouwe alleine* (MF 37, 4)
II: *Sô wol dir, sumerwunne!* (MF 37, 18)

ALBRECHT SCHÖNE ZUM 17. JULI 1975

I. Text

I *Ez stcount ein frouwe alleine*
und warte uber heide
und warte ir liebes,
so gesach si valken fliegen.
5 *„sô wol dir, valke, daz du bist!*
du fliugest swar dir liep ist:
du erkiusest dir in dem walde
einen bóum der dir gevalle.
alsô hân ouch ich getân:
10 *ich erkôs mir selbe einen man,*
den erwélton mîniu ougen.
daz nîdent schœne frouwen.
owê wan lânt si mir mîn liep?
jô 'ngerte ich ir dekeiner trûtes niet.'

II *„Sô wol dir, sumerwunne!*
daz vogelsanc ist geswunden:
als ist der linden ir loup.
jârlanc truobent mir ouch
5 *mîniu wól stênden ougen.*
mîn trût, du solt dih gelouben
anderre wîbe:
wan, helt, die solt du mîden.
dô du mich êrst sâhe,
10 *dô dûhte ich dich zewâre*
sô rehte minneclîch getân:
des mane ich dich, lieber man.'

II. Überlieferung

Vorbemerkung:

Im folgenden halte ich mich nicht an die Bezifferung der Lieder gemäß MF, sondern spreche von Lied I und Lied II.

Aus sachlichen Gründen muß ich einige Fragen gemeinsam, aus Gründen der Übersichtlichkeit werde ich das meiste getrennt behandeln.

Beide Lieder sind lediglich in C überliefert, unter dem Namen *Dietmars von Eist*. Und zwar derart, daß die in B unter dem gleichen Namen parallel geführten Strophen eben diese beiden Stücke auslassen. Die entsprechende Partie in A ist nicht in gleichem Maße parallel geführt, jedoch liefert auch A diese beiden Lieder nicht, bei grundsätzlich dem gleichen (wenn auch anders geordneten und weniger vollständigen) Bestand. Nur daß A die in der Umgebung unserer beiden C-Strophen stehenden Lieder nicht wie B und C unter dem (Deck-)Namen *Dietmar* führt, sondern die entsprechenden Stücke einem *Heinrich von Veltkilchen* zuschreibt.

Das aber heißt: Wie immer man die Autor- und Überlieferungslage beurteilen mag: diese beiden Stücke erweisen sich in C als Fremdkörper, also (vom Bestand in B und auch A her gesehen) als „Einschub" (so auch Kraus, MFU S. 82).

Weiterhin ist kein Zweifel, daß die beiden Stücke nichts zu tun haben mit jener Größe, die aufgrund stilistisch-formaler Einheitlichkeiten Kraus unter dem Namen „Dietmar" begründet hat. Mehr noch: sie unterscheiden sich auch von allem anderen deutlich, was – ob zu Recht oder nicht – von den Schreibern dem Sammelbecken „Dietmar" zugeschlagen worden ist. Das hat die Philologie von Scherer über Paul bis Kraus zu Recht behauptet und erkannt.

Kraus (MFU S. 84): „An dem archaischen Charakter des Liedchens hat nie jemand gezweifelt[1]". – De Boor[2]: Die beiden Stücke sind „wohl das Altertümlichste an mittelhochdeutscher Lyrik, (...) das wir besitzen".

Ein Urteil, das sich natürlich (aber eben weil natürlich deshalb auch subjektiv) mit stilistischen Argumenten stützen läßt, das jedoch sich

---

[1] und natürlich gilt dieses Urteil für beide Lieder.
[2] Literaturgeschichte Bd. II, S. 242.

grundsätzlich beruft auf Eigentümlichkeiten der poetischen Technik, d. h. der Form, der Reimart, des Baus. Denn so dichtet man um 1170 nicht mehr (um jene Zeit also, zu der wir den „echten" *Dietmar* ansetzen).

III. Zur Form und Technik von Lied I

Wie dichtet man nicht mehr?

Die Frage beantwortet sich allererst durch die Reimtechnik: Beide Lieder sind gebunden durch assonierende Reime. Ausnahme in Lied I: der „mechanische" Reim *bist: ist* (5/6); und der „quantitätsunreine" Reim (9/10) *getân: man* (aber er ist bairisch-österreichisch in seiner Endnasalierung durchaus quantitätsrein: *getâ: mâ*).

Ausnahme in Lied II: das letzte Reimpaar mit eben dem gleichen Reim *getân: man*.

Der Ton von Lied I:

Mit der Analyse der Tektonik tut man sich schwer (im zweiten Lied schwerer noch als im ersten). Deutlich ist, daß keines der beiden Lieder in der wohlproportionierten Kanzonen-Form hergerichtet ist, nicht also im überschaubaren (und un-überhörbaren) Dreisatz (Stollen/Stollen// Abgesang).

Die ganze Formdebatte hängt naturgemäß an der Überzeugung, daß ein derartiges Stück gesungen wurde und daß sich der Gesang durch bestimmte Responsions- und Repetitionsformen auszeichnete.

Der Text allein macht in diesem Falle eine solche Gliederung nicht deutlich. Die sie betreffenden Thesen bewegen sich in den Extremen zwischen dem Vorschlag, das Ganze in lauter einzeilige Strophen aufzulösen (s. MFU S. 82; wie 14 Zeilen = 14 „Strophen" immerfort nach der gleichen Melodie psalmodiert werden sollen, ist schwer vorstellbar); Pfeiffer und Wackernagel vergleichen die Bauart des Leichs; Spanke sieht hier Verzicht auf Strophenbau und Melodie; Heusler läßt alles offen (Versgeschichte Bd. II, § 727); und Kraus „scheinen alle Schwierigkeiten behoben, wenn man das Lied in zwei vierzeilige Stollen und einen sechszeiligen Abgesang zerlegt", was auch von der inhaltlichen Gliederung her gestützt werde (alles nach MFU S. 82). Das hat die Schwierigkeit (wie ich sie sehe), daß man dann die grundsätzlich als wv anzusetzenden Kadenzen als *klingende* lesen muß, damit man auf die Zahl von

4 Takten kommt, wie sie doch durch die Verspaare 5/6 und 9/10 und
13/14 gefordert werden (Vers 14 hat gar evtl. das Coda-Achtergewicht
einer fünften Hebung). Aber selbst wenn man die Verse metrisch egali-
sierte, zwingt nichts zu dieser Krausschen Art der Taillierung, d. h. sie
ist durch keine formale Eigentümlichkeit nahegelegt, sondern sie ist
lediglich möglich, und das ist nicht genug. Zur Vorsicht mahnt auch die
Tatsache, daß für Lied II wohl beim besten Willen keine proportionale
Gewichtung auffindbar ist. Und da beide Strophen einander zweifellos
nahestehen, also in etwa dem gleichen Kunstwillen entsprungen sind,
verweist die Un-Gliederung von Lied II auch zurück auf die von
Lied I.

IV. Zur Textkritik von Lied I

In beiden Fällen verdient die handschriftliche Überlieferung Vertrauen.
Die Änderungen Lachmanns verdanken sich vor allem dessen harmoni-
sierenden metrischen Idealvorstellungen, die vermutlich der Faktizität
des gesungenen oder gesprochenen und dabei u. U. verschliffenen oder
gedehnten Wortlautes nicht gerecht werden.

Lied I:

Bemerkenswert ist V. 3: Die Hs. bietet: *ir liebes*, also Gen., was nach
warten durchaus möglich ist. Dennoch änderte Lachmann in *ir liebe*, ihm
folgen (mit Variante *ire*) Bartsch, Sievers und Kraus (also Dat., was nach
warten ebenfalls möglich ist). Vogt war zwischendurch wieder zurück-
gegangen auf *ir liebes*, also zur Hs. Dazu Kraus (MFU S. 82): *ire* erfordere
der Rhythmus („wie soll man Vogts Fassung lesen?"), und *liebe* der
Reim: „denn so häufig die Assonanz *–e: –en* ist, so selten findet man *–es*
–en". Wenn das so ist, dann würde dieser handschriftlich bezeugte Fall
dazu beitragen, die seltenen Belege immerhin um einen zu vermehren.

Ob man schließlich in der letzten Zeile mit der Hs. *joh engerte* schreibt
oder wie Lachmann *Jô engerte* oder wie Kraus *jô 'ngerte*, bleibt sich wahrlich gleich, denn nicht die Schreibung, sondern die Sprech-(Sing-)Weise
bestimmt die Form.

Wir können also bis auf geringe graphische Änderungen in Lied I
durchgehend der Hs. folgen (also auch in V. 11: *erwelton*, da die vollen
Nebensilbenvokale ja im alemannischen Mittelhochdeutsch noch erhalten sind). Doch stimme ich der umgelauteten Form *schœne* zu (V. 12).

Und gewiß hat Lachmann recht, wenn er im letzten Vers das *ir dekeines* der Hs. ändert in *ir dekeiner* (d. h. er schrieb *deheiner*) (also *amantis neminis earum*).

V. Einzelnes zu Lied I

V. 2: *warten* swv: *ex-spectare* (also wie nhd. „Kinder warten"; oder „Hauswart"). In dieser Bedeutung „genau beobachten" mhd. sowohl mit Gen. wie Dat. (s. MFU S. 81).

V. 3: Rhetorische Figur der Wort-Repetitio, stilistische Figur der Bedeutungs-Variatio. Hier neigt sich der Akzent schon in Richtung der Bedeutung „warten auf".

V. 5: Ellipse durch Prolepse. Eine Verkürzung also von: „wohl dir, Falke, daß du ein freifliegender Vogel bist".

V. 7, V. 10: Wieder Repetitio in Form des grammatischen Reims *erkiusest: erkôs*.

V. 13: *wande ne* kontrahiert zu *wan* = „warum nicht".

VI. Lied I: Interpretation

Gattungstechnisch handelt es sich hier um einen Repräsentanten des international verbreiteten, archaischen, eine menschliche Ursituation ausdrückenden Genres der Frauenklage, wie sie uns vor allem Theodor Frings eindrucksvoll vorgeführt hat: „Am Anfang der Liebeslyrik steht in aller Welt das Liebeslied der Frau. Das ist oft gesagt, kann aber nicht oft genug wiederholt werden[3]". Mit anderen Worten: es handelt sich um Rollenlyrik, um einen Monolog, und zwar entweder um einen „reinen" oder – wie in diesem Falle – um einen „eingekleideten"[4]. Die Motive der Frauenklage sind allemal: Einsamkeit, Sehnsucht, Ausschau, Warten.

---

[3] Theodor Frings, Namenlose Lieder, Beitr. Ost Bd. 88, 1967, S. 307; – Zur Literatur über die Frauenklage: Frings ebda. S. 313 ff.; – Zuletzt: Peter Dronke, Die Lyrik des Mittelalters, dt. 1973, Kap. III: „Cantigas de Amigo". (Behandelt unsere beiden Strophen nicht.) S. auch unten S. 134 f.

[4] Zu den Termini vgl. den Aufsatz über *Walthers Lied von der Traumliebe*, u. S. 136 ff.

Was nun die Frage der Frau als Dichterin angeht, so weiß man, daß Scherer noch an originäre Frauenlyrik glaubte – nach ihm hat die Forschung, was die mittelhochdeutsche Lyrik angeht, wohl mit Recht von solcher autobiographisch-romantisch-sentimentalen Identitätsvorstellung Abschied genommen. Bis dann doch wieder Hans Naumann erklärt: „natürlich wirkliche Frauenlieder"[5]. Bemerkenswert und in der Tat atemberaubend indessen die Replik von Kraus auf diese wenn auch irrige Naumannsche Vermutung: „Aber der epische Eingang würde dann eine Kunst der Objektivierung zeigen, die gewöhnlich nicht gerade ein Vorzug der Frauen ist" (MFU S. 83). Was neben allem anderen deshalb so besonders grotesk klingt, weil das (von Naumann mitgemeinte) nächste Lied ja nun auf jede epische Einkleidung verzichtet, also nach den Krausschen Kategorien (subjektiv: objektiv) einer Frau zugeschrieben werden könnte.

Das Lied beginnt wie eine Pastourelle, und in der Tat handelt es sich ja faktisch (nicht genetisch) um den Typus eines Pastourellen-Kontrafakts[6].

Die Situation ist einfach: Die liebende Frau im Warte-Stand, vielleicht hoch oben *ûf einer zinnen*, vielleicht in der freien Natur, statuarisch, isoliert. Sie späht über das weite Gelände, erblickt an Stelle des erhofften Geliebten den Falken, der seine Kreise zieht, beneidet ihn um seiner Autonomie, um seines Rechtes der freien Kür willen: Ihr selber ist ein entsprechendes Verhalten übel bekommen, andere Frauen haben ihn ihr geneidet und – so wird man das unerfüllte Warten zu Ende deuten müssen – ihn ihr abgenommen. Ihr, die sie doch ihrerseits den Rivalinnen deren Geliebten nicht geneidet hat.

Hier treffen wird zum ersten Mal (denn die Kürenberger-Strophen sind wohl doch später anzusetzen) in der deutschen Lyrik auf das Falkenmotiv, das bis in die Gegenwart hin in unserer Literatur kreist.

Der Falke ist Metapher oder Symbol in der Dichtung vieler Völker und Zeiten. Er steht für Schönheit, Freiheit, Adel, Stolz. Im engeren Sinne stellt er das Symbol dar des Helden und des Geliebten. Die bekanntesten Beispiele in der mhd. Dichtung sind Kriemhilds Falkentraum; das Lied des Kürenbergers; Reinmars Strophe MF 180, 10: *Ich bin als ein wilder valke erzogen*[7].

---

[5] Höfische Kultur S. 17, zit. nach Kraus MFU S. 83.

[6] S. *Carmina Burana* Lied 138: Die erste, zweite und dritte Strophe setzen jeweils ein: *Stetit puella*.

[7] S. den Aufsatz über des Kürenbergers Falkenlied, u. S. 23 ff.

Nun die Durchführung. Sie wird zeigen, daß dieses scheinbar primitive, gewiß einfache archaische Lied gewirkt ist aus den Elementen kalkulierter Kunst: Artistik im Gewande der höchsten Einfalt.

V. 1–3 bilden die Exposition. Die Ausgangssituation ist statisch, die „Heldin" steht, und wacht. V. 4 überführt das starre Eingangsbild in Aktion: sie *ge-sach,* d. h. *er*blickte (inchoativ) einen Falken, und zwar in seinem Element, in der Luft, im Fluge. Das Wiederspiel des Kontraposts von Ruhe und Bewegung konfrontiert hier die Statue dem kreisenden Flugtier[8].

Die folgende Gruppe von vier Versen setzt das eine in Beziehung zum anderen. Übergangslos fällt die Sprechende ein, liefert sogleich die Auflösung der Bild-Chiffre durch den Makarismos: Du bist glücklich, – denn du hast das *liberum arbitrium,* die freie Wahl. Tertium ist der „Zielpunkt", der Baum, der Mann, an den man sich halten kann. Vers 9 mit seinem Einsatz *alsô* ist das Scharnier der beiden Erlebnisformen, das sie verbindet: Schritt zur unmittelbaren Anwendung des Geschilderten. „*Alsô ouch ich*" – das ist jene unbefangene Überführung von Interesse in Erkenntnis, die Gottfried Benn in seinen „Problemen der Lyrik" (1951) heftig schilt. Ist jenes vergleichende „Wie", das, als aufdringliche Gleichsetzung, zu einem Vorgang des kalkulierten Räsonnements macht, was doch seine „Lehre" in sich haben sollte. Ein Urteil, das freilich eingegrenzt ist auf bestimmte Perioden der Lyrik und des Lyrikverständnisses.

Die durch *alsô* eingeleitete Parallele läßt nunmehr vom gemeinsamen Punkt des scheinbar Vergleichbaren her die beiden Linien auseinanderstreben. Wie der Falke, so hat auch die Liebende mit den Augen gewählt. Bemerkenswert ist die sachliche Antithetik in der stilistisch parallel geführten Aussage: *du fliugest . . . du erkiusest . . .; hân ich getân, ich erkôs.* Die syntaktische Gleichsetzung und Wiederaufnahme des Grundwortes *kiesen* macht die Ungleich-Setzung der beiden Positionen um so deutlicher.

Ohne logisch antithetiertes „aber" wird das Mißlingen solcher „natürlichen" Nutzung von Freiheitsrechten aufgewiesen. Die scheinbare

---

[8] S. Rolf Grimminger, Poetik des frühen Minnesangs, 1969: Gescheite Beobachtungen in freilich sehr angestrengter Terminologie; die Ergebnisse entsprechen in ihrem Gewicht nicht dem Niveau der Überlegungen. Grimmingers Gliederung weicht von der meinen ab, ohne daß man hier wohl von widersprechender Auffassung reden müßte. – Über Grimminger s. Werner Schröder, Beitr. Tüb. 92, S. 255 ff.

Gleichheit wird höchst kunstvoll durch Verwendung des gleichen Verbs bezeugt *(erkiusest – erkôs)*. Aber das gleiche ist nicht das gleiche, das Ergebnis ist ungleich: Die Rivalinnen haben diese Wahl, haben das Resultat der Wahl aufgehoben. Ein einziger Vers des direkten Aufbäumens in rhetorischer Frage: Warum lassen sie mir meinen Geliebten nicht? Mit der rührenden Rechtfertigung durch die illegitime Logik: Schließlich lasse ich ihnen doch den ihren ... Solches Ausklingen, das in Hoffnungslosigkeit zerrinnt, gibt vom Ende her dem Eingang erst seine Kontur. Diese Frau, die allein wartet, wartet schon ohne Ziel, bewacht die verlorene Zeit. Sie ist nicht allein, sondern ist einsam, hat schon verloren und verspielt, das Wachen ist so vergeblich wie das Warten.

Alttradiert ist die Vorstellung von der Verantwortung der *ougen*, die der Liebe den Weg bahnen bis ins Herz. Zu betonen ist übrigens das Possessivpronomen: *mîniu ougen*, denn Frau wie Falke haben gewählt, und das Instrument von beider Wählen sind die Augen. Entsprechenden Akzent trägt in V. 7 das *du*. Hinzuweisen ist weiter auf den altertümlichen Wortgebrauch, der aber im Kontext der Zeit schwerlich den Reizwert des Altertümlichen hatte, also ohne Patina war: *trût* z. B. Altertümlich ferner die Syntax der Parataxe: Bis auf die Sequenz V. 7/8 sind alle Verse in strengem Zeilenstil sich selbst genug.

VII. Zur Form von Lied II

Hier also liegt die Sache noch vertrackter als bei Lied I. Kraus nennt die Form zu Recht „rätselhaft" (MFU S. 84). Wieder führen die Vorschläge der bisherigen Forschung nicht weiter (so die Hypothese Vers = „Strophe", s. o. S. 4). Heusler (§ 727) will nicht an eine kleine durchkomponierte Arie (also an einen kleinen *Leich*) glauben, so denkt er denn an einen brieflichen (!) Liebesgruß: der würde die fehlende, d. h. von vornherein nicht mitgedachte Vertonung erklären.

Kraus hat eine Patentlösung, die ich nicht patent finden kann: Er ordnet bestimmten syntaktischen Einheiten bestimmt melodische Phrasen zu (was als Prinzip korrekt ist), und findet auf diese Weise zwei Größen. Ich nenne sie der Deutlichkeit halber A und B.

A = V. 1–3 und V. 6–8 (also jeweils ein Dreizeiler); und B = V. 4–5, 9–10, 11–12 (also jeweils ein Zweizeiler, der sich in der Coda verdoppelt).

Schematisiert sähe dann also Kraus' Vorschlag wie folgt aus:

$$A^1 \, (3)$$
$$B^1 \, (2)$$
$$\overline{A^2 \, (3)}$$
$$4 \, \begin{cases} B^2 \, (2) \\ B^3 \, (2) \end{cases}$$

Mein erster Einwand gilt der Taktzahl. Denn das letzte Verspaar muß doch vierhebig gelesen werden (selbst wenn man den Hiat in V. 12, der ja ohnehin nicht der Handschrift gehört, sondern den Herausgebern, durch Elision tilgt). Dann müssen also auch die anderen Gruppen vierhebig angesetzt werden, was im Falle der „klingenden" Kadenzen (also Vv. 1, 2, 5–10) zu erreichen wäre; doch müßten dann V. 3/4 (der erste zur ersten A-, der zweite zur ersten B-Gruppe gehörig), um auf die gleiche metrische Einheit der „klingenden" und „vollen" Vierheber gedehnt werden zu können, mit (Fermate oder) Pause gelesen werden; metrisch: 4 *st*.

Den anderen Einwand habe ich schon anklingen lassen. Formale Einheite im Sinne von „Stollen" z. B. ergeben sich nicht zuletzt durch die Parallelität in der Reimabfolge. Aber Kraus' beide A-Grupen (V. 1–3 und V. 6–8) reimen je nach anderer Folge: a : a : b und c : d : d. Desgleichen die B-Gruppen: die letzten beiden weisen Paarreim auf, die erste Gruppe hingegen (V. 4–5) neigt sich mit dem ersten Reim zurück zum letzten Reim der ersten Dreier-Gruppe (= A^1), mit dem anderen hin zur ersten Zeile der zweiten Dreier-Gruppe (A^2).

Mir fällt dazu nichts Besseres ein, als das letzte Reimpaar als Ausgangspunkt zu nehmen, da es eindeutig die metrische Größe eines (vollen) Vierhebers hat: Coda mit dem bekannten „Achtergewicht" (Axel Olrik). Dann wären gemäß der stichischen Struktur dieses Liedes also jeweils die einzigen übersichtlichen, d. h. sinnlich faßbaren Einheiten: die Reimpaare. Also fünf Zweier-Gruppen, gleichartig gesungen, dann als letztes Reimpaar der „Abgesang". Befriedigend aber ist das nicht.

In diesem Zusammenhang muß ich meine eigenen Überlegungen in Frage stellen. Denn selbst meine sich streng und puristisch gebenden metrischen Erwägungen erweisen mich – wenngleich in einem letzten dünnen Aufguß – als Lachmannianer. Und zwar insofern, als ja bereits das Rekurrieren auf zählbare metrische Einheiten wie Vierheber und *vv* oder *st* oder *kl* eine ästhetisch und materiell faßbare Norm voraussetzt.

Eine solche Voraussetzung aber scheint mir für dieses Stück ein Akt unerlaubten Rückschließens zu sein.

Denn so wie die Strophen da stehen, kurz vor den schon durchaus tektonisch kunstvoll gefügten sanglichen Stücken des Kürenbergers (oder gar gleichzeitig?), in ihrer ungegliederten blockhaften Größe und ihrer stichischen, d. h. paarweise gereimten Bindung, machen sie formal doch eher den Eindruck eines Partikels Kleinepik als den einer Lied-strophe. Sie erinnern also an die Form der gleichzeitigen Epik, an die des *Rolandslieds*, an die der sog. *geistlichen Reformdichtung* (von *Frau Ava* über das *Lied von der Siebenzahl* bis hin zu des *Armen Hartman Rede vom Glouben*), an die der *Mariensequenzen* und *Gebete* oder an *Wernhers Maria*. Solche Überlegungen nehmen wieder auf, was bereits Heusler zweifelnd (s. o. S. 6) bezüglich der Melodie dieser beiden Lieder äußert, was Spanke noch deutlicher ausspricht: „ein Stück in Blankversen, ohne Strophenbau und wohl ohne Melodie" (s. MFU S. 82). An diesen früh-mittelhochdeutschen Dichtungen aber haben wir (nicht zuletzt dank Pretzels Reimgeschichte)[9] gelernt, nicht mehr zu reden von „Zügel-losigkeit" oder „Abweichungen" der Reim- und Versbehandlung. Was einem von klassischer Norm geprägten Kunstgeschmack als rohe und nicht bewältigte Vor-Form erscheinen mußte, das haben wir mittlerweile begriffen als Ausdruck eines eigenwilligen Kunstprinzips, als Ausdruck eines Formwillens, der sich noch nicht der strengen Disziplinierung durch strikte Takt- und Reimordnungen hingegeben hat.

In solchem Sinne will mir auch als Bestätigung meiner Vermutung erscheinen, daß Maurer[10] hier eine Langzeilen-Fassung vorschlägt. Das wird zwar niemanden verwundern, der Maurers metrische Neigun-gen kennt. In unserem Falle ist es mir wichtig, weil Maurer damit die Beziehung herstellt zu der epischen religiösen Dichtung des 11./12. Jahr-hunderts (die ja in seiner Edition konsequent in die Form der Langzeile transferiert worden ist).

Mit anderen Worten: ob nun „Liebesgruß" oder nicht, ob nun „Brief" oder nicht: hier scheint mir vorzuliegen, was man poetologisch etwa „Ballade" nennt, also ein Stück nicht von der musikalischen Komposition her konzipierter Kleindichtung mit lyrisch-epischem Mischcharakter.

---

[9] Ulrich Pretzel, Frühgeschichte des deutschen Reims, 1941.
[10] Friedrich Maurer, DU 2/59, S. 9.

VIII. Zur Textkritik von Lied II

Vers 1: Diese Zeile bietet einen hübschen Einblick in die Phase der synthetischen Rekonstruktions-Philologie: Hat doch Lachmann unbefangen das hsl. *Sô wol dir* ersetzt durch *Sô wê dir* ... Dagegen sprechen eindeutig die Belege, die Vogt (MFA S. 374) gesammelt hat für *Sô wol dir* im Sinne von „Lebe wohl".

Freilich war Lachmann bestimmt von dem Rückblick auf Lied I, wo es V. 5 in mit Hilfe der Prolepse *(valke)* vollzogener Verkürzung und Konzentration heißt: „Glücklich du, der (daß) du ein Falke bist." (Kraus verweist dazu auf Grimm Gr. IV, 459.) V. 2 schreibt die Hs. *dc gevogelsang ist gesvnde* (so wie Kraus im Apparat die Hs. wiedergibt, enthält allein diese Passage nicht weniger als drei Ungenauigkeiten, die sich freilich z. T. erklären aus den Herausgeber-Prämissen von Vogt und Kraus). Hier handelt es sich wohl nicht um ein Mißverständnis des Schreibers (der etwa *gesunde* las), sondern nur um eine graphische Variante, Lachmanns Emendatio *geswunden* ist eindeutig.

Im übrigen können wir bis auf geringfügige graphische Änderungen der Hs. folgen.

IX. Einzelnes zu Lied II

V. 3: *linden:* der Dativ macht deutlich, daß der Linde ihr Laub geradezu „weggenommen" worden ist.

V. 4: *jârlanc:* „von jetzt an das Jahr lang, das Jahr hindurch"; oder: „in dieser Jahreszeit". *truobent:* „trübe sein", „trübe werden".

(Lachmann stellte um: *mir truobent ouch;* ebenso zwei Verse weiter: *gelouben/dih.)*

V. 5: *wol stênden (ougen):* Zu der Formulierung ausführlich und ohne viel Ergebnis Kraus MFU S. 83. Natürlich heißt *wol stên:* „gut im Stand sein"; so auch öfter von den Augen. Das Antonym *truoben* macht es so gut wie sicher, daß hier die Bedeutung „klar", „hell" richtig ist (so Schönbach und Kraus, s. MFU S. 83). Inwiefern Kraus solche Auffassung als Schwächung der (gegen Scherer gerichteten) These versteht, es seien diese Lieder nicht von Frauen gedichtet, verstehe ich nicht.

V. 6: *ge-louben* refl. Verb. cum Gen. der Sache: „verzichten auf".

2*

V. 7: *anderre:* Gen. Plural aus **anderẹre.*

V. 8: *wan:* beteuernd (s. MFU S. 83/84), also = *utinam.*

X. Lied II: Interpretation

Die gedankliche Durchführung gliedert die Strophe (die, um es un-
nötigerweise zu erwähnen, zwei Verse kürzer ist als Lied I) deutlich in
vier Partien. Ich bezeichne sie durch *A; B; C; D.*

A (V. 1–3): Thema ist: Abschied. Der Sommer ist dahin. Zeichen
dessen ist ein Defekt: das Schwinden. Und zwar sowohl akustisch:
Vogelsang; wie optisch: die Blätter der Linde sind abgefallen (der
Linde, des deutschen Baumes, der traulich und mild ist und gewissermaßen das Haustier unter den Bäumen). Der Anrede *dir* entspricht das
mir, analog Lied I.

B (V. 4–5): Nun das Scharnier d i e s e r Strophe:

Was dem vorigen Lied das *alsô* bedeutete, wird hier dargestellt durch
mir ouch: wieder also Überführung eines Vorgangs der „äußeren" Natur
in die „innere" des, wie die Literaturwissenschaft wohl sagt, „lyrischen
Ich". Das Tertium ist der Verlust. Und zwar dort Verlust der Signale
des Sommers, hier Verlust der Signale des Glückes (die einst strahlenden
Augen sind glanzlos geworden, sind rot von Tränen)[11].

C (V. 6–8): Thema: Mahnung an den Geliebten zur Treue.

D (V. 9–12): Thema: Auf der Suche nach der verlorenen Zeit. Die
Vergegenwärtigung des Gewesenen soll das Künftige garantieren. Die
Mahnung hat das letzte Wort, und wie das Gedicht mit einer Anrede
begann, so endet es mit einem Vokativ. Der Abschiedsgruß an das
Sommerglück erweist sich als Abschiedswort an den Mann. Wieder ist
hier wie im vorigen Lied der Beginn vom Ende her modelliert. *lieber
man,* das ist eine Formel für Nähe, die kraft ihrer Einfachheit in ihrer
Intensität nicht gesteigert werden kann – und heute nicht tauglich wäre,
Ähnliches auszudrücken.

---

[11] Grimminger (s. Anm. 8) bezeichnet, verstehe ich ihn recht, diesen Teil im Ge-
füge des frühmittelhochdeutschen Gedichtes als „Deduktion". Dem Terminus entspricht der der „Induktion", womit also der die Summe von allem enthaltende
Schlußsatz gemeint ist (S. 54).

Der Monolog korrespondiert dem Monolog Lied I. Ich möchte ihm jedoch ein höheres Maß von künstlerischem Bewußtsein unterstellen, wie es sich z. B. schon vorweist in dem Verzicht auf die „hilfreiche" Einkleidung, in dem Verzicht auf epische Verpackung. Aber auch das Naturverhältnis ist von subtilerer Art:

Wir müssen noch einmal zurückkommen auf den Falkenvergleich. Denn wir haben noch nicht ausdrücklich vermerkt, daß er ja in Lied I von seiner urtümlichen eigentlichen Funktion abweicht. Traditionell steht er, wie man weiß, für den Helden, den Geliebten. Und natürlich wird auch in Lied I der Geliebte auf solche Weise assoziiert. Die logische Durchführung aber setzt ihn nicht dem Geliebten gleich, sondern dem freien Willen des Wählenden. Eine solche Vergleichung ist, so sensibel sie gemacht ist, dennoch handfester als die unvermerkte Ineinssetzung von Naturgeschehen und seelischem Geschehen des zweiten Liedes. Das Jahr der Natur und das Jahr der Seele werden in Lied II nicht parallelisiert, sondern ineinander überführt. Die Natur ist stumm geworden, die Natur hat ihren Glanz verloren: die Augen sind stumm geworden, die Augen haben ihren Glanz verloren. Leer das eine wie das andere.

Man kann also diese beiden Lieder (oder Strophen) begreifen als einander korrespondierend: Das erste Lied verfährt bei Betrachtung ein und derselben Sachlage subjektiv, d. h. es erörtert aus dem Gefühl der sprechenden Frau heraus die Qual der verwehrten Wahl. Andere Frauen mißgönnen der Liebenden solche Freiheit, machen sich daran, ihr den Mann abzulocken.

Das zweite Lied sieht, vielleicht im relativen Zeitablauf schon ein trauriges Stück weiter, den gleichen Vorfall „objektiv", d. h. es beurteilt ihn vom Verhalten des Partners, des Mannes aus. Den Rivalinnen ist ihr Spiel geglückt, die sie den Mann der Sprecherin nicht gegönnt hatten. Und er hat sie, die anderen Frauen, nicht „gemieden", hat nicht auf sie verzichtet.

Als letztes, ebenso mächtiges wie hier gewiß versagendes Mittel setzt die Verlassene die Kraft der Erinnerung ein: Du hast mich doch einst für die Schönste gehalten . . .

Aber die eine wie die andere Strophe in ihrem nur scheinbar unentschiedenen Ausgang lassen keinen Raum mehr für ein Happy-End.

Lieber man – das ist beider Thema. Vielleicht ist er *liep;* treu ist er nicht.

XI. Ausblick

Bei allem Vorbehalt gegen eine plane Parallelisierung wird es vielleicht erlaubt sein, von dem einen Gedicht aus dem Bereich „Höfischer Kultur" auf ein anderes zu verweisen, das bei aller Unvergleichbarkeit der Bewußtseinshaltung im Artistischen doch verweist auf Urformen der Lyrik, wie sie aus Urformen der Erfahrung mögen entsprungen sein. Eben jener Erfahrung, die das Movens der Frauenklage ist, und die man sehr wohl aus dem Bereich des Nur-Weiblichen in den des Allgemein-Menschlichen transponieren kann: Leid des Verlassenseins, des Einsamseins. Oder, wie man einmal sagte, des Unbehaustseins. Den spröden Versen um 1150, die diese Erfahrung zum ersten Mal in deutscher Sprache ausdrücken, mag man die des Christian Hoffmann von Hoffmannswaldau zur Seite stellen (1617–1679), die freilich schon den Schritt über die Reflexion in die Resignation getan haben:

> *dô du mich êrst sâhe,*
> *dô dûhte ich dich zewâre*
> *sô rehte minneclîch getân...*

> *Wo sind die stunden*
> *Der süssen zeit|*
> *Da ich zuerst empfunden|*
> *Wie deine lieblichkeit*
> *Mich dir verbunden?*
> *Sie sind verrauscht| es bleibet doch darbey|*
> *Daß alle lust vergänglich sey*[12].

---

[12] Postum 1695 gedruckt, zitiert nach Albrecht Schöne, Das Zeitalter des Barock, [2] 1968, S. 483 (= Die Deutsche Literatur, Texte und Zeugnisse, hg. von Walther Killy, Band III).

DES KÜRENBERGERS FALKENLIED

35 *Ich zôch mir einen valken*   *mêre danne ein jâr.*
   dô ich in gezamete   *als ich in wolte hân*
9 *und ich im sîn gevidere*   *mit golde wol bewant,*
   er huop sich ûf vil hôhe   *und floug in anderiu lant.*

5 *Sît sach ich den valken*   *schône fliegen:*
   er fuorte an sînem fuoze   *sîdîne riemen,*
9 *und was im sîn gevidere*   *alrôt guldîn.*
   got sende si zesamene   *die gerne geliep wellen sîn!*

Mustert man die Bemühungen der Forschung um das Falkenlied, so möchte man angesichts der meist kontroversen und insgesamt unbefriedigenden Ergebnisse resignieren und vermuten, das Gedicht entziehe sich den Anstrengungen der Wissenschaft nicht anders als der Falke sich der Gefangenschaft. Weder die Teile noch das Ganze sind uns deutlich, und das eine bleibt unklar, weil das andere unklar bleibt.

Obzwar gewiß eines der Elemente, die dieses wundersame Lied zu einem der schönsten der deutschen Lyrik des Mittelalters machen (und – der es der Frühzeit zuweisenden Form zum Trotz – zu einem seiner reifsten), seine schwebende Rätselhaftigkeit ist, können wir den philologischen Verstand nicht davon dispensieren, es zu durchmustern, so weit und so tief er es vermag.

I. Die Forschungslage

Die zahlenmäßig ungemein fruchtbare Literatur zum Falkenlied hat bis 1927 Ehrismann gesammelt[1]; ihn ergänzt bis 1939/40 Carl von Kraus[2]. Zuletzt: George Nordmeyer, Zur Auffassung des Kürenbergfalken[3];

---

[1] GRM 15, 1927, S. 338–340.
[2] MFU, S. 25–30; MF Anm., S. 334–336.
[3] The Germanic Revue 18, 1943, S. 213–222.

Helmut de Boor[4]; und Fr. R. Schröder, Kriemhilds Falkentraum[5]. Die einander widerstrebenden Auffassungen lassen sich auf einige Fragen reduzieren, die wiederum untereinander verkettet sind: Meint das Entfliegen des Falken nichts als eben dies, oder ist es symbolisch zu verstehen? Sind beide Strophen Frauenstrophen, oder handelt es sich um einen Wechsel, in dem dann die 1. Strophe dem Mann gehörte (da die 2. schon aus formalen Gründen – die klingenden Kadenzen der beiden ersten Langzeilen des Tones II – dem Mädchen zuzuweisen ist)? Kommt (wenn man *symbolice* deutet) zu dem Motiv von der verlassenen Geliebten das Eifersuchtsmotiv hinzu, das heißt: ist der Schmuck der 2. Strophe als Steigerung des Schmuckes der 1. aufzufassen und also als Zeichen einer neuen Bindung, oder ist er lediglich variierende Wiederholung?

Die hervorragendsten Erforscher unserer mittelalterlichen Lyrik haben um diese Fragen gerungen, und sie haben eine imponierende Fülle von Parallelen aus der Weltliteratur gesammelt, so Haupt, Wilmanns, Scherer, Burdach, E. Schmidt, R. M. Meyer u. a., in jüngerer Zeit Schwietering, Frings und Fr. R. Schröder. Wie immer man über die Filiation dieser Stücke denken, wie immer man die Einordnung insbesondere der gewichtigsten unter ihnen vornehmen mag: Kriemhilds Falkentraum; das italienische Sonett des 13. Jhs.[6]; die französische Chanson des 15. Jhs.[7]; die von Frings angeführten serbischen Volkslieder[8]; die deutschen Verse aus der Braunschweigischen Reimchronik, Heinrichs von Mügeln, aus dem Liederbuch der Hätzlerin und anderen Sammlungen[9] – wie skeptisch man immer einen quellenmäßigen Zusammenhang beurteilen mag: sie lassen keinen Zweifel daran zu, daß es sich um ein internationales „Wandermotiv" handelt, dessen Kern aus der Gleichsetzung Falke = Geliebter besteht und dessen Stimmung geprägt wird durch die Sorge und die Trauer um den Verlust[10]. Prüft man

---

[4] Geschichte der deutschen Literatur, II: Die höfische Literatur, München 1953, S. 243.

[5] PBB (Tübingen) 78, 1956, S. 319–348, bes. S. 340–344.

[6] MF 1857[1], S. 230f.; deutsch bei Simrock in der Einleitung zu seiner Übers. des Nibelungenlieds (Das Heldenbuch, Bd. 2, [29]1874) S. XXII; und in Max Müllers Übers. zuletzt bei Fr. R. Schröder, aaO., S. 340.

[7] bei E. Schmidt, ZfdA 29, 1885, S. 119.

[8] PBB 54, 1930, S. 144–155.

[9] Vogt, MF Anm., S. 334f.

[10] Zum Übergang von der Bedeutung „Held" zu der Bedeutung „Geliebter" und zur Vereinigung beider Bedeutungen s. Frings, aaO., S. 146ff.; Fr. R. Schröder, aaO., S. 334ff. – Über die Verbreitung des Wandermotivs: Th. Frings, Minnesinger und

diese Belege, vergleicht man die z. T. wörtlichen Anklänge, die Verwandtschaft in Tonlage und Atmosphäre, in Handlung und Haltung, dann wird man den Gedanken verwerfen, ausgerechnet das Lied des Kürenbergers sei (wie Brinkmann[11] erwägt) lediglich als Klage über den Verlust eines Falkens aufzufassen; oder der Falke sei in der Funktion des B o t e n zu sehen, wie z. T. jene Auffassungen wollen, die das Lied als Wechsel verstehen: die Wesles[12] und die Ittenbachs[13] – während die (gleichfalls einen Wechsel vorschlagende) These George Nordmeyers etwa die Mitte hält zwischen „symbolischer" und „realistischer" Deutung (selbstredend ist auch ein Symbol eine Realität, doch mögen hier vorerst diese unzulänglichen Kennmarken gestattet sein): es spricht der Mann, aber er meint in dem Falken sich selber und in dessen Erziehung seine eigene Ausbildung in der *ars amandi*, in seinem Flug das eigene Ausbrechen in die Weite (S. 217ff.)[14].

Auch untereinander also stehen diese „nicht-symbolischen" Deutungen in scharfem Gegensatz, weil sie einmal ein fliehendes Entfliegen, ein andermal ein gewolltes Fortschicken (bzw. bei Nordmeyer eine Neutralisierung dieser Problematik insofern, als Besitzer und Falke identisch sind) heraushören.

Wir müssen festhalten, welcher Umstand vor allem es einigen Interpreten schwer zu machen scheint, die symbolisch-erotische Deutung der Mehrheit zu akzeptieren: es stehe, so wird argumentiert, nichts da von einem E n t f l i e g e n w i d e r W i l l e n des Besitzers, vielmehr sei dieser Gedanke „einer sentimentalen Erlebnisformel zuliebe hineingedeutet"[15]; und wie an einer klaren Bekundung gewaltsamer Flucht fehle es auch an einer Klage, die ihr doch gemäß sei. Solche Überlegungen hatten

---

Troubadours, Berlin 1949, S. 16. Zum Falken in der antiken Traumsymbolik s. jetzt Emil Ploss, Byzantinische Traumsymbolik und Kriemhilds Falkentraum, GRM 39, 1958, S. 218–226.

[11] Entstehungsgeschichte des Minnesangs, Halle 1926, S. 108f.: „An sich ist das Lied Klage über Verlust eines entflogenen Falken", der „vom Dichter selbst nicht eindeutig als Symbol des Geliebten bezeichnet" ist; so „ist erotische Bedeutung nicht sicher"; beide Strophen Frauenstrophen, s. ders., Liebeslyrik der deutschen Frühe, Düsseldorf 1952, S. 99.

[12] ZfdPh 57, 1932, S. 209–215.

[13] Der frühe deutsche Minnesang, Halle 1939, S. 40–46.

[14] Erst nach Abschluß des Manuskripts erschienen A. T. Hattos interessante Beobachtungen zu *Der minnen vederspil Isot* (Euphorion 51, 1957, S. 302–307). Nach Hatto ist beim Kürenberger „der Falke eindeutig Bote und zugleich Vorbote des kommenden Liebhabers"; und es sei Wesle „entschieden beizustimmen". (S. 304 und Anm. 7.)

[15] Ittenbach, aaO., S. 41.

schon 1896 Wallner[16] dazu bewogen, den Kürenberg-Falken mit dem Raben der *Oswald*-Legende und dessen Botenauftrag zu verbinden. Und dieser Einwand hindert seine Verfechter naturgemäß an einem symbolischen Verständnis der Verse, denn das „wider Willen" ist ja Voraussetzung für die Einreihung unseres Liedes in die große Tradition dieses verbreiteten Wandermotivs.

Indessen: auch ohne die Fülle prägnanter Parallelen (die dem Kürenberger lediglich den – im Gedicht zuweilen anfechtbaren – Vorzug unmißverständlicher Deutlichkeit voraushaben) wird es schwerfallen, den in den bildhaften Vorgängen geborgenen Sinn unseres Liedes n i c h t zu merken, die tiefere, d. h. eigentliche, eben „symbolische" Aussage n i c h t zu hören. Es ist die Eigenart der Lyrik, Bild, Gestus, Vorgang mehr sein zu lassen als nur sie selber; und es ist die Eigenart des Mittelalters, in solcher verschwiegenen Mitgift die Kunst anzusiedeln.

Der Untersuchung stellt sich überdies die (wie gesagt, mit der Anschauung von Symbol und Wechsel verbundene) Frage, wie man die F u n k t i o n   d e s   S c h m u c k s in der ersten und der zweiten Strophe zu verstehen hat. Symptomatisch für die hier herrschende Anschauung ist die Übersetzung Scherers[17]:

> „Ich sah seitdem den Falken   oft in stolzem Flug.
> Doch ach! an seinen Füßen   er seidne F e s s e l n trug,
> Ein f r e m d e s Gold ihm glänzte   roth im Gefieder –."

Das „fremde" Gold, von dem im Text nichts steht, fügt zu dem Motiv des Verlassenseins das Eifersuchtsmotiv, und so wird man auch die „Fesseln" hier nicht als Terminus technicus der Falkenarmatur, sondern als Symbol der „süßen Tyrannei" neuer Bindung auffassen müssen. In diesem Falle einmal ist Scherer wohl mehr seiner Intuition als seiner Wissenschaft verpflichtet, und seine Auffassung, die eine „Steigerung" des Schmuckes der ersten in der zweiten Strophe feststellt, ist, ob ausdrücklich formuliert oder nicht, offenbar die herrschende Meinung. Ausführlich hat sich zuletzt C. von Kraus zu ihr bekannt[18].

Wir halten fest: Die symbolische Deutung des Falkenliedes hat sich, obwohl von der Mehrzahl der Forscher vertreten, des kritischen Einwandes zu erwehren, es sei nicht von einem E n t f l i e g e n des Falken die

---

[16] ZfdA 40, 1896, S. 290–294; dann ZfdA 50, 1908, S. 206–214.

[17] Vorträge und Aufsätze zur Geschichte des geistigen Lebens in Deutschland und Österreich, Berlin 1874, S. 119.

[18] MFU, S. 27 f.

Rede. Eine nichtsymbolische Interpretation der 1. Strophe kann dann zur Ansetzung eines Wechsels führen (wie er sich dem überlieferten Formenbestand des Kürenbergers besser einfügen würde als ein zweistrophiges Frauenlied). – Innerhalb der symbolischen Deutung ist die Funktion des Schmucks umstritten. Wer in der zweiten Strophe neuen, reicheren Schmuck entdeckt[19], führt eine dritte Person in das Spiel ein und mit ihr ein weiteres Motiv. Offenbar bestimmt diese scheinbar pedantische Frage ganz wesentlich die Aussage des Liedes und insbesondere der letzten Zeile.

II. Vergleich – Gleichnis – Symbol

Die Falkenbeize ist das vornehmste Jagdvergnügen der adligen Gesellschaft – und das schon lange Zeit vor dem Entstehen der uns bekannten deutschen volkssprachigen Lyrik. Karl der Große, der nach dieser seiner Leidenschaft benannte Heinrich I., Heinrich III., Heinrich IV., Barbarossa hingen ihr an[20]. Man liebte den Falken ob seiner Schönheit, seines Charakters, seiner Kostbarkeit. So ist es nicht verwunderlich, daß er auch in unserer mhd. Lyrik seine Kreise zieht.

Burkhart von Hohenfels (KLD 6, II, 1, 3–4) vergleicht: *schande wenket von ir* (seiner Herrin) *sêre,* | *sam vor valken lerche tuot.* – XVIII, 2, 1–5 schwingt sein Herz sich zu ihr wie der Falke zum Köder: *Nie valke guot* | *zem luoder kan* | *sô snelleclîch,* | *alsô mîn muot* | *si fliuget an.* – Reinmar vergleicht (156, 12f.): *ze fröiden swinget sich mîn muot,* | *als der valke enflüge tuot*; und (180, 10) *Ich bin als ein wilder valke erzogen* ... – In dem archaischen Liedchen (Pseudo-) Dietmar 37,4 sieht die einsame *frouwe* den *valken fliegen*, wie er sich nach Gefallen seinen Baum sucht: *alsô hân ouch ich getân* ...[21] – Stellt man diese Belege mit dem Falkenlied des Kürenbergers zusammen, so lassen sich sehr schön Stufen des Bilddenkens

---

[19] Wallner, ZfdA 50, S. 208: „die offenbare steigerung des schmuckes beim widersehn."

[20] S. z. B. Hermann Schmidt, Die Terminologie der deutschen Falknerei, Diss. Freiburg/Br. 1909, S. 3, Anm. 4; Fritz Engelmann, Die Raubvögel Europas, Neudamm 1928, S. 541, 551.

[21] Einige weitere, aber nicht instruktive Belege für das Falkenmotiv, das „im Minnesang gar nicht so sehr verbreitet" ist, bei Wesle, ZfdPh 57, 1932, S. 213, Anm. 3. – S. auch Scherer, Deutsche Studien II, Wien 1874, S. 3–5 und Simrock, aaO., Einleitung S. X, XX–XXIV. – Zur metaphorischen und allegorischen Verwendung des Motivs bei Hohenfels s. Hugo Kuhn, Minnesangs Wende, Tübingen 1952 (Hermaea 1), S. 14–16; S. 25, Anm. 79, 80; S. 33 u. Anm. 97.

beobachten. Die intellektualisierte, logisch reflektierende Sehweise des hohen und späten Minnesangs vergleicht rational. Ausgangspunkt ist eine seelische Lage, zu deren Illustration der Falke heranbemüht wird. Der Falke ist schon Klischee, die Kombination literarisch. Das Bewußte solchen Konstruierens erhellt aus den Vergleichspartikeln *sam, alsô* (Hohenfels); *als, als* (Reinmar). – Solchem imaginativen Vogel geht die Beobachtung des *uber heide* fliegenden Falken bei (Pseudo-)Dietmar voraus. Hier wird also nicht zur Illustration einer seelischen Lage ein Vergleich gezogen, sondern der außerhalb des Subjekts beobachtete Vorgang wird als Gleichnis eines seelischen Vorgangs empfunden. Der Falke ist nicht intellektuelles Stilelement, sondern konkreter Partner: *alsô hân ouch ich getân.* Das eine ist gedacht, das andere empfunden und gedacht. Der Kürenberger indes steht außerhalb jeder Reflexion. Der Falke ist der Falke. Der Falke ist er selber – und nicht er selber. Kein Vergleich, kein Bild, kein Gleichnis. Da hebt Dichtung den Satz von der Identität auf und erfüllt ihn mit einem höheren Begriff von Identität. Der Unterschied in der Verwendung des Falkenmotivs bei Reinmar und Hohenfels einerseits, beim Kürenberger anderseits ist der Unterschied zwischen Denken und Dichten (und [Pseudo-]Dietmars *frouwe*, die *uber heide wartet*, steht in der Mitte wie der Philologe, indem sie Empfundenes durch Observation zur Bewußtheit erhebt).

Das Falkenlied setzt nicht eine Sache für die andere. Es setzt eines im anderen – wenn anders überhaupt der Vorgang zu beschreiben ist, der die Magie wahrer Dichtung ausmacht. So erfüllt es die Voraussetzung, ein gutes Gedicht zu sein, die nach Hofmannsthals schlüssiger Formulierung[22] darin besteht, daß es *einen Zustand des Gemüts* ausdrückt (wohingegen es dem Minnesang sonst ja darum geht, Situationen zu schaffen, das *Spiel der Gefühle* zu zeigen und der Gedanken, was eigentlich *anderen Formen* der Dichtung überlassen werden muß). Wie die Schwäne im Gedicht Hebbels, so bedeutet der Falke hier *nichts als sich selber*, als eine Chiffre, mit der Gott *unaussprechliche Dinge in die Welt geschrieben hat* und die aufzulösen *die Sprache ohnmächtig ist.* In solchem Sinne also ist in unserem Zusammenhang das Wort „Symbol" gemeint, insofern, als es *das Element der Poesie* ist. Symbolschöpfung ist Ergebnis der Kraft des Menschen, sich mit den Dingen, den Vorgängen um ihn zu identifizieren, weil ja *wir und die Welt nichts Verschiedenes sind*[23].

---

[22] Das Gespräch über Gedichte (1904), Prosa II, hrsg. von Herbert Steiner, Frankfurt 1951, S. 100.

[23] Hofmannsthal, ebda., S. 101, 102, 104, 105.

Ein *Zustand des Gemüts.* Er läßt ein Ich sich mit einem Ding der Welt identifizieren, einem Tier, in magischer Vereinigung. Sie tut sich kund in Chiffren, im Symbol. Das ist Kürenbergs Falkenlied. Wer seine Chiffren glaubt auflösen zu können, geht so gut an ihm vorbei wie der, der sie nicht als Chiffren erkennt.

III. Er floug in anderiu lant

er huop sich ûf vil hôhe und floug in anderiu lant. Das klingt als isolierte Formulierung in der Tat neutral und wird allgemein übersetzt durch „Er schwang sich hoch in die Lüfte und flog in fremde (ferne) Lande". Und dennoch enthält diese Formulierung den Beweis dafür, daß der Falke sich w i d e r Willen d e s Falkners frei macht. Denn man hat bisher nicht gesehen, daß „in andere Lande fliegen" Terminus tech- nicus der Falknersprache ist.

Der Frankfurter Buchhändler Sigmund Feyerabend und der Jurist Johann Heller ließen 1582 das *Neuw Jag und Weydtwerck Buch* erscheinen, das eine „geschickte Kompilation"[24] der vorausgehenden wichtigsten Werke über die Beizjagd darstellt. Es enthält eine „Sammlung weid- männischer Redensarten", die eben wegen des kompilatorischen Cha- rakters des Buches als repräsentativ gelten darf[25]. Da heißt es dann: *Sie stehen auff der Hand oder Stangen | und heist nicht gesessen. Ihre Flügel werden genannt Schwingen.* Und an diesen Satz schließt sich, ganz deutlich wieder formuliert in der Zweiteiligkeit von Phänomen und dessen terminolo- gischer Fixierung: *Wann sie jrr werden | fallen sie in ein ander Land | und kurtzer zeit viel Meil*[26]. Der Terminus scheint noch heute lebendig zu sein: In dem als grundlegend geltenden Werk von Fritz Engelmann über „Die Raubvögel Europas" findet sich bei der Behandlung des „Ver- stoßens", das ein absichtliches Fliehen oder ein „schuldloses" Verirren sein kann, der Hinweis darauf, daß auch Beizvögel, die sich verflogen haben, meist in der Nähe der vertrauten Umgebung sich aufhalten. Andere jedoch entfliegen und „fallen in fremde Lande"[27]. Letzte Bestätigung bringt ein Beleg aus Friedrichs II. *De arte venandi cum*

---

[24] Hermann Schmidt, aaO., S. 15. Zu Feyerabend und seinen Verlegerpraktiken s. jetzt auch Kurt Lindner, Das Jagdbuch des Petrus de Crescentiis, Berlin 1957, S. 47 ff.; 82 f.

[25] H. Schmidt, aaO., S. 16.

[26] H. Schmidt, aaO., S. 16.

[27] Engelmann, aaO., S. 776.

avibus[28], wo es im letzten Buch unter dem Kapitel *De Falcone non redeunte*
heißt: *Si autem falconarius, qui facit redire falconem, videat, quod divertat ad
aliam partem, sequatur eum*[29]...

Wir wissen nunmehr, daß die Formulierung in unserem Falkenlied
ein Entfliegen, einen Ausbruch gegen den Willen des Hegenden meint,
der böslich verlassen zurückbleibt[30]. Damit ist der gewichtigste Einwand gegen eine Symboldeutung aufgehoben und gleichzeitig also die
Strophe als Frauenstrophe bestimmt, da sie aus Männermund als erster
Teil eines Wechsels beim besten Willen nicht zu verstehen wäre; denn
die Botenvogel-These entfällt[31].

IV. Geschüh und Schmuck

Der Falke ist seiner Herrin entflogen[32]. Was ist es damit, daß sie ihn,
schön und unerreichbar, wiedersieht? Was meint der Schmuck, den sie
an ihm erkennt?

Wir wiederholen: „in andere Lande fliegen" bedeutet fortfliegen,
enthält keinen Zielpunkt. Es erwies sich und wird sich weiterhin erweisen, daß der Kürenberger Falkenkenner ist (und Frauenkenner, wie er

---

[28] Hier wie im folgenden zitiert nach der Ausg. von Carolus Arnoldus Willemsen,
Tom. I/II, Lipsiae MCMXLII. Ergänzend sei verwiesen auf die große englische Übersetzung des Falkenbuchs durch Casey A. Wood und F. Majorie Fyfe (Stanford Uni-
versity Press 1943), die hervorragendes Bildmaterial beisteuert und im reichen Einlei-
tungs- und Anhangteil u. a. einen Überblick über die Hss. wie eine vorzügliche
kritische „Bibliography of Ancient, Medieval and Modern Falconry" bringt. (Das.
S. 577 über Engelmann: „One of the most scientific, reliable, and comprehensive
works on the subject.")

[29] Ebda., II, p. 252. – Zu Pars pro Regione s. Du Cange VI, p. 182.

[30] Das verzweiflungsvolle Bemühen, den entflogenen „Falken" zurückzulocken,
bildet den Inhalt der redseligen Allegorie Der Minne Falkner, hrsg. von J. A. Schmeller,
Stuttgart 1850, S. 171–208. (Bibl. d. Stuttg. Lit. Ver. XX.) Den guten Ratschlägen
zum Trotz (Str. 149, 150) wird der „Falkner" dem Entflogenen nachjagen, *die weil
die sele wont in meinem leibe* (Str. 185).

[31] Nunmehr, da *in fremdiu lant* u. ä. als Terminus technicus erkannt ist, wäre auch
zu überlegen, ob z. B. Mügelns Falkenlied (s. MF Anm., S. 335) und selbst das Gedicht aus dem Liederbuch von 1574 (ebda.) noch als deutliche Anklänge an den
Kürenberger empfunden werden dürfen.

[32] Obschon es sich wohl erübrigt, sei doch daran erinnert, daß die Damen sich
lebhaft an der Beizjagd beteiligten wie auch sich mit der Zucht von Falken beschäftig-
ten. Ich verweise nur auf Weinhold, Die deutschen Frauen in dem Mittelalter, Wien
1851, S. 344f.; Alwin Schultz, Das höfische Leben zur Zeit der Minnesänger, I,
Leipzig 1879, S. 374.

es ja etwas protzig in 10,17f. herausposaunt: *Wîp unde vederspil diu werdent lîhte zam...*). Wir verkennen ihn, wenn wir seine Angaben zu diesem Gebiet nicht ernst und exakt verstehen. So erweisen sich auch so unauffällige Worte wie *gevidere* und *vuoz* als Termini der Falknersprache: „Gefieder" heißt die Gesamtheit der Federn[33], „Füße" wird in der mittelalterlichen Falknerei synonym für „Beine" „Klauen", „Griffe" gebraucht[34]. So werden wir am weitesten kommen, wenn wir auch den entrückt vorüberstreichenden Falken sowie Schmuck und Riemen aus Sprache und Brauch der Falknerzucht verstehen.

So lange man das „In-andere-Lande-Fliegen" wörtlich nahm, klaffte ja ein Widerspruch zwischen dieser Aussage und der anderen, nach der seine Herrin den Vogel *sît schône vliegen* sah[35]. Wir nehmen es als „Verstoßen", Entfliegen und erfahren, wie unmittelbar der Dichter auch hier die Wirklichkeit der Beizjagd wiedergegeben hat: Denn die „meisten Beizvögel, die sich verflogen haben, pflegen dem gewohnten Revier ... noch längere Zeit treu zu bleiben"[36]. Versagen dann alle Versuche, ihn zurückzu„locken" und seiner wieder habhaft zu werden, „so kann man sich nur noch über die täglich immer prächtiger werdende Flugkunst ‚seines' Beizvogels freuen... Doch wenn man selbst mit süßen Flötentönen kommt, so enteilt er geschwind dahin..."[37]. Diese Erfahrung also des Jägers und Falkenzüchters steht hinter dem „impressionistischen" Bilde des *schône vliegen*. Darauf, daß der Vogel in anderen Besitz übergegangen sei, scheint es wahrlich nicht hinzudeuten. Aber man behauptet es und stützt sich darauf, daß die Formulierung *alrôt guldîn* eine Steigerung des *mit golde wol bewant* bedeute; nicht anders die *sîdînen riemen*: Carl von Kraus z. B. vermutet, sie seien in Strophe I deshalb nicht erwähnt, „weil der Falke keine hatte... Erst die zweite in anderen Ländern hat ihm die Fesseln angelegt, die er nun als Zeichen seiner Unfreiheit bei der Rückkehr in die heimatlichen Lüfte an sich trägt"[38]. Wir

---

[33] H. Schmidt, aaO., S. 32.

[34] Ebda., S. 24. – Vgl. auch Kürenberg 10, 19/20: *swer si ze rehte lucket, sô suochent si den man.* Das „locken", „locke machen" geschieht mit dem „Luder", „Federspiel" oder „Vorlaß" und wird auch synonym für „zähmen" gebraucht, s. H. Schmidt, aaO., S. 63 ff., 67 f.

[35] S. z. B. Burdach, Reinmar der Alte und Walther von der Vogelweide, Leipzig ²1928, S. 259:„er muß also die *anderiu lant* verlassen haben und in ihr Land zurückgekehrt sein".

[36] Engelmann, aaO., S. 775.

[37] Ebda., S. 780.

[38] MFU, S. 28; s. a. Scherer, oben Anm. 17.

wissen jetzt, daß diese Auffassung sich unrichtiger Voraussetzungen bedient. Und unhaltbar ist auch die Meinung, der Falke könne ohne die *riemen* entflogen sein. Denn die Fesselung ist eines der wichtigsten Kapitel der Zähmung, die erste Handlung an dem Wildfang ist, ihm das Geschüh anzulegen[39]! Dessen ordnungsgemäße Handhabung und Bereitung ist verständlicherweise von großer Bedeutung für die Abrichtung des Falken, und so erklärt es sich, warum die Lehrbücher auf diese Materie viel Raum verwenden[40]. Bei unseren *riemen* handelt es sich eindeutig um das eigentliche „Geschüh" = *iacti* = *geti* = „Wurffessel", „Würfel" u. ä. *Ob hoc iacti dicuntur, quia cum eis iaciuntur falcones et immittuntur ad predandum* (Friedrich II.)[41]. Sie bestehen aus zwei etwa handlangen (ca. 20 cm) und etwa fingerbreiten (ca. 1,5 cm) Lederriemen, die geschlitzt, durchgezogen, verknotet und am (fingerlang) herabhängenden Ende mit einem Ring (für die *longa* = „Langfessel") versehen, um die Beine des Falken geschlungen werden[42]; und dort bleiben sie, der Falke mag ruhen oder fliegen.

Die psychologisierend arbeitende Vermutung, der Falke sei seinen Fesseln, i. e. ohne Fesseln, entflogen, deckt sich also nicht mit den sachlichen Voraussetzungen. (Die Feststellung, daß hier in der 2. Strophe von einem Sachverhalt die Rede ist, dessen in der 1. Strophe nicht gedacht wurde, obwohl er auch in ihrem Zusammenhang notwendig vorlag, führt einen Schritt weiter: Die Erwähnung in neuem Zusammen-

---

[39] S. Engelmann, aaO., S. 672.

[40] Ich verweise für das Folgende auf: Engelmann, aaO., S. 628; H.-H. Vögele, Die Falknerei. Eine ethnographische Darstellung, Neudamm 1931, S. 83, 105; Friedrich II., De Arte ... tom. I, p. 148 ff. – Sehr instruktiv die 1943 von Willemsen edierten Miniaturen der französ. Übers. des kaiserlichen Werks (Die Falkenjagd. Bilder aus dem Falkenbuch Kaiser Friedrichs II.), bes. S. 39–41; und die vielen Illustrationen bei Wood-Fyfe. Ferner: Kurt Lindner, Die deutsche Habichtslehre, Berlin 1955, Kap. *Warauß man jm geschüch machen sol* des *Beizbüchleins* (um 1400) und Anm. 117, S. 265 (dazu Willemsen, Arch. f. Kulturgeschichte 39, 1957, S. 228–231). – Für liebenswürdige briefliche Auskunft habe ich zu danken Frau Gisela Hofmann (geb. Kienitz), der Verfasserin der Kieler (masch.-schr.) Diss. von 1953 über: Untersuchungen zur Geschichte der Falkenjagd in den germanischen Ländern von den Anfängen bis zur Blütezeit um 1200; s. auch den Aufsatz der Verf.: Falkenjagd und Falkenhandel in den nordischen Ländern des Mittelalters, ZfdA 88, 1957, S. 115–149. – Die (vet. med.) Diss. von Antje Gerdessen, Beitrag zur Entwicklung der Falknerei und der Falkenheilkunde (masch.-schr. Hannover 1956) war mir nicht zugänglich.

[41] tom. I, p. 149.

[42] Zusätzlich kennt die Habichtfesselung noch das Zwischenstück der Kurzfessel, s. Lindner, aaO., S. 265.

hang muß demnach nicht als Resultat des neuen Zusammenhangs gedeutet werden: *alrôt guldîn* mag das Gefieder von je gestrahlt haben.)

Bleibt noch nach dem Attribut zu fragen: *sîdîn* sind die *riemen*. Dieser Umstand ist nicht ohne weiteres klar; ich habe keinen Beleg für die Vermutung Burdachs[43] gefunden, es handle sich „wohl" um „mit Seide umwickelte Riemen". Dennoch bleibt diese Annahme die wahrscheinlichste, denn schon ein flüchtiger Einblick in die Praxis der Falkenbeize beweist, daß es Wahnsinn wäre, dem Vogel zusätzlich Schmuckbänder um die Beine zu schlingen, die sich in Zweigen und Gesträuch verfangen und das Tier tödlich gefährden würden. Eine Fülle von Belegen jedoch zeigt uns, daß es üblich war, dem Falken Gefieder, Schnabel und Beine bunt und kostbar zu schmücken, mit Goldstickerei, Farbe, Edelsteinen (doch von Schmuckbändern an den Füßen ist nie die Rede). Außer auf unser Kürenberg-Lied verweise ich z. B. auf das goldgeschmückte Gefieder des Habichts in Gudruns Traum (26. Kap. der *Völsungasaga*) wie auf die schillernde Ausrüstung, die der werbende Rabe im *Wiener Oswald*[44] erhält:

> *vorgulde im sin gefidere...*
> *vorsilbere im di clawen sin,*
> *den snabel mache im guldin...*

Sodann V. 606 ff.:

> *der juncfrouwen eine*
> *zirte im sine gebeine*
> *mit finen wazzerperlin,*
> *di ander...*[45];

und prächtig aufgeputzt ist der Falke in jeder der Varianten des serbischen Volksliedtypus vom „Falken von Saloniki"[46]. Obschon *riemen* mhd. wohl nicht nur Lederriemen bedeutet[47], lassen die Praxis der Falkenbeize wie die Schmuckbräuche wohl keinen anderen Schluß zu als den, daß

---

[43] Denn Burdach hat sie zuerst (ZfdA 27, 1883, S. 364, Anm., wiederabgedruckt in der 2. Aufl. von Reinmar der Alte und Walther von der Vogelweide, Leipzig 1928, S. 259, Anm. 14) geäußert, nicht, wie Vogt (MF Anm., S. 335) anzunehmen scheint, Bühring (1900).

[44] Der Wiener Oswald, hrsg. von G. Baesecke, Heidelberg 1912, V. 115 ff.

[45] S. Frings, PBB 54, 1930, S. 154 f.; Fr. R. Schröder, aaO., S. 341 und die Lit.-Angaben zu diesem Brauch ebda., Anm. 3.

[46] Frings, aaO., S. 144 ff.

[47] S. BMZ II, 1, S. 699.

es sich hier um die *iacti* handelt, die zum Schmuck mit Seide umsponnen sind. Denn daß man auch diese Geschühriemen zu zieren pflegte, zeigt ein Beleg aus dem *Biterolf*[48] (ein Sperber wird herangebracht):

> *hie sult ir hœren mœre*
> *wie dem gevazzede (= vezzel!) wœre*
> *daz an dem sparwœre lac...*
> *der vezzel (= würfel!) vlîziclîche*
> *geworht was in Karadîn*[49].
> *niemanne was der lîp sîn*
> *sô siech, der in umbe truoc*
> *ern wurde wol gesunt genuoc:*
> *ûz ieslîchem würfel schein*
> *mit solher kraft ein edel stein*
> *dâ man wol buozte sühte mite.*

Als Ausdruck also solchen Schmückungsbedürfnisses werden wir uns auch die Seide an den *würfeln* unseres Falken zu deuten haben[50]. Daß sie

---

[48] Hrsg. von O. Jänicke, Deutsches Heldenbuch I, Berlin 1866, V. 7041 ff.

[49] Die Hs. hat *Baradie*. Die gleiche Form auch zwei Mal in der *Kudrun* statt des dort deutlich gemeinten *Karadin* (daher Müllenhoffs Emendation). Indessen: Was das (bei Irland zu denkende Land) *Karadê* (-*ie*, -*îne*) aus der *Kudrun* hier soll, ist nicht recht einsichtig (Jänickes Vermerk – S. 267 – „die irischen waaren galten als heilkräftig" hilft kaum weiter), wenn man die Nennung nicht als eine Kontamination versteht: Es gibt nämlich den Vogel *Karadrius* (*Kaladrius*, s. die Belege in BMZ I, S. 788) aus dem Lande *Galathil*, von dem schon die Alten zu berichten wissen; der hat ähnliche Eigenschaften wie Wolframs Phönix: dadurch, daß er einen Kranken anschaut, nimmt er dessen Krankheit in sich auf; wendet er aber den Blick von ihm so, stirbt der Kranke. „in seinem rechten beine trägt er einen stein, der stärkend für die augen ist" (BMZ). Dieser Vogel und sein Bein-Stein sind gewiß dafür verantwortlich, daß dem Edelstein im Geschüh des Biterolf-Sperbers gesundheitschaffende Kraft innewohnt, und sein Name *Karadrius*, sein Land *Galathil* stehen hier hinter dem so verwandt klingenden Kudrun-Lande *Karadin*, dem des Sperbers *iacti* entstammen.

[50] Auch der Schmuck wurde noch wieder mit Seide geschmückt, s. *Wiener Oswald*, V. 626 ff.: *do schutte her sin gefidere lanc, | daz is uberal irclanc | sin guldin gut gesmide | bewunden wol mit side.* Wie weit das wörtlich gilt, steht dahin – es mag in beiden Fällen „Seide" und „seiden" synonym für „Schmuck" und „geschmückt" stehen. Jedoch ist nicht uninteressant, daß ein Lied des ungarischen Dichters Balassa Bálint (1540 bis 1595) (mitgeteilt von Herbert Sparmann, PBB [Halle] 79, 1957, S. 37) umwundene *riemen* zu kennen scheint: *Nun, das Fälkchen, | Das Du zart gehalten hast, | Auf Deinen Armen getragen hast, | mit perlengewirkter, | Mit Goldfäden gebundener | Fußschnur getragen hast.* Allderings ist dieses Zeugnis für unsere Frage nicht klärend, da Balassa – wie Sparmann sicher mit Recht annimmt (S. 40, 42) – in Österreich oder Ungarn wohl auf in der Kürenberg-Tradition stehende Lieder gestoßen ist.

aber erst jetzt, nach der Flucht, geschmückt worden wären, wird mit keinem Wort gesagt, und es wird auch nicht etwa wahrscheinlich gemacht durch das *alrôt guldîn:* in dieser Formulierung will man zumeist eine Steigerung des *mit golde wol bewant* der 1. Strophe sehen[51] – ohne Not, wie mir scheint: ein *gevidere,* das *mit golde wol bewant* ist, wird gewiß am Sonnenhimmel *alrôt guldîn* aufleuchten. Die Konsequenzen aber einer Auffassung, die hier eine neue, die erste übertreffende Schmückung vermutet, wären erheblich und sind, wie gleich hinzugefügt werden muß, bedenklich modern psychologisierend. Sie unterstellen eine Art Fortsetzung, eines kleines Eifersuchtsdrama. Die Symbolgebärde jedoch des Kürenbergers schenkt uns Einblick in einen Gemütszustand, nicht in das Gefühlsspiel einer amourösen Novelle (in dem dann später freilich der Falke eine rühmlich bekannte Rolle einnehmen wird). Hätte er Handlung darstellen wollen, dann hätte er, der noch der Tradition epischen Erzählens verbunden ist, sie dargestellt. Denn er verzichtet durchaus nicht auf logische Explikation dort, wo sie hingehört: in der „Einkleidung" nämlich, und da werden wir sie aufsuchen müssen. Wir sahen schon, wie genau er sich im Bereich der Falkenbeize auskennt und wie korrekt er sich in ihm ausdrückt. Es ist kurios, sich darüber zu wundern, daß das Mädchen die angebliche V e r ä n d e r u n g des Schmuckgewandes erkennen soll, und dann zu deuten: „Der Späherblick weiblicher Eifersucht sieht scharf"[52]. Ganz anders muß doch die Frage lauten: Wie erkennt denn ein Falkner, daß der frei kreisende Vogel der s e i n e ist, der ihm entflog? Hier war nur der Späherblick Burdachs scharf genug: „Sie sah einen Falken, er trug Schmuck, das waren die wohlbekannten Zeichen ihrer Liebe: es mußte ihr entflohener Liebling sein[53]". Und so verhält es sich in der Tat. Das Geschüh hat nämlich auch die Funktion, das E r k e n n u n g s - und B e s i t z z e i c h e n zu tragen. Das erfahren wir z. B. aus einer Angabe des Rechtsgelehrten Noe Meurer (1560): *Unnd wiewol sie* (die entflogenen Falken) *de jure | . . .frey und ledig werden | So ist doch der bey den Herrn gehalten brauch mehr anzusehen | das sie* a u ß d e n e r k e ñ t e n G e f a e ß (= Fessel) *| u n n d d a r a n h a n g e n d e n j e d e s H e r r e n W a p p e n | dem widerumb zugeschickt werden*[54]. Wie der juristische Besitzstand durch das Wappen am Geschüh ausgedrückt wird, so hier

---

[51] S. zuletzt C. v. Kraus, MFU, S. 27f.
[52] E. Joseph, Die Frühzeit des dt. Minnesangs I, QF 79, 1896, S. 49.
[53] aaO., S. 259, Anm. 14; s. a. Ehrismann, aaO., S. 340; Frings, aaO., S. 148.
[54] H. Schmidt, aaO., S. 58.

der seelische durch den Seidenschmuck am Geschüh (und den Schmuck des Gefieders)[55]. So wollen diese Verse der 2. Strophe kein (außerhalb der Atmosphäre des Liedes liegendes) Dramolet andeuten, sondern erklären, daß die Frau den Entflohenen erkennt, und ihn als ihr (verlorenes) Eigentum erkennt.

Diesem Akt des Erkennens und des Anspruchs steht auf der Seite des Falken der des Ausbruchs in die Freiheit gegenüber. Denn man zwingt den Vorgang der Flucht doch nur in eine übersteigerte und fremde Vorstellungssphäre hinein, wenn man seinen ganz urtümlich-natürlichen Sinn verkennt: der Raubvogel gibt sich seinem ihm eigenen Element zurück, dem er zuvor angehört hat und dem er von Natur angehört, eben dem der Freiheit! Was wäre das für ein Ausbruch, der in eine neue Bindung führt! Das wäre menschliche Psychologie, und wollte er sie darstellen, würde der ritterliche Falkenjäger und Sänger nicht die Tierpsychologie mißbrauchen. *Franchise est sa nature*, so singt die französische Chanson[56].

V. Die letzte Zeile

Das Lied vom entflogenen Falken ist das Lied von der verlassenen Geliebten[57]. Sie ist es, die in beiden Strophen spricht. Gold und Seide zeigen ihr, daß ihr gehörte, was nun sich der Freiheit freut. Da ist kein Psychologe am Werk, der eine siegreiche Nebenbuhlerin eingeführt hätte. Die „zweimalige Erwähnung des geschmückten Gefieders in dem knappen Rahmen von acht Zeilen" als „unökonomisch" zu kritisieren und „das nachhinkende Hinzufügen der Riemen" als „ungeschickt"[58], war nur

---

[55] In diesem Zusammenhang ergänzt die Feststellung Nordmeyers (für den Hinweis dankt er C. F. Schreiber), daß auch der Goldschmuck „als Erkennungszeichen fungiert" (aaO., S. 219, Anm. 22), unsere Gedankenführung auf das willkommenste.

[56] E. Schmidt, ZfdA 29, 1885, S. 119.

[57] In dieser Objektverlagerung tut sich das Wirken der Symbolsprache kund. Dabei wird der Falke nicht vom Himmel geholt, er fliegt wie je. Solchem Geheimnis der Bildersprache „liegt die fundamentale Tatsache zugrunde, daß überhaupt Eines durch das Andere zu reden vermag, ein Sachverhalt, der sehr wunderbar ist". Walther Killy, Wandlungen des lyrischen Bildes, Göttingen 1956, S. 7.

[58] C. v. Kraus, MFU, S. 27 Anm. 2. – Die Tektonik des Liedes unterstützt diese Beobachtungen: Die 1. und 4. Langzeile jeder Strophe enthalten zusammen den Kern; die eigentliche Aussage des Gedichts könnte durch sie allein dargestellt werden. Jede Strophe strebt auf die letzte Zeile hin, und diese ist die weiterführende Antwort auf

möglich, so lange man die Funktion der *iacti* verkannte und auf eine dramatische Entwicklung hinauswollte, anstatt zu erkennen, daß alles „Außen" hier nur Manifestation eines Gemütszustandes ist. Denn die scheinbar ungeschickt wiederholende, ungeschickt neueinführende Erwähnung des Schmuckes lehrt nicht eine glücklichere Konkurrentin erkennen, sondern die Seele des Menschen, und unter ihren Kräften die größte von ihnen, die Liebe. Das wird im folgenden zu zeigen sein.

Wir fragen nach der Schlußzeile, die merkwürdig abgelöst im Raum zu schweben scheint. Läßt die Erkenntnis vom Verlust noch den Wunsch nach einem Wiederfinden zu? Ist anzunehmen, daß dieser persönliche Wunsch so unter der objektiven Formulierung verhüllt werden würde? Steckt „hinter dem Gebet für fremdes Glück ... gewiß ein inbrünstiges für sich selbst", hätte das Lied „auch schließen können: ʻo gäbe sich doch der heimgekehrte Falke mir wieder ganz zu eigen!'"[59]? Die entgegengesetzte Vermutung, daß nämlich die Verlassene in einem seelischen Kraftakt hier der glücklichen Nachfolgerin und ihrem Geliebten Glück wünsche, ist wohl selbst von den Verfechtern der Dreier-Konstellation nicht ins Auge gefaßt worden. Wohl aber findet sich die Annahme, es schließe ein „allgemeiner Gedanke" die zweite Strophe: Wilmanns[60] meint, der Dichter benutze eine „phrase ohne ihre bedeutung und ihr verhältnis zum vorhergehenden scharf zu erfassen". Das ist freilich wahr, wenn wir die Formulierung abwandeln: ohne daß sie von uns scharf erfaßt ist.

Jedenfalls darf die so eingängige und gern angebrachte Bemerkung, der Kürenberger drücke sich hier spröd und verbergend aus und tarne

---

die Feststellung der jeweils ersten, wie schließlich das ganze Lied auf die „Lösung" der Endzeile hinströmt: da haben die Last des Vorgangs und Gedankens und die „Überlänge" des letzten Verses ihre gerechte Entsprechung ineinander. Ich danke Joachim Bumke diesen Hinweis auf solchen Parallelbau in Quaderfügung wie den auf die starre Wiederholung der Worte und Inhalte: In der Zäsur des 1. bzw. 3. Verses stehen in beiden Strophen die Substantiva *valken*: *gevidere*. – Die 1. Zeile jeder Strophe enthält die Zeitangabe: *mêre danne ein jâr*: *sît*. – Die 2. Zeile jeder Strophe handelt von der Zähmung: *gezamete*: *riemen an sînem vuoze* (die eben Symptom des *gezamet*-Seins sind). – Die 3. Zeile jeder Strophe handelt vom Goldschmuck des Gefieders: *mit golde wol bewant*: *alrôt guldîn* (dem *wol* entspricht das *alrôt*). Da ist nicht Steigerung, sondern Wiederaufnahme, die „Statik" des Berichts über ein gegebenes Faktum.

[59] Burdach, aaO., S. 259f., Anm. 14; ähnlich Vogt, MF Anm., S. 335 und C. v. Kraus u. a., s. MFU, S. 28 und Anm. 3.

[60] AfdA 7, 1881 S. 265, Anm.

das subjektive Empfinden unter der objektivierenden Hülle, nicht darüber hinwegtäuschen, daß wir damit der Geschichte von Liebe und Leid
einen dritten Akt hinzufügen, den Ausblick auf ein Happy-End. Ich
glaube nicht, daß eine solche Wendung dem Erlebnis der beiden
Elementarkräfte gemäß wäre, die dieses Lied tragen: des Gesetzes, das
den Mann in die Freiheit zwingt und die Frau in das Leid. Doch wird
unsere Behauptung von einem Einmünden des Liedes in eine allgemeine
Maxime so lange allgemein bleiben, als wir deren Bedeutung und Verhältnis zum Vorhergehenden nicht scharf erfaßt haben.

Das Frauenlied, die Frauenklage verweisen uns zurück auf den „Anfang aller Lyrik", auf ihre „volkstümlichen" Grundlagen[61]. Dennoch
ist deutlich, daß es sich hier nicht um ein „Volkslied" handelt. Zu einem
Kunstlied indessen werden diese beiden Strophen nicht dadurch, daß sie
sich des Apparates der Falkenzucht bedienen. Die Beispiele, die Frings
(PBB 54, 1930, S. 144ff.) bringt, beweisen ja, wie breit das Volkslied
sich dieser Thematik bedient hat. Sie bietet sich an mit der Entstehung
der Beizjagd, deren Ursprünge noch nicht ganz erhellt sind und die ja
durchaus nicht immer nur „Herrenbrauch" war[62]. Was vielmehr dieses
Gedicht in den Raum der Kunstdichtung verpflanzt, ist die Intensität
und Weite der geistigen Kraft, mit der die Seele sich erlebt und überwindet, in Bewußtheit, Beherrschung und Verzicht, in einer Selbstentäußerung, die zu einem Selbstfinden wird. Ein Akt bewußten Ent-
sagens, d. h. ein Akt der Kultur; einer Kultur, wie sie zur Zeit der Entstehung unseres Liedes entdeckt und konstituiert wurde. Man nennt sie
ritterlich, nennt sie höfisch, nennt sie nach ihrer auffallendsten Ausformung die der Minnesinger. Aber das sind nur Teilwahrheiten, und
letztlich ist uns ihr plötzlich-reiches Entstehen, ihre hohe Zeit wie ihr
schnelles Vergehen ein Wunder und ein Rätsel. An einem Denkmal
einen Einblick in das Spiel der Kräfte zu geben, die durch das Neue und
Rätselvolle provoziert wurden und sich mit den alten Strömen ver-
banden, in den sich uns meist verschließenden Prozeß der Anverwandlung und geheimnisvollen Amalgamierung, ist die eigentliche Absicht
dieser Untersuchung.

---

[61] Th. Frings, PBB 73, 1951, S. 192; ders., Minnesinger und Troubadours, passim.
[62] Vgl. H.-H. Vögele, aaO., passim.

VI. Vom Geist der Falkenzucht

Am 18. Februar 1248 erlitt Kaiser Friedrich II. „die schwerste Nieder-
lage seines Lebens"[63]: Während der Belagerung Parmas hatte er „wie
gewohnt im Morgengrauen" seine Lagerstadt Victoria verlassen und
war zur Falkenbeize geritten. Da überfielen die Parmenser das Lager,
töteten oder fingen einen Großteil seiner Truppen und machten unermeßlich reiche Beute. Unter ihr war auch die zweibändige Pracht-
ausgabe eines Werkes, dessen Abfassung jahrzehntelange Studien vor-
ausgegangen waren und das den Kaiser als einen der bedeutendsten
Naturwissenschaftler des Mittelalters ausweist, ja, nach Rankes Wort als
einen „der größten Kenner dieses Teiles der Zoologie . . ., die je gelebt
haben"[64]: die Ornithologie *De arte venandi cum avibus*. Er, *stupor mundi et
immutator mirabilis*, erstaunt auch hier die Welt bis auf den heutigen Tag.
Dieses Buch bezeichnet „einen Wendepunkt im abendländischen Denken . . ., den Beginn der abendländischen Erfahrungswissenschaft"[65].
Das drückt sich aus in dem lapidar hingeworfenen Grundsatz, der doch
die seitherige Methodik mittelalterlichen Denkens sprengte, die der
astralen Kosmologien, der kasuistischen Spekulation, der orientalisch-

---

[63] Dies und das Folgende nach Ernst Kantorowicz, Kaiser Friedrich der Zweite,
3. (unveränderte) Aufl., Berlin 1931, S. 600f.

[64] Kantorowicz, aaO., S. 332; Erg.-Band, Berlin 1931, S. 156. Indessen: das Beute-
stück, wie seine Beschreibung in einem Brief vom Jahre 1264 (oder 1265) an Karl
von Anjou zeigt, „cannot be identified with the *De Arte* in its present form", Charles
H. Haskins, Studies in the History of Mediaeval Science,²1927, S. 309. Vermutlich
handelte es sich bei diesen beiden (seitdem verlorenen) Bänden um Friedrichs luxuriös
ausgestattetes Handexemplar, das mehr enthielt als die uns überkommenen Hss.
Diese verzweigen sich in eine Zwei-Buch-Rezension und in eine Sechs-Buch-Rezen-
sion, die eine (illuminiert und vermehrt um des Kaisersohnes Manfred Zusätze) am
besten repräsentiert durch das Vatican-Ms., die (bilderlose) andere (Sechs-Buch-
Fassung) am besten durch die Hs. zu Bologna (beide 13. Jh.). Zur Überlieferung s.
Ch. H. Haskins, The „De Arte Venandi cum Avibus" of the Emperor Frederick II,
English Historical Review 1921, S. 334-340 (s. a. Wood-Fyfe, aaO., S. LVIIff.,
LXXIff.). Wichtig ferner die folgenden Arbeiten von Haskins: Some Early Treatises
on Falconry, The Romanic Review XIII, 1922, S. 18-27; Science at the Court of the
Emperor Frederick II., American Historical Review XXVII, 1922, S. 669-694. Diese
Aufsätze sind – z. T. in revidierter Form – sämtlich eingegangen in den oben zitierten
Sammelband der Studies in the History of Mediaeval Science. Schließlich: Ch. H.
Haskins, Studies in the Mediaeval Culture, 1929, Kap. V und VI.

[65] Kantorowicz, aaO., S. 336.

abendländischen Philosopheme[66]: *Intentio vero nostra est manifestare in hoc libro . . . ea que sunt sicut sunt*[67], – „deutlich zu machen die Dinge, die sind, wie sie sind". Die fundamentale Bedeutung dieser Maxime wie des ganzen Werkes für unsere Geistesgeschichte hat Kantorowicz höchst eindrucksvoll dargestellt[68]. Für unser begrenztes Thema kommt es indessen nicht auf das Neue an, die empirisch-objektive Sehweise, sondern auf das, von dem wir werden annehmen dürfen, daß es Tradition ist, von Friedrich großartig formuliert und ausgeführt, aber gewiß nicht neu gesetzt: Die geistig-seelische Einstellung zum Jagen mit Falken. Wir erwähnten die Tradition dieser adligen Beschäftigung in unserer Geschichte, wie sie von Karl dem Großen über Heinrich I., Heinrich III., Heinrich IV., Friedrich I. über Friedrich II.[69] bis zu Maximilian führt[70] und über ihn hinaus (auch Päpste wie Pius II. und Leo X. haben sich ihr gewidmet); und bedeutende Impulse für die Steigerung von Kenntnissen und Fähigkeiten in der Beizjagd empfing Europa durch die Kreuzzüge dank der Begegnung mit morgenländischen Falkonieren, Beizvögeln und Fachbüchern[71]. Wenn auch Friedrichs Werk auf einsamer Höhe steht und weithin ausstrahlend nachgewirkt hat (so schon auf des Albertus Magnus Traktat über die Vögel[72]), so ist es dennoch nicht ohne Vorgänger gewesen[73]. So sehr wir Grund haben zu der An-

---

[66] Ebda., S. 332.

[67] Edit. Willemsen, tom. I, p. 2.

[68] S. 331–336. Man führt „this particular type of mental training" auf die morgenländisch-arabischen Komponenten in Friedrichs Erziehung zurück, s. Georgina Masson, Frederick II of Hohenstaufen, London 1957, S. 216–17.

[69] der in der Geschichte der Falknerei fortlebt „als der Kaiser schlechthin", Engelmann, aaO., S. VII; und den letzten Staufer Konradin stellt der Illuminator der Hs. C. auf der Beizjagd dar.

[70] der beide Gemahlinnen durch einen Sturz vom Pferde bei der Falkenbeize verlor, Weinhold, aaO., S. 344f.

[71] s. H. Schmidt, aaO., S. 3; Engelmann, aaO., S. 541, 551, 542.

[72] *De animalibus lib. XXIII*, ed. Stadler, 2 Bde., Münster 1916 u. 1920. Über die Falken insbes. §§ 44–107. – Albertus beruft sich mehrfach auf Friedrich II. als Gewährsmann, s. Stadler, aaO., II, Reg. S. 1600, Sp. 1; S. 1601, Sp. 2 und die Ergänzungen bei H. Balss, Albertus Magnus als Zoologe, München 1928, S. 136. Im ganzen jedoch ist der Inhalt der Bücher XXIII bis XXVI von des Albertus zoologischer Enzyklopädie geistiges Eigentum seines Schülers Thomas von Chantimpré (Balss, aaO., S. 9).

[73] s. Kantorowicz, aaO., S. 335; Erg.Bd., S. 157 – Haskins, Some Early Treatises on Falconry, in: Studies in the History of Mediaeval Science, S. 346–355. – Hermann Werth, Altfranzösische Jagdlehrbücher, nebst Handschriftenbibliographie der abendländischen Jagdliteratur überhaupt, ZfrPh 12, 1888, S. 146–191, 381–415; 13, 1889, S. 1–34.

nahme, daß Friedrich II., der Naturergründer, die Vögel anders gesehen
und beurteilt hat als Friedrich I., so wenig Grund haben wir zu der Annahme, daß Barbarossa die Falkenjagd aus anderem Geist sollte betrieben
haben als sein Enkel – er oder der Ritter vom Kürenberg. (Auch zeitlich
rücken sie nahe zusammen, wenn man erwägt, daß das Werk 1248 vorlag. Da ihm Vorstudien *fere per triginta annos* vorausgingen, wie der
Kaiser in seiner Vorrede selbst sagt [I, p. 1], kommen wir fast bis auf
etwa 10 Jahre an die Jahrhundertwende heran und müssen annehmen,
daß schon der *puer Apuliae* der Beobachtung der Vögel manche Stunde
gewidmet hat[73a].)

Ich zitiere die wichtigsten Auslassungen des Kaisers über die moralische Basis der Falkenzucht und -jagd: Sie ist, wie der Autor nicht müde
wird zu betonen, *ars*. Und zwar ist sie exklusiver Natur: ihre Ausübung
beschränkt sich auf die gesellschaftliche Elite, die für ihn und seine Zeit
mit der moralischen und geistigen Elite koinzidiert: *Amplius, pro eo quod
plures de nobilibus hanc artem addiscunt et diligenter exercent, pauci vero de
innobilibus, satis coniecturaliter probatur, quod hec ars nobilior sit ceteris . . .
Itaque palam est, quod ars venandi cum avibus et ars est, et ceteris venationibus
nobilior et dignior, et ideo prior* (I. p. 6). Solche gesellschaftliche Auserwäh-
lung ist für den Kaiser ebensowohl Voraussetzung wie Folge der Beschäftigung mit Falken. Voraussetzung wie Folge sind auch die hohen
persönlichen Eigenschaften, die von dem einzelnen Jäger verlangt
werden: Das Kapitel über den idealen Falkner ist im Grunde eines über
den idealen Menschen, ist eine Tugendlehre und ein Katalog der Vollkommenheiten[74]. Diese Kunst erzieht, und sie erfordert Erziehung. So
ließ denn auch der Imperator junge Adlige, „die später höchste Regie-
rungsstellen bekleideten ...", durch die strenge Schule des Falkner-
dienstes" gehen[75]. Da heißt es denn unter dem Titel *De falconario qualis*

[73a] Haskins macht als Terminus a quo der Entstehung das Jahr 1244, als Terminus
ad quem das Jahr 1248 wahrscheinlich. Man mag aber, rechnet man von 1244 dreißig
Jahre zurück, einräumen, daß Friedrich „might have started the idea of the book in
his own mind some years before 1214" (Studies in the History of Mediaeval Science,
S. 311).

[74] Ein vergröberter, gleichwohl schwacher Reflex dessen z. B. noch am Beginn des
Beizbüchleins: Welicher sitte der häbicher sol sein, Lindner, aaO., S. 139f.

[75] C. A. Willemsen, Die Falkenjagd, S. 16 des Geleitwortes (das in seinen wesentlichen Teilen nichts bringt, was nicht schon bei Kantorowicz stand). Überdies zeigt
schon die Tatsache der Widmung des Falkenbuchs an den Lieblingssohn Manfred (er
war 1248 sechzehn Jahre alt), wie weitgehend Friedrich „Erziehung" und „Erziehung
zum Falkenjäger" gleichsetzte.

debet esse (I, S. 161 seqq.): *Debet esse perfecti ingenii.* Denn er soll, wo die Gelehrsamkeit ihn im Stich läßt, *ex suo naturali ingenio* das Rechte tun (S. 162). – Weiter: *Sit bone memorie, ut bonum vel malum* ... *memorie commendet.* Dann werde er dem Guten nachfolgen, das Böse meiden (S. 162). Körperlich muß er wohlausgestattet sein, scharfen Auges, scharfen Ohres, mutig, und nicht zu jung und kindisch (S. 162–163). Er muß sich von *zuht* und *mâze* leiten lassen, d. h. Herr seiner Sinne sein: *Item non debet esse somnolentus* ... *Non sit gulosus* ... *Non sit ebriosus* ... *Non sit iracundus neque facilis ad iram* ... (S. 163–164). Es klingt, als spräche die Moraltheologie.

Ausgerüstet mit solch hohem Maß an seelischer, geistiger und körperlicher Vollkommenheit, darf der Mann sich dieser *ars* widmen, die *multorum laborum est et magni studii* (S. 164). Und was wird der Lohn so vielfältiger Anstrengungen und Mühen sein? Der Lohn liegt nicht in faßbaren Ergebnissen, nicht in Beute und Vergnügen, sondern die Sache selbst trägt ihren Lohn in sich, und sie bringt Ruhm ein und Ehre: denn die diese Kunst recht betreiben, *intendunt in hoc neque causa gule, neque causa lucri alterius, neque etiam causa delectamenti visus sui, sed tantum, ut habeant aves suas rapaces bonas et meliores quam ceteri, ex quo acquirant sibi famam et honorem pre ceteris, et in hoc habent magnum delectamentum, scilicet quod habent bonas aves* (S. 165)[76].

Welches aber ist das moralische System, aus dem heraus das Vergnügen, Sich-Begnügen in der Sache selbst seine Würde, seinen Adel erhält? Die Verehrung der Kraft des menschlichen Geistes. Die Vierfüßler nämlich können leichter der Gewalt der Menschen unterworfen werden als die Vögel, *et possunt capi per vim aut aliis modis, cum desuper terram ambulent. Aves vero, cum per aerem volent, non possunt capi vi, sed solo ingenio hominum et capi possunt et doceri.*

Das also ist Reiz und Würde der Falkenjagd, daß der Mensch, seine besten Kräfte entfaltend, sich ihrer bewußt wird in der geheimnisvollen Macht, mit der er das freie Tier aus seinem Element zu sich zwingt, und die gespannte Erregung mochte nicht nur dem Kampf in den Lüften gelten und dem Sieg des Vogels, sondern dem größeren Kampf und höheren Sieg, der ihm folgte: Wenn das freieste Tier dem an den Erdboden gebundenen Menschen sich unterwarf, sich der Fessel seines

---

[76] Dieses Prinzip der Entsagung und Selbstbeschränkung blieb auch für die Zukunft das sittliche Fundament der Beizjagd, s. z. B. Lindner, aaO., S. 61.

ingenium fügend[77]. So wird der Mensch über seine körperliche Begrenzung hinausgetragen durch seine höchsten Kräfte, die er zu üben nie überdrüssig werden darf bis ins hohe Alter hinein, denn die Kunst ist lang, und alles Gelingen in ihr wird hervorgehen aus dem Maß an Liebe, das er für sie empfindet: *quod totum procedet ex amore, quem habebit in arte. Cum enim enim ars longa sit...*[78].

Es muß schwer fallen, aus diesen Grundsätzen, die nicht willkürlich herausgelöst sind, sondern die Konzeption des Werkes bilden und das Konzentrat des es zusammenhaltenden Geistes, nicht die Nähe, die Verwandtschaft zu einer anderen *ars* herauszuhören, die damals diese gleiche Gesellschaft nicht minder formt und unterhält als die Falkenjagd: die des Minnedienstes, des Minnesangs. Um es zu wiederholen: Beschränkt ist die Ausübung dieser *ars* auf den Adel. Ihre Übung setzt hohe seelische, geistige, körperliche Vollkommenheit voraus, zu denen sie gleichzeitig erzieht. Sie ist Sache *multorum laborum, grôzer arebeit, et magni studii.* Sie

---

[77] und den angeborenen *horror hominis* vergessend, den Albertus Magnus als einen der Gründe für das Entfliegen des Falken anführt, De animalibus (Stadler), lib. XXII, § 50.

[78] Kantorowicz, aaO., S. 331, steigert diese Formulierung wohl in allzu dünne Höhen allgemeiner Gültigkeit hinauf, und er zitiert *procedit*, was für den Sinn nicht unerheblich ist. Willemsens Ausgabe gibt einem keine Chance, die Textherstellung zu kontrollieren. Seltsam ist jedoch, daß er in dem Bildbüchlein Die Falkenjagd, das ein Jahr nach seiner Ausgabe des großen Werks erschien, entgegen der von ihm in dessen Text gesetzten Lesart dem Geleitwort das Zitat ... *quod totum procedit ex amore* voranstellt und ebda. S. 9 und 13 f. auch der Präsensform gemäß übersetzt (gleichfalls wie Kantorowicz diesen Halbsatz isolierend). – Im „Inselschiff" von 1941 deutet Willemsen (S. 1–16) einiges über die Hss.-Gruppen an. Aber Nutzen und Wert der Edition werden sich erst eröffnen, wenn der von Willemsen angekündigte Kommentarband erscheint. – Auch die Übersetzung von Wood-Fyfe gibt hier keine Klarheit: „. . . so that as old age approaches he will still pursue the sport out of pure love of it" (S. 150). Haskins (Studies in Mediaeval Culture, S. 112 f.) schreibt *procedit*, übersetzt jedoch gemäß dem folgenden *habebit*: „. . . all of which will come from the love". Dieser Nachsatz bezieht sich in der Tat wohl nur auf die Bemühungen des alternden Falkners, doch wird man aus dem Geiste des Falkenbuchs seine Generalisierung für erlaubt halten. – Wesentlich auch für das Verständnis des *Falkenbuchs*, in dem sich ethisch-philosophische Stilisierung und empirische Akribie merkwürdig mischen, scheint mit die Feststellung Percy Ernst Schramms (Kaiser Friedrichs II. Herrschaftszeichen, Göttingen 1955, S. 127. GAA, phil.-hist. Klasse 3. F., Nr. 36), die er aus der Analyse von Friedrichs Kronen gewinnt, daß „in Friedrichs Zeit die Tendenzen der Erhöhung der Wirklichkeit durch Stilisierung und die ihrer buchstabengetreuen Wiedergabe in einem Kampfe (stehen), dessen Ausgang noch nicht eindeutig feststand".

will keinen Erfolg, der Erfolg liegt in der Sache selbst, sie erzieht zu *zuht* und *mâze*, sie schenkt *famam et honorem, ruom unt êre*. Denn in ihr manifestiert sich die Großartigkeit des Menschen, des Mannes, der herrscht durch sein *ingenium* und nicht durch körperliche Kraftanwendung. Und Quell allen Gelingens in dieser Kunst wird die Liebe sein[79].

Die Geburt also des mittelalterlichen Frauendienstes und Minnesangs aus dem Geist der Beizjagd? Gewiß nicht. (Obwohl man zugeben wird, daß solche These neben manchem anderen Vorschlag nicht gar so übel bestehen könnte.) Wohl aber mag sich an unserem Beispiel in einem Fall zeigen, wie die Bewältigung der fremdem, unheimlich-anziehenden Idee gelingen konnte. So wird der Vorschlag nicht mehr unverständlich erscheinen, in unserem Liede die Anverwandlung des befremdend und doch faszinierend Neuen aus dem Gebiet der Falkenzucht und Beizjagd zu verstehen, als ein Exempel dafür, wie ein ritterlicher Sänger, der erste Lyriker deutscher Sprache, dessen Namen wir wissen, sich des neuen Stoffs bemächtigte, um ihn mit dem alten Klang der donauländisch-bairischen Lyrik zu verschmelzen (die ihrerseits schon durch den Westen befruchtete Kunstlyrik ist). Die formale Gestaltung bewältigt er mit einem Rückgriff auf die seinen Namen tragende, aber sicherlich schon vor ihm lebendige Strophe (einer alten Balladenform? Fr. R. Schröder, aaO., S. 343). Dadurch auch, daß er noch (dem alten Typus gemäß) die Frau klagen läßt – nicht, wie im Hohen Sang, den Mann. – Das Neue meint hier nicht die institutionalisierte Gestik der *minne*, sondern die Forderung, das Verhältnis der Geschlechter als Problem zum Gegenstand der Lyrik zu machen. Noch im Vorhof der *minne*-Herrschaft kündigt sich hier in erster Verwirklichung das große *minne*-Thema an: Die Erkenntnis, daß im Werben der Verzicht, im Wollen das Entsagen eingeschlossen ist; daß der Gegenstand der Mühen sich uns entzieht – und dadurch mehr schenkt, als wenn er sich schenkte. An dieser Stelle hier öffnet sich uns einmal der Blick auf eine (historisch gesprochen) Zwischenstufe, ein Bindeglied, das uns den Vorgang der geistig-seelischen Reifung auf den *minne*-Kult hin erleben läßt, der sich dann der Frau als des Mediums bedient. Die Bemächtigung des neuen Geistes im Mann-Frau-Verhältnis ereignet sich hier exemplarisch mit Hilfe des alten

---

[79] Solche Affinität von *ars venandi* und *ars amandi* hat Nordmeyer vielleicht gemeint, aber er hat diese Erkenntnis bei seiner Ausdeutung des Falkenlieds wohl nicht richtig angewandt.

Geistes der vertrauten Prinzipien der Falkenzucht und Falkenbeize.
Prinzipien, für die uns Friedrichs II. Werk repräsentativ ist, das ebensowohl das Wissen von Generationen zusammenfaßt, wie es methodisch
kommenden Generationen Wege weist[80].

VII. Das Falkenlied

Das Falkenlied des Kürenbergers ist nicht Anklage, sondern Klage.
Klage der verlassenen Frau, wie sie von je Ausdruck im Lied fand. Sie
ist des Allzupersönlichen entkleidet, ist nobilitiert und dichterisch überhaupt erst „wirklich" durch die Transposition ins Bild – und damit
schon (nicht erst mit dem Ausruf der letzten Zeile) ist die Transposition
des persönlichen Schicksals in ein allgemeines Schicksal vollzogen, ist
das Subjektive objektiviert. Die Individualerfahrung wird in dem
wunderbaren Prozeß dichterisch-symbolischer Verwandlung zur Bekundung eines allgemeinen Schicksals. Über diese Objektivierung findet
die Verlassene zur Selbstüberwindung, Objektivierung i s t die Selbstüberwindung; und sie gewinnt die Herrschaft – nicht über den Falken,
aber über sich selber zurück. Nicht von ihr ist mehr die Rede, sondern
von allen Liebenden. Gott führe sie zusammen, die sich lieben: *die ger ne
geliep wellen sîn*, d. h.: wenn sie sich beide lieben[81]!

Denn diese Erkenntnis ist es (fern aller logischen Explizierung, fern
allem Bewußten und ausgedrückt wiederum nur durch das Wunder
von Bild und Symbol), die den (durchaus statisch, d. h. im Bild erlebten)
Prozeß der Überwindung bewerkstelligt: daß der Falke *solo ingenio* zu-
rückgezwungen werden kann. Nicht die „dinglichen" Kräfte: nicht die

---

[80] In diesem Zusammenhang ist die Tatsache nicht uninteressant, „daß manche
der Dichter und Sänger (der staufisch-sizilischen Dichterschule um Friedrich II.) auch
Falkner des Kaisers gewesen sind", Willemsen, Kaiser Friedrich II. und sein Dichter-
kreis, Krefeld 1947, S. 29 und ff.; und „der kleine Falke", *il falconello*, hieß bei Hofe
des Kaisers Sohn Enzio, der auch ein Dichter war und dessen Falkenleben in über
zwanzigjähriger Gefangenschaft zu Bologna zerrann. Manfred wie Enzio waren überdies gleich dem Vater „patron(s) of writers on falconry", Haskins, Studies in the
History of Mediaeval Science, S. 351.

[81] Ich halte Josephs Vorschlag – aaO., S. 46 – *die geliep geren sîn* für durchaus disku-
tabel. – Zu dem Themen- und Motivzusammenhang s. auch Der Falkner und das
Terzel, hrsg. von Franz Pfeiffer, ZfdA 7, 1849, S. 341–343: Der *valkenære* hat sein
vederspil vermeistert (V. 59): *die rede gelîche ich der minne.* | *swer die ze sêre wil twingen* | *dem
muoz dran misselingen* (V. 86 ff.).

liebevolle Behandlung, nicht die Verwöhnung mit Gold und Geschenken (Friedrich II. erwähnt ausdrücklich, wie sehr Raubvögel erschreckt werden *tacti et palpati tractatique* durch die ihnen ungewohnten Menschen, I, S. 166) führen den Falken zum Falkner, den Geliebten zur Liebenden zurück (und glänze er fortan auch bereichert und erhöht *alrôt guldîn* im Schmuck jener Liebe, die ihn einst veredelte). *Niemant wider kraft und wider stand kan ,lucken'. | Du must dich uberwinden ... Du darft deim herzen nit hengen, | noch seinem willen leben ...*[82].

Dies eben ist das Leid, das mehr ist als das Unglück und das aber auch das Unglück überwindet: die Erkenntnis, das Bewußtsein, daß es an der seelischen Kraft gebrach, den andern dauernd zu gewinnen, zu behalten. *quod totum procedet ex amore* – war ihre fesselnde Kraft nicht stark genug? Die Schlußsentenz scheint es zu bestätigen, die in ihrer friedvollen Entschiedenheit noch einmal die Essenz des Ganzen bringt[83]: Nicht die Untreue ist das Thema, nicht die Wandelbarkeit, sondern das schmerzvolle Bewußtsein, daß ein Herz zuweilen nicht stark genug ist, sich zum Lebenselement eines anderen zu machen. Und dieser Schlußvers erweist nun doch die Größe und Souveränität, das *ingenium* des Mädchens, die in der Entsagung erkennt, in der Erkenntnis entsagt. Sie abstrahiert von ihrem persönlichen Schicksal, dem gegenseitige Liebe nicht gegönnt war, und wünscht die zusammen, die *gerne geliep wellen sîn*. Doch (und gerade) daran werden wir dessen inne, daß ein Mann dieses Frauenlied gedichtet hat. Herz und Stimme des Mädchens nämlich, wenn typisch dargestellt oder sich selbst aussprechend, klangen anders, klingen anders:

> *Hist! Romeo, hist! – O, for a falconer's voice*
> *To lure this tassel-gentle*[84] *back again!*   (II, 2)

> *... O eines Jägers Stimme,*
> *Den edlen Falken wieder herzulocken!*

---

[82] *Der Minne Falkner*, Strophen 149, 150.

[83] wie im frühen Minnesang so häufig, s. Ingeborg Ipsen, PBB 57, 1933, S. 301–413, Falkenlied S. 326; s. Nordmeyer, aaO., S. 217.

[84] *tassel* ist hier nicht etwa = „Schmuckquaste", sondern alte Form für *tercel* = Terzel, „used figuratively of a noble gentleman", Joseph Shipley, Dictionary of Early English, London 1957, S. 657; s. a. Schmidt-Sarrazin, Shakespeare-Lexicon, 1923[4], II, S. 1182.

KAISERLIED UND KAISERTOPOS
Zu Kaiser Heinrich 5, 16

Vorbemerkung:

Ich bediene mich im folgenden des Terminus *Topos* naiv im vertrauten Sinne eines *formalisierten Motivs*, einer durch Tradition und Konvention verfestigten Ausdrucksform. Die nicht selten wirren und verwirrten Anstrengungen der Literaturwissenschaft, Ernst Robert Curtius und seinen Toposbegriff zu ergänzen, zu korrigieren oder zu widerlegen, spiegeln in ihrer Unschärfe sachgerecht die Bemühung um Klärung eines Gegenstandes wider, der als solcher unscharf ist und weder materiell noch historisch eindeutig gefaßt werden kann. Man findet die wichtigsten Arbeiten der Nach-Curtiusschen Toposforschung jetzt bequem in zwei (leider gleichlautenden) Sammelbänden: Peter Jehn (Hg.): Toposforschung. Eine Dokumentation. 1972 (= Respublica Literaria Bd. 10); und Max L. Baeumer (Hg.): Toposforschung, 1973 (= Wege der Forschung Bd. CCCXCV). Der Band Jehn enthält über den gemeinsamen Grundstock hinaus ein Dutzend Artikel, die Baeumer fehlen, während Baeumer über Jehn hinaus lediglich zwei Artikel bringt. Bei derart eindeutigem Übergewicht sollte man sich auch nicht durch Jehns grimmige Verachtung der „bürgerlichen Wissenschaften" und ihrer vorgeblichen Neigung, „Toposforschung als Restauration" zu betreiben (so der Titel seines umfangreichen Einleitungsessays), irritieren lassen. Derzeit (1974) erleben wir nicht ohne Verwunderung, ja Bestürzung, daß sich als kurzatmige Mode enthüllt, was systemverändernde Umwälzung zu sein vorgab, und Pendelaus- und Rückschlag sind stockend geworden auf eine Weise, die den einen wie den andern Schwung zur leeren Gebärde zu degradieren droht. Nach Tische will man's wieder lesen wie vor Tische, und es liegt wenig Trost in solcher Beobachtung, – so gewiß auch ist, daß es die unreflektierte Heftigkeit der sich progressiv gebärdenden Energien war, die mit mechanischer Zwanghaftigkeit den Rückschlag provozierte.

Was nun Topos- und Topik-Forschung angeht, so wird man dankbar die Ansätze der Forschung begrüßen, Curtius' apodiktische Setzungen zu differenzieren – wie es zuerst und nachhaltig (1956) der Anglist Edgar

Mertner tat (bei Jehn S. 20ff.). Liest man freilich die neueren und neue-
sten Arbeiten zu diesem Gegenstand und der ihm gewidmeten Kontroverse, meldet sich das alte Mißtrauen gegenüber der Verbindlichkeit
literaturwissenschaftlicher Aussagen notwendig von neuem:

Es scheint in der Tat, als werde hier zugleich um Kaisers Bart, über
seine neuen Kleider und gegen Windmühlen gestritten. Vorläufiges
Fazit: Wir dürfen den Begriff Topos in der literaturwissenschaftlichen
Debatte nicht mehr verwenden; müssen uns seiner jedoch weiterhin
hilfsweise bedienen, bis uns ein besserer Begriff geliefert wird...

(Übrigens unterschätze man nicht die begriffstabilisierende Funktion
der Handbücher: solange des ratlosen Studenten erster Griff dem
„Wilpert" gilt, wird der Topos nach Curtius'-Art die Seminare nicht
räumen: s. Sachwörterbuch der Literatur, [5]1969, S. 790.)

I. Text

5, 16   *Ich grüeze mit gesange die süezen*
          die ich vermîden niht wil noch enmac.
          deich si rêhte von munde mohte grüezen,
          ach leides, des ist manic tac.
20   *swer disiu liet nu singe vor ir*
          der ich gár unsenfteclîchen enbir,
          ez sî wîp oder man, der habe si gegrüezet von mir.

          Mir sint diu rîche und diu lant undertân
          swenn ich bî der minneclîchen bin;
25   *unde swénne ab ich gescheide von dan,*
          sost mir ál mîn gewalt und mîn rîchtuom dâ hin;
          senden kúmber den zele ich mir danne ze habe:
          sus kan ich an vröuden ûf stîgen joch abe,
          unde brínge den wehsel, als ich wæn, durch ir liebe ze grabe.

30   *Sît deich si sô herzeclîchen minne*
          unde sí âne wenken alzît trage
          beid in dem herzen und ouch in sinne,
          underwîlent mit vil maniger klage,
          waz gît mir dar umbe diu liebe ze lône?
35   *dâ biutet si mirz sô wol und sô schône:*
          ê ich mích ir verzige, ich verzige mich ê der krône.

Er sündet sich swer des niht geloubet,
ich möchte geleben mangen lieben tac,
ob joch niemer krône kœme ûf mîn houbet;
6, 1 *des ich mich ân si niht vermezzen enmac.*
verlüre ich si, waz hette ich danne?
dâ töhte ich ze vröuden noch wîbe noch manne
unde wære mîn bester trôst beidiu zâhte und ze banne.

Ich übernehme den Text unverändert in der Fassung, die Carl von Kraus ihm in seiner Bearbeitung von *Minnesangs Frühling* gegeben hat[1].

II. Die Forschungslage

Blockhaft starr, als Herrscher das Symbol eines Herrschers, in strenger heraldischer Symmetrie aufgebaut: So eröffnet *Keiser Heinrich* das „Königliche Liederbuch" wie auch die Sammlung B, als Verfasserbild die Tradition antiker Herrscherbildnisse, christliche Darstellung der *Maiestas Domini* und den ikonographischen Typus des „Königs mit dem Saitenspiel" verbindend und zu einer neuen Größe vereinigend: *David rex et propheta – Heinricus rex et poeta:* Das Mittelalter legitimierte nicht Tradition aus der Leistung, sondern Leistung aus der Tradition[2].

Der große Name autorisiert in B und C drei Gedichte, die, wie leicht zu sehen und längst gesehen, zwei getrennten Stil- und Entwicklungsphasen der mittelalterlichen deutschen Lyrik zugehören: Zwei sind rückwärtsgewandt, erzählen unbefangen von Liebe und Liebeserfüllung in Kürenbergischen Langzeilen und verteilen die Rollen nach der Art des Wechsels. Das dritte gibt sich modern, ist deutlich von der romanischen Tradition und also der Hausen-Schule geprägt, bewegt sich lebhaft im modischen Daktylus und bezeugt in sehnsuchtsvollem Monolog den Sänger als klassischen Minnenden.

Den königlich-kaiserlichen Sänger? So nahm Jacob Grimm an, so nimmt die Mehrzahl der heute Forschenden an – mit gutem Grund. Denn nicht die Autorschaft Kaiser Heinrichs ist zu beweisen, sondern die Be- und Ausnutzung der kaiserlichen Majestät als eines Decknamens, – und das wird schwer halten. Merkwürdigerweise wurde Moriz Haupt

---

[1] [33]1961.
[2] Zum „Verfasserbild" s. Wieland Schmidt, Die Manessische Handschrift, o. J. (1965), S. 6; Ewald Jammers, Das königliche Liederbuch, 1965, S. 85–87.

von allen guten Geistern spröder Sachlichkeit und nüchterner Pragmatik verlassen, als er diese Strophen zu bearbeiten hatte. Seine Anmerkungen zu MF wettern mit emotionaler Heftigkeit gegen die Verfechter der Kaiser-These. Dabei kommt schließlich als Pointe von dialektischer Ironie heraus, daß eine allgemein akzeptierte Konjektur Haupts in der ersten Halbzeile des an zweiter Stelle überlieferten Liedes (5 BC) die Zuschreibung an den kaiserlichen Sänger gewissermaßen festgeschrieben hat: *hoeher danne rîcher* sagt B, *danne rîche* sagt C, woraus Haupt mit plausibler Begründung *dannez rîche* macht: „Über die Würde des Kaisers hinaus bin ich erhoben, wenn die Geliebte bei mir liegt." Damit ist die soziale Position zur Stil-Position geworden und es klingt sogleich an, was diesem und dem großen daktylischen Liede seinen besonderen und sogar einzigartigen Reiz gibt: Das konventionelle Spiel mit dem „Kö-nigs-Topos" wird aufgenommen – und die rhetorische Währung unvermutet gedeckt durch die soziale Realität. Eine Figur, deren Reiz bestimmt wird durch ihre naturgegebene Seltenheit.

Haupt nun, nachdem er die Autorzuschreibung durch seine Konjektur befestigt hat („Das Wahre, *wol hôher dannez rîche*, als der König oder Kaiser, war nicht schwer zu finden"), fährt in unbeirrter Beirrtheit fort: „Aber damit wird es bedenklich, dieses Lied Kaiser Heinrich dem Sechsten beizulegen. In eigener Person konnte dieser, wenn er ver-ständig war, auch vor seines Vaters Tode nicht also reden." Auch die Möglichkeit des Vortrags solcher Worte durch einen Dritten kommt Haupt „beinahe kindisch vor". Dichter zwar könnten sich eines solchen Topos bedienen: „Albern dagegen redet so ein König." Und die erregte Argumentation spitzte sich zu in einem Urteil, das scheinbar den „fah-renden Mann" trifft, der, irregeführt durch die majestätische Topik, ihr einen kaiserlichen Autor zuschlug; das aber natürlich auch die anders urteilenden Zunftgenossen, vor allem Jacob Grimm, treffen soll: „Stumpfer Sinn" nur habe derart fehldeuten können[3].

Haupts Argumente haben keinen großen Eindruck hinterlassen, lediglich Burdach hat sie gelegentlich aufgenommen und Wallner sie wiederholt: „Der Minnesänger, gleichviel ob Kaiser oder Spielmann, redet als Ritter zur Edeldame und darf seinen wahren Stand nicht ver-raten[4]." Mit anderen Worten: Ein minnesingender Spielmann darf diese

---

[3] Haupt in den Anm. z. St. MF ³³1961 S. 380–382. Freilich muß man dazu wissen, daß Jacob die Konjektur Haupts als „grillenhaft" zurückgewiesen hat: s. MFU S. 114, Anm. 3.

[4] Anton Wallner im Verf. Lexikon Bd. II, 1936, Sp. 287.

Worte gebrauchen, denn sie sind (jeder kennt seinen Stand) ‚unwahr‘. Nicht so der König, denn sie wären dann ‚wahr‘ und verrieten seinen Stand (den offenbar von den Zuhörern kein Mensch ahnte). – Im übrigen hat die Forschung von Scherer über Vogt und Kraus, von Ehrismann bis zu de Boor und Bertau die Strophen dem belassen, dem die Überlieferung sie gibt; damit ein mittelalterliches Herrscherideal projizierend, das nicht auf das Mittelalter beschränkt blieb: Die Idealvorstellung von dem innigen Bündnis, ja der Personalunion von König und Dichter, von Künstler und Herrscher.

Als heikel freilich will mir weiterhin nicht so sehr die Frage nach dem Verfasser als vielmehr die nach der Einheit des verfaßten Werks erscheinen. Daß sowohl die rückwärtsgewandten Wechselstrophen wie das modische Daktylen-Lied sich dem gleichen Autor verdanken sollen, bleibt anfechtbar.

III. Der Kaisertopos

Unter „Kaisertopos“ verstehe ich in unserem Zusammenhang eine poetische Formel, die in aller Ausführlichkeit etwa lautet: „Deine Liebe (die Liebe der/des Geliebten) macht (mich) mächtiger, reicher, glücklicher als die höchste Würde dieser Welt, als alle Reichtümer dieser Welt, als Kaiserkrone und Herrschermacht.“

Im folgenden soll diese spielerische Denkfigur aus dem Bereich der erotischen Dichtung an einigen Beispielen verfolgt werden. Dabei verzichte ich bewußt auf eine Ausweitung der Materialsuche, die dann in der Tat grenzenlos würde. Der Verzicht rechtfertigt sich um so eher, als Theodor Frings diese Bildformel ausführlich beschrieben und ihr Vorkommen sowie die Varianten ihrer Anwendung insbesondere im Bereich des romanischen Mittelalters verfolgt hat[5].

Ich referiere einige Details: „Der allgemeine Gedanke, ‚lieber eine bestimmte Frau als ein bestimmter Besitz, eine hohe Stellung oder alle Macht der Welt‘ ist ein Gemeinplatz. Er findet sich im volkstümlichen Liebeslied des ganzen Abendlandes, im Lateinischen, Italienischen, Portugiesischen und Isländischen, ist aber besonders reich provenzalisch und deutsch bezeugt, bei den Troubadours und im Minnesang“ (Frings S. 321) (Folgt eine Auflistung der Troubadours nach Michel, 1880,

---

[5] Theodor Frings, Namenlose Lieder, Beitr. Ost Bd. 88, 1967, S. 311–318 und 321–324.

S. 214 ff. und Ergänzungen). Und zwar war es in der Romania Bernart von Ventadorn (1150–1170), der „größte(n) der Troubadours" (Frings S. 312), der als erster „dem allgemeinen Gedanken eine mehrfache Form gegeben hat" (und zwar sechs Mal). Sie ist von den Romanen zu den Deutschen gekommen, insbesondere in der spezifischen Verbindung mit der geographischen Abgrenzung, und an der Ausbildung der Formel hat auch die Tagelied-Thematik mitgewirkt sowie die allgemein minnesängerische Vorstellung, daß die Liebe der Geliebten den Mann erhöhe und veredele.

Die im folgenden von mir herausgehobenen Beispiele wollen also nicht die komparatistische Aufarbeitung eines Motivs der Weltliteratur andeuten, sondern lediglich die Folie abgeben für das Schauspiel der exzeptionellen Nutzung des Kaiser-Topos durch einen Kaiser.

Wer die pointierte Formulierung liebt, könnte sagen: Der Kaiser-Topos steht am Beginn der deutschen Liebesdichtung. In der Tat ist es so, daß der „altertümliche Charakter der Strophe" (Kraus)[6]

> *Wær diu werlt alliu mîn*
> *von dem mere unz an den Rîn*
> *des wolt ich mich darben,*
> *daz diu künegin von Engellant*
> *læge an mînem arme*[7]

aus den *Carmina Burana* sie den ältesten Zeugnissen der mittelhochdeutschen Lyrik zurechnen läßt. Sie aber enthält in durchaus reiner Form bereits den erotischen Herrscher-Topos: „Und wenn mir die ganze Welt gehörte, – ich wollte auf sie verzichten, läge nur die Königin von England in meinen Armen." Da für unsere Überlegungen lediglich der Topos interessant ist, und da er keinem durch Überlieferung oder Interpretation herangetragenen Zweifel unterliegt, bedarf es hier keiner Auseinandersetzung mit der merkwürdigen *künec (künegîn) von Engellant*-Passage. Kraus in MFU füllt sechs Seiten mit dem Referat über die bisherigen Forschungsthesen. Hier muß lediglich im Zusammenhang mit dem „Grenzwasser-Topos" die Frage der historisch-personalen Beziehung gestreift werden: Wer – wie Kraus – *von dem mer unz an den Rîn* übersetzt durch „Vom Mittelländischen Meer bis zum Rhein"[8], konkretisiert immerhin insoweit, als er an den Machtbereich des deutsch-

---

[6] MFU z. St. = S. 2.

[7] MF 3, 7.

[8] MFU S. 5, Anm. 1.

römischen Kaisers denkt. Von da ist der Weg dann nicht weit zu den teils absurden, teils komischen Versuchen, das Lied auf historische Figuren zu beziehen wie auf Englands Königin Eleonore von Poitou, die majestätische Femme fatale des Jahrhunderts oder (bei Restitution der ursprünglichen Schreibung) auf König Richard Löwenherz[9]. Singers berühmte Deutung schließlich im Sinne einer mystischen Spiritualisierung zu „Himmelskönig" scheitert an der Datierung, weil sie die Antizipation einer religiösen Verfassung um 150 Jahre nötig machte.

Bedenken wir, mit welch grundsätzlicher Konsequenz das grundsätzliche Diskretionsgesetz des Minnesangs durchgehalten wird; bedenken wir ferner, wie indezent einem von Gesetzen der *mâze* und der taktvollen Rücksicht bestimmten Publikum es erscheinen mußte, wenn eine *frouwe* nicht nur ihr sinnliches Begehren gesteht (was der frühe Minnesang zuläßt), sondern den Helden mit Namen nennt, mit dem sie schlafen will: so muß die Deutung auf einen personal bestimmbaren Herrscher gewiß entfallen. Nicht anders wohl auch der Versuch, den Sänger nach einer weiblichen Herrscherfigur der Zeitgeschichte dreist die Finger strecken zu lassen.

Im Gegensatz zu Kraus, der sich an die alte These Lachmanns hält und sich schließlich doch zu einer Beziehung auf Eleonore von Poitou bekennt[10], möchte ich dem Topos sein konkretes poetisches Niemandsland lassen, *von dem mer unz an den Rîn* als pars pro toto, also als Bezeichnung für „die ganze Welt" begreifen und die „Königin von England" so verstehen wie wir heute etwa den „Kaiser von China" apostrophieren: als Inbegriff einer von der Magie des Mächtigen und Herrlichen bestimmten Person[11].

Mit anderen Worten: In dieser frühen Strophe begegnet der Kaiser-Topos bereits, und zwar begegnet er in der klassischen Form „Auf alles Glück der Welt verzichte ich, wenn ich die Liebe" (und jetzt die Variante, die nicht einfach von „der Geliebten" spricht, sondern von einer

---

[9] dessen Popularität „um 1195" (!) auf solche Weise durch den Mund einer „singenden Tänzerin" Tribut gezollt werde: so Spanke, dagegen nüchtern Kraus: das „setzt eine Gattung voraus, die meines Wissens nirgends im alten Minnesang vertreten ist", MFU S. 6 Anm. 1; übrigens nimmt die Beziehung auf Richard Löwenherz jetzt Peter Dronke vorsichtig wieder auf: Die Lyrik des Mittelalters, dt. 1973, S. 285.

[10] MFU S. 8.

[11] „der römische Dichter" entsprechend: „Persarum rege beatior", s. Haupt, MFA S. 381.

freilich ganz besonderen:) „der herrlichsten Königin haben kann"[12].
Es bleibt auffallend, daß der wohl früheste Beleg dieses Topos in deutscher Sprache ihn sogleich in einer differenzierten Form abwandelt, in
einer Art Doppelung: „Verzicht auf Herrscherherrlichkeit um des Be-
sitzes der geliebten Herrscherin willen."[13]

Ich schließe einige andere Belege des Kaiser-Topos und seiner Varianten aus der mittelhochdeutschen Dichtung an:
Heinrich von Veldeke (MF 59, 37ff.):

> *ich bin rîke ende grôte hêre,*
> *sint ich mûste al umbevân*
> *dî mich gaf rechte minne...*

Heinrich von Morungen (MF 142, 19ff.):

> *Ich bin keiser âne krône*
> *sunder lant. daz meine ich an den muot:*
> *dern gestuont mir nie sô schône.*
> *wol ir lîbe, diu mir sanfte tuot.*

Und noch einmal Morungen (MF 138, 21ff.):

> *wê wie tuon ich sô, daz ich sô herzeclîche*
> *bin an si verdâht, daz ich ein künicrîche*
> *für ir minne niht ennemen wolde,*
> *obe ich teilen unde welen solde?*

Haupt (MFA S. 380f.) bringt seinerseits noch Belege aus der späteren
Zeit, so aus Rudolf von Rotenburg und dem von Gliers (durchaus in
der ‚klassischen' Fassung; übrigens spielt in formgewandter Phase natürlich auch der reziproke Reimzwang *krône:schône:lône* eine den Topos
provozierende Rolle); oder Wachsmut von Mülhausen, den ich hier
um einer hyperbolischen Steigerung willen zitiere: Durchaus gemä-

---

[12] Vgl. mit dieser Vorstellung die bis heute geläufige Phrase vom „Kaiser meiner
Seele", von der „Königin meines Herzens", die der Minnesang gleichfalls schon
kennt: Reinmar MF 151, 29ff.

[13] Frings freilich, nach ausführlicher Darlegung der „Formeln der Begrenzung",
entscheidet sich heftig für Eleonore, und also für einen kühnen Spielmann als
Dichter: „Alle anderen Deutungen sind stilwidrig" (S. 317). Das müssen wir nun
tragen.

ßigt klingt es in konventioneller Form am Schluß des ersten Liedes[14]:

> *in næme niht die krôn von Rôme*
> *ze tragen für mîner frouwen lîp:*
> *sô rehte wol behaget mir daz wîp.*

Und ähnlich endet das zweite Lied[15]:

> *ich lieze sper und al die krône*
> *ê mîn liep, daz ist sô schône*
> *und ist sô guot.*

In der ersten Strophe aber des ersten Liedes leistet der Dichter sich
schon die Übertreibung der Übertreibung:

> *mir wære ê liep bî ir ze sîne*
> *dann bî gote in paradîs.*

Hier versteigt sich der Liebende also bis zu dem Verzicht nicht nur auf
irdische, sondern auf paradiesische Seligkeit: eine Stilfigur, die – wie
viele Analoga zeigen – nur unfrommer Zeit als Blasphemie erscheinen
muß: Die unbezweifelte weil unbezweifelbare Glaubensfestigkeit des
Mittelalters kann sich dagegen rhetorische Freiheiten in dem Maße
leisten als ihr rhetorischer Charakter evident und also abgesichert ist
(man denke im Bereich der mittelhochdeutschen Dichtung etwa an
Gottfried, Morungen und Reinmar und ihre Benutzung des *gaudium*
paschale, des Auferstehungsmysteriums zum Zwecke der Verherrlichung
der Geliebten). So verwundert es auch nicht, daß Kraus für Wachsmuts
Paradiesesbild (mit Hilfe Morets) Vorbilder findet bei romanischen
Troubadours[16].

Haupt ist also nicht im Unrecht, wenn er mürrisch feststellt: „jeder
Dichter konnte so von der *krône*, d. i. von der deutschen Königskrone,
reden" (MFA S. 381). Gerade wenn und weil das wahr ist, muß man
hinzufügen: also auch ein Kaiser konnte es, wenn er als Dichter auftrat.
Nur daß in seinem Falle der Topos aus der Ebene der Stilfigur transponiert wurde in die der Person-Figur. Was in der Tat eine Pointe besonderen Reizes ergeben muß.

---

[14] KLD Bd. I, Nr. 61, I, S. 561.
[15] KLD Bd. I, Nr. 61, II, 2, 5 ff., S. 562.
[16] KLD Bd. II, S. 607.

IV. Volkslied

Wiederum zum Zwecke nicht der konsequenten motivgeschichtlichen Verfolgung eines Topos, sondern zu dem der Illumination (welche die Ausnahme als solche scheinbar paradoxal in der Befolgung der Regel deutlich zu machen versuchen will), sei auf das Vorkommen der Formel im Volkslied hingewiesen, wie eine bei der Menge des Materials notwendigerweise weitgehend vom Zufall gelenkte Musterung sie zutage förderte.

Einschränkung des Herrscherprinzips auf „Silber und rotes Gold“:

> *Dann ich bin dir von hertzen hold,*
> *Du bist mein schatz vff erden,*
> *Für silber vnd für rotes gold,*
> *Sol mir kein liebre werden*[17].

Ähnlich Nr. 953 („Mündlich aus Hessen“)[18]:

> 1. *Mein Schatz ist mir lieber als Rosmarin,*
>   *Er ist mir für tausend Ducaten nicht feil.*
>
> 2. *Tausend Ducaten ist auch ein schön Geld;*
>   *Mein Schatz ist mir lieber als all die Welt.*

In der ‚klassischen Form‘ aus dem 16. Jahrhundert[19]:

> *Der knab der stuond alleine:*
> *Feins lieb du solt nit wainen,*
> *solt haben einen leichten muot,*
> *Ich wil dich nit ufgeben,*
> *Dieweil ich hab das leben*
> *Und hett ich des Kaysers guot*[20].

---

[17] Aus: Deutsche Volkslieder, Sammlung von Franz Ludwig Mittler, 1865, S. 528 = Nr. 704, gedr. 1570.

[18] Mittler S. 640.

[19] Mittler S. 535.

[20] Variante im Sinne des „Königin-meines-Herzens-Topos“: Mittler Nr. 718, S. 534 (16. Jhdt.):

> *Mich dunckt in all mein sinnen*
> *Vnd wan ich bei jhr bin,*
> *Sie sei i ein keyserinne,*
> *Kein lieber ich nimmer gewin.*

Die Musterung der Volkslieder, auch unter unserem engen Aspekt, gewährt einen deutlichen Einblick in den Wandel sozialer Strukturen und des ihnen zugehörigen Bewußtseins. Denn die Masse der hierher gehörigen Motive verengt sich auf das Muster: „Mein Schatz ist mir teurer als alles Gold der Welt" – ein Bekenntnis, das nicht selten verbunden ist mit der Trotzgebärde: „und also folge ich nicht dem Willen meiner Eltern und heirate nicht den Reichen [die Reiche]". Anstelle also der forcierten Illusionsperspektive des Minnesangs die soziale Alltagssituation (der erzwungenen Heirat und der Mitgiftfrage); anstelle hierarchischer Hyperbolik (Kaiser) materielle Pragmatik (Geld):

> *Ich sollt einen Andern nehmen,*
> *Der reicher wär als du.*
> *Was frag ich nach einem reichen,*
> *Was frag ich nach der Welt?*
> *Mein Schatz mir ja gefallen thut,*
> *Mein Schatz mir wohlgefällt*[21].

Entsprechend vom Manne her gesehen:

> *Mein Vater hat gesagt, ich sollt eine Reiche nehmen,*
> *Die hätte fein Silber und Gold,*
> *Und eh' ich eine nehme:*
> *Viel lieber (will) ich in Armuth schweben,*
> *Eh ich dich verlassen wollt*[22].

Dieser weit verbreitete Typus vereinfacht also den Kaiser-Topos zu einem Reichtum-Topos, wobei die Verengung zugleich auch eine Wendung darstellt zur realistisch-materiellen Wirklichkeit hin:

> *Alle Leute fragen gleich:*
> *Ist das Mädlein reich?*
> *Es mag reich sein oder nicht,*
> *Schätzlein dich verlaß ich nicht.*
> *Es mag reich sein oder nicht,*
> *Schätzlein, dir bleib ich verpflicht't!*[23]

---

[21] Deutscher Liederhort, gesammelt und erläutert von Ludwig Erk, neubearbeitet von Franz M. Böhme, Bd. II, 1893 (Neudruck 1963), Nr. 447e, S. 267.
[22] Erk-Böhme II, Nr. 554 b, S. 379.
[23] Erk-Böhme II Nr. 666, S. 466.

V. Goethe

Dem idealisch forcierten und fixierten Typus der minnesängerischen Gesellschaftsdichtung und dem pragmatisch-sentimental die soziale Wirklichkeit der Mitgiftfrage spiegelnden Volkslied lassen wir Goethes *Divan* folgen: Kunstlyrik der höchsten Höhe, stimuliert durch persönlichstes Erleben, chiffriert durch das Maskenspiel der Form.

Im *Buch Suleika* steigern zwei Lieder das Kaiser-Motiv zu seiner höchsten Möglichkeit: Spiel der Phantasie, Lust am Prunk der Namen und Gegenstände, exotische Entrückung und Heidelberg-Frankfurter Gegenwart mit scheinbar leichter Gebärde in Verse übertragend. Beide Stücke sind datiert vom 17. Februar 1815[24]:

> *Komm, Liebchen, komm! umwinde mir die Mütze!*
> *Aus deiner Hand nur ist der Tulbend schön.*
> *Hat Abbas doch, auf Irans höchstem Sitze,*
> *Sein Haupt nicht zierlicher umwinden sehn!*
>
> *Ein Tulbend war das Band, das Alexandern*
> *In Schleifen schön vom Haupte fiel*
> *Und allen Folgeherrschern, jenen andern,*
> *Als Königszierde wohlgefiel.*
>
> *Ein Tulbend ist's, der unsern Kaiser schmücket,*
> *Sie nennen's Krone. Name geht wohl hin!*
> *Juwel und Perle! sei das Aug' entzücket!*
> *Der schönste Schmuck ist stets der Musselin.*
>
> *Und diesen hier, ganz rein und silberstreifig,*
> *Umwinde, Liebchen, um die Stirn umher.*
> *Was ist denn Hoheit? Mir ist sie geläufig!*
> *Du schaust mich an, ich bin so groß als er.*

*

---

[24] Zur Interpretation und Aufschlüsselung habe ich hier nichts von den reichen Überlegungen zu wiederholen, die diesen Gedichten von Burdach über Kommerell, Beutler, Weitz bis Trunz gewidmet wurden. Ich verweise vor allem auf Beutlers reich kommentierte Ausgabe von 1943 und auf den Kommentar von Erich Trunz. – Text zitiert nach Band 2 der Hamburger Ausgabe von Trunz, ⁹1972, S. 68 und 69f.

Hätt' ich irgend wohl Bedenken,
Balch, Bochâra, Samarkand,
Süßes Liebchen, dir zu schenken,
Dieser Städte Rausch und Tand?

Aber frag' einmal den Kaiser,
Ob er dir die Städte gibt?
Er ist herrlicher und weiser;
Doch er weiß nicht, wie man liebt.

Herrscher, zu dergleichen Gaben
Nimmermehr bestimmst du dich!
Solch ein Mädchen muß man haben
Und ein Bettler sein wie ich.

Hier ist nicht zu untersuchen, auf welchem Wege Goethe das Motiv überkommen sein mag. Allererst wird man wohl an den Petrarkismus als Quelle denken – und somit die Kontinuität zum Mittelalter zumindest fragend behaupten wollen. Ohnehin stellt des Dichters Hinweis auf den „Tulbend", der „unsern Kaiser schmücket", eine Art von Beziehung zu unserm Ausgangspunkt wieder her. Denn wenn auch fraglich bleiben muß, ob Goethe bei dem, was „sie Krone nennen", konkret an die Kaiserkrone des Mittelalters, also das Oktogon Ottos des Großen gedacht hat, so ist doch solcher Bezug zumindest nicht auszuschließen. Dies umso weniger, als dieses magische Herrscherkraft ausstrahlende und verleihende Wunderding ja auch die geistliche Mitra, die ihrerseits wiederum auf des Hohenpriesters Kopfbedeckung zurückgeht, in sich birgt (und damit auch deren geistlichen Herrschaftsanspruch). Die Mitra aber ist immerhin dem Turban nicht so unähnlich wie der metallene Reif der üblichen Kronen: Wir kommen wieder zu Heinrich VI. und seinem „Königslied".

VI. Der Kaiser und sein Lied

„Das Lied gehört zu den Meisterschöpfungen im gesamten MF", urteilt Kienast[25], und ähnlich rühmend urteilt die Forschung durchweg. Viel Mühe hat sie übrigens an die Erörterung des Metrums gewendet, so

---

[25] Richard Kienast, Die deutschsprachige Lyrik des Mittelalters, in: Deutsche Philologie im Aufriß, Bd. I, ²1960, Sp. 68.

Kienast nicht anders als Kraus (MFU S. 104ff.). Inwieweit hier aus dem
romanischen 10-und 11-Silbler, nachdem er auf das Gerüst des ‚deutschen' Viertakters gezogen wurde, Daktylen geworden sind, und inwieweit sie dem Text durchgehend aufgepreßt oder „gemischt" (nämlich
mit 2-taktigen Größen) wurden, ist hier nicht zu erörtern. Ich verweise
auf Heusler und Pretzel[26].

Das Lied setzt ein mit einer Bestimmung seiner Funktion: es soll
Liebesgruß für die ferne Freundin sein – eine dem Minnesang nicht
fremde Attitüde, die vom Botenlied ausgeht und die sich – worauf
Bertau hinweist[27] – etwa auch bei Friedrich von Hausen findet, dem Be-
rater und Freund am Hofe Barbarossas und Heinrichs:

> *sît ich des boten niht enhân,*
> *sô wil ich ir diu lieder senden*   (MF 51, 27f.)

(das Lied also wohl als spirituelle Botschaft, die des faktischen Über-
bringers nicht bedarf)[28].

V. 5–7 erlauben die Vermutung, daß Heinrich hier in der Tat an
einen fremden Vortragenden denkt – tätig vielleicht (wie Bertau vermutet) auf dem berühmten Pfingstfest 1184[29]. Das alles ist Präludium,
ist Vorgeplänkel, ist Exposition. Die folgenden drei Strophen nun bringen das *Thema regium* – und zwar nicht, wie es bisher und bis zu Goethe
Übung ist, als rhetorisches Aperçu, sondern (darin ganz Goethes Spiel
vergleichbar, jedoch mit entgegengesetzter sozialer Perspektive) als
Substanz (oder, wie in Str. III, als Summe) der Minne-Reflexion. Was
in der Weltliteratur anderwärts zum Topos verfestigt ist, wird hier also
zum Thema eines strophenreichen Liedes gemacht und durchgespielt.
Strophe II setzt ein mit der Kaisergebärde: Reiche und Länder sind mir
untertan; – so in der Tat, wenn ein Herrscher der Sänger ist. Nun die
Volte: „wenn ich bei der Geliebten bin". Das rhetorische Spiel erhält
also durch das Widerspiel von gedeckter und von rhetorischer Währung
seinen Reiz. – Dann die Umkehrung: Fern von ihr ist ihm auch all seine
Macht dahin. Das führt zu dem Bild des Glück-Wechselspiels, wie es

---

[26] Andreas Heusler, Deutsche Versgeschichte Bd. II, 19, § 701; Ulrich Pretzel,
Deutsche Verskunst, in: Deutsche Philologie im Aufriß, Bd. III, ²1960, Sp. 2435–2437;
wie zählt Kienast – aaO. –, wenn er „die einzig mögliche Rhythmisierung" beschreibt?
„Es sind Strophen von 4 Sechstaktern aus einem Stück, die 3 ersten v, der vierte s.".
[27] Karl Bertau, Deutsche Literatur im europäischen Mittelalter Bd. I, 1972, S. 583.
[28] Kraus MFU S. 107 verweist auf Nachahmung der Stelle durch Winterstetten.
[29] Bertau S. 581.

das Mittelalter immer wieder bewegt hat: Fortunens Rad[30]. Auch dieses geläufige Bild erhält plötzlich besonders scharfes Relief, wenn nicht irgendeiner, sondern wenn der Herrscher der damaligen Welt von des Glückes Wechselfall spricht[31].

Strophe III steuert resolut auf die Summe ihres letzten Verses zu: Das von der Geliebten geschenkte Glück ist so groß, daß der Sänger eher auf die Krone zu verzichten bereit ist als auf sie.

Es ist diese Stelle, die jeden Verfechter der bloßen Rhetorik-These in Verlegenheit bringen muß. Denn die hypothetische Unterstellung: „Selbst wenn man mir die Kaiserwürde anbieten wollte, ich gäbe meine Geliebte für sie nicht her" ist eines, und ist deutlich genug als Stilfigur vorgewiesen. Wie aber soll ein Sänger nicht-königlichen Geblütes die Dreistigkeit wagen, der Öffentlichkeit den Verzicht auf eine ihm gebührende Krone anzubieten um der Geliebten willen – wenn er, wie alle wissen, gar keine Krone einzusetzen hat? Das müßte ihn der Lächerlichkeit preisgeben[32]. Wieder zeigt sich: Heinrich bedient sich des Topos, um ihn des lediglich topischen Charakters zu entkleiden zufolge der einmaligen Konstellation, die der rhetorischen Hyperbel hier die soziale Wirklichkeit entsprechen läßt[33].

Schließlich die vierte Strophe: Sie setzt, sich damit einen Nachdruck gebend, als werde sie unter Eid gesprochen, mit einem Bibelzitat ein: Joh. 3,18: *(Qui credit in eum, non judicatur;) qui autem non credit, jam judicatus est ... 36: qui autem incredulus est Filio, non videbit vitam, sed ira Dei manet super eum*[34]. Dann der Inhalt des Schwurs: „Wohl bin ich sicher, noch manchen glücklichen Tag erleben zu können auch wenn ich niemals eine Krone tragen werde, – eine Glückschance, auf die ich jedoch ohne die Geliebte nicht rechnen darf."

---

[30] Dazu s. F. P. Pickering, Literature & Arts in the Middle Ages, London 1972, S. 168ff.

[31] S. Bertau S. 583.

[32] In solchem Sinne verteidigt schon Vogt die Stelle für Heinrich, MFA S. 383.

[33] Ich hoffe, es ist aus meinen Ausführungen längst deutlich geworden, daß ich die Frage der relativen Chronologie nicht für wichtig halte: Singt hier der „Prinz" oder der Kaiser? Ein Herrscher vor oder nach der Krönung? Da Heinrich mit vier Jahren zum ersten Mal gekrönt wurde (nämlich am 15. August 1169 in Aachen zum römischen König), ist diese Frage in der Tat belanglos und jedenfalls von der Krone-Phraseologie her nicht lösbar.

[34] Schon durch Schönbach aufgewiesen, s. Kraus MFU S. 107. F. Tobin verweist auf *Parz.* 435, und vermutet den Ursprung der Formel in kirchlichen Bannsprüchen oder in Passagen des Athanasianischen Glaubensbekenntnisses, MLN 85, 1970, S. 373f.

Die Interpreten kommen nicht umhin, auch dieser Stelle eine klare Aussage zu entnehmen: Der hier spricht, muß (heute oder morgen) über eine Krone verfügen. Burdach indessen findet den Ausweg, *krône* hier allegorisch zu deuten, das Wort habe nämlich ursprünglich „den Rausch der Liebesvereinigung" gemeint und den Hörern dieses Liedes sei sie als Sigle für „Liebesglück" verständlich gewesen – was man bezweifeln wird[35]. Vogt reklamiert die Verse zu Recht für Heinrich, aber mit unnötig einengender Begründung: „so kann eben niemand sprechen als der, welcher eine Krone zu erwarten hat"[36]. So kann durchaus jemand sprechen, der schon eine Krone trägt (und der somit andeutet, daß er auf sie verzichten könne); so freilich kann ebenfalls jemand sprechen, der seine künftige Krönung erst (aber mit Gewißheit) erwartet (und die Möglichkeit nicht ausschließt, als Prätendent um der Erfüllung seiner Liebe willen zurückzutreten)[37]. Vor allem aber kann so jemand reden, der gemäß den zeremoniellen Riten des Mittelalters bei Gelegenheit festlicher Aufzüge *under krône* geht. Dann hieße die Stelle: „. . . auch wenn ich das Attribut meiner Herrscherwürde nie wieder tragen sollte". Bertau verweist auf Arnolds von Lübeck Schilderung der Mainzer Festkrönung 1184: *. . . coronatur imperator et cum imperatrice et filio coronato processit*[38].

Verlust der Krone um ‚ihretwegen': das mag angehen; – aber der Verlust ‚ihrer' Liebe würde total depotenzieren, würde den Sänger unvermögend machen, das Publikum noch weiterhin zu erfreuen: dieses leise erpresserisch vorgehende Motiv ist eine Lieblingswendung des mittelalterlichen Dichters (Reinmar und Walther wetteifern wie in so vielem so auch in seiner Anwendung). Aber ein letztes Mal erweist sich nun, wie die literarische Funktion eines Topos multipliziert wird durch die Auffüllung des Topos mit Existenz: Ich werde ohne ihre Liebe mein Herrscheramt nicht angemessen ausüben können – nichts geringeres als das heißt dieser Vers aus dem Munde eines Herrschers. So endet das Lied dann auch konsequent mit einem Terminus aus dem Bereich des Öffentlichen Rechtes, das zu wahren eine der vornehmsten Aufgaben des

---

[35] S. Vogt MFA S. 382, Anm. 1; Kraus MFU S. 113. Burdachs Berliner Akademie-Abhandlung von 1918 war mir nicht zugänglich.

[36] MFA S. 383.

[37] Sog. Windsor-Motiv.

[38] Bertau S. 583; wobei es keine Rolle spielt, ob es sich bei diesem Sohn nun um Friedrich von Schwaben oder um Heinrich gehandelt hat.

mittelalterlichen Fürsten ist: in Acht und Bann wird alle Zukunfthoff-
nung des Sängers geschlagen werden, wenn er die Geliebte verliert.

An dieser Stelle sei noch einmal die Verfasserfrage bedacht. Günther
Jungbluth[39] faßt die Koda abweichend vom allgemeinen Consensus auf:
„meine innigste Hoffnung wäre auf Acht und Bann gerichtet". Inhalt-
liche Aussagen haben für Jungbluth die Autorschaft insofern bereits
vorgeklärt, als er meint feststellen zu können: „Heinrich VI. scheidet als
Dichter dieses Liedes aus". Stattdessen nimmt er eine alte, schon Ende
des 19. Jahrhunderts erwogene und 1921 durch den Historiker Johannes
Haller bestärkte These wieder auf, der gemäß der *Keiser Heinrich* unserer
Liedersammlungen der unglückliche Sohn Friedrichs II. sei.: Heinrich
(VII.).

Unsere Untersuchung vermag zu dieser Frage keine historisch förder-
lichen Belege zu bringen. Ihr Konzept ist philologisch-stilkundlicher
Art. Mir geht es darum zu zeigen, wie durch das exzeptionelle Komple-
mentärverhältnis von topischer Stilwirklichkeit und existenzieller Lebens-
wirklichkeit eine besondere, höchst reizvolle und reich besetzte Linea-
tur der dichterischen Aussage entworfen wird. Daß Heinrich VI. Verfasser dieser vier Strophen sei, habe ich als Hypothese akzeptiert, um
dann mit Hilfe dieser Unterstellung dem Lied eine Aussagebreite und
-tiefe abzugewinnen, die es notwendigerweise einbüßt, wenn es lediglich
als Rollenlyrik sollte konzipiert und vorgetragen worden sein (was, ich
wiederhole es, nicht ausgeschlossen und auch durch meine Analyse nicht
entschieden werden kann). Nur Zuschreibung an den kaiserlichen Autor
ergibt jenen bestrickenden poetischen Chiasmus, der den Einsatz der
Stilfigur existenziell gedeckt, der den Existenz-Einsatz stilistisch gedeckt
sein läßt.

Topoi sind – nicht von der Definition sondern der Funktion her – gän-
gige Münzen, Versatzstücke, schnell einsetzbare Kurzformeln, die in
knapper Form auf Grund von Übereinkünften kurzschließend Verstehen und Verständnis erzeugen. Der in der Liebeslyrik geschätzte Kaiser-
Topos erfährt *ein* Mal in der Geschichte der mittelalterlichen Dichtung
eine frappante Wendung. Sein Stellenwert wird dieses eine Mal bestimmt durch den exzeptionellen Umstand, daß hier ein Kaiser von
kaiserlichen Freuden, von kaiserlichem Verzicht singt. Das verbale
Pfand wird als konkretes Pfand gesetzt, der rhetorische Verzicht wird

---

[39] Lieder Kaiser Heinrichs, Beiträge 85, Tübingen 1963, S. 65–82, hier S. 79.

zum sozialen Verzicht, die oratorische Beteuerung zum Ausdruck existenzieller Wirklichkeit: die Formel verdichtet sich zu einem Grade von nahezu beklemmender Wahrheit. Die ganze Vorstellungs- und Begriffswelt des Minnesangs, abgestimmt und ausgerichtet auf ein Idealmaß höchsten Lebens, wird durchbrochen und aufgehoben, wenn einer sich ihrer bemächtigt, der tatsächlich teilhaftig ist solchen höheren Lebens. Es ist wie mit Zeus und Amphitryon: Wenn der Liebende nicht nur ein „göttlicher Liebender" ist sondern tatsächlich ein Gott, dann erhalten alle jene Steigerungsformen des Männlich-Menschlichen, die sich auf Göttliches beziehen, einen neuen, hintergründigen, wirklichkeitsbrechenden und neue Wirklichkeit schaffenden Sinn. Die alte sinnlos-sinnvolle Sehnsucht: Deckung von Poesie und Leben, hier ist sie punktuell einmal erfüllt. Die Formel wird beglaubigt durch die Existenz; und: wird aufgehoben durch ihre existenzielle Füllung. Wenn der König singt, schweigen zwar nicht notwendig die Musen, aber sie können sich verwandeln.

MORUNGENS TAGELIED

Der mitteldeutsche Liederdichter Heinrich von Morungen gilt den Kennern der mittelalterlichen Lyrik von je als der farbigste, leidenschaftlichste, zarteste und musikalischste unter den Minnesängern, in solchem Sinne als der „lyrischste" (und überdies ist er einer der gebildetsten unter ihnen). So ist er einer der wenigen, die den Zirkel rein philologisch-historischen Interesses verlassen und sich dem Chor einer „Weltliteratur" haben einreihen können – wofür stellvertretend einige gelegentliche Bemerkungen des vielzüngigen Ezra Pound zeugen können, die, unkonventionell und ein wenig allzu bewußt als Bildungsbürgerschreck aufgezäumt, unter den wenigen lesenswerten Dichtungen des Mittelalters aus dem deutschsprachigen Bereich neben Wolfram und „von der Vogelweide" auch „Von Morungen" nominieren[1].

Unter Morungens Dichtungen nun hat wiederum der Tagelied-Wechsel MF 143,22 von je höchste Bewunderung erweckt – mit Grund, wie auch diese Zeilen hoffen bestätigen zu können. Der Text nach der letzten Fassung durch Kraus:

> I. 143   *Owê, sol aber mir iemer mê*
>   *geliuhten dur die naht*
>   *noch wîzer danne ein snê*
>   25   *ir lîp vil wol geslaht?*
>   *der trouc diu ougen mîn:*
>   *ich wânde, ez solde sîn*
>   *des liehten mânen schîn,*
>   *dô taget ez.*

---

[1] How to read, 1928, wiederabgedruckt in Literary Essays of Ezra Pound, Edited with an Introduction by T. S. Eliot, London 1960, S. 15–40; Morungen dort S. 28. Das Vertrauen in Pounds Kennerschaft wird freilich bekümmernd eingeschränkt durch den Verdacht, es seien ihm diese deutschen Dichtungen des Mittelalters nur durch die Mittlerschaft von Will Vespers „song book" geläufig geworden (vermutlich Die Ernte der deutschen Lyrik, [1]1906), was zu glauben eine Bemerkung in dem Essay The Renaissance nahelegt (1914, Essays S. 215).

II.   30   'Owê, sol aber er immer mê
           den morgen hie betagen?
           als uns diu naht engê,
           daz wir niht durfen klagen:
           'owê, nu ist ez tac',
     35   als er mit klage pflac
           do'r jungest bi mir lac.
           dô taget ez. '

III. 144   Owê, si kuste âne zal
           in deme slâfe mich.
           dô vielen hin ze tal
           ir trêne nidersich,
      5   iedoch getrôste ich sî,
           daz si ir weinen lî
           und mich al ummevî.
           dô taget ez.

IV.   'Owê, daz er sô dicke sich
    10   bî mir ersêen hât!
           als er endahte mich,
           sô wolte er sunder wât
           mich armen schouwen blôz.
           ez was ein wunder grôz
    15   daz in des nie verdrôz.
           dô taget ez. '

Ein Tagelied, und als solches den Gesetzen seines Genres verpflichtet. Kulisse und Instrumentarium, Personal und Szene und Atmosphäre sind vorgegeben und die Abweichungsbreite von diesen Normen kann nur gering sein gemäß dem traditionsverhafteten und an überlieferte Maße und Ordnungen gebundenen Dichtungsbegriff des Mittelalters. Der Raum dieser Abweichungen freilich ist die Stelle, an der sich die eigentliche Künstlersignatur des Dichters enthüllt (wobei der Begriff der Abweichung wiederum die Befolgung der Norm als die eigentliche Aufgabe des Dichters bestätigt). Da sind Einflüsse aus Bild-, Vorstellungs- und Formwelt der Troubadours, wie sie Michel und zuletzt Frings nachgezeichnet haben[2]; aus der klassisch-lateinischen Dichtung, wie vor allem

---

[2] Ferd. Michel, Heinrich von Morungen und die Troubadours, 1880, = Q. & F. 38; Theodor Frings, Erforschung des Minnesangs, Forschungen und Fortschritte 26, 1950, S. 6.

Schwietering und Drygalski dargelegt haben[3]; da ist der Refrain eines Tageliedes des Giraut de Bornelh *Et ades sera l'alba* („Und sogleich dämmert der Morgen")[4], da ist die im Bau ähnliche Pastourelle von Ernoul le Vieux, auf die Spanke verweist[5], da ist Bernart de Ventadorn, der gleich manchem Kunstgenossen den weißen Leib der Geliebten preisend mit der Reinheit des Schnees vergleicht; und da ist die Marienhymnik, die des Schnees Reinheit wie die des Mondes zur Verherrlichung der Gottesmutter bemüht[6]. Aber keine der vielen Untersuchungen, die den einzelnen Elementen dieses Liedes gewidmet sind, vergißt, daß nicht sie in ihrer Vereinzelung oder Summierung dessen Poesie ausmachen, und der Philologe braucht sich heute nicht mehr des läppischen Einwandes zu erwehren, seine historischen Aufweise zerstörten die „Atmosphäre" einer Dichtung: sie werden, wenn recht beigebracht, das Wunder nur größer erscheinen lassen das in aller großen Poesie steckt, da sie doch so viel mehr ist als die Summe ihrer dem kritischen Blick deutlichen Teile. Jenes Quentchen Gnade, das aus Lauten, Worten, Reimen und Versen Dichtung macht, wird eben der am deutlichsten erkennen und am dankbarsten verehren, der jene faßbaren Teile am deutlichsten erkannt hat. Und nur im Vorübergehen streifen wir einige andere Einzelheiten, die gleichfalls uns hier nicht vornehmlich beschäftigen sollen: den Umstand z. B., daß sich der Tageliedsituation und dem ihr gemäßen Wunschdenken gern ein Täuschungsmotiv gesellt: –

Ich glaubte, es sei des Mondes Widerschein – da aber war es der des aufsteigenden Tages – It is the nightingale and not the lark... – Die Konjektur Schönbachs in der IV. Strophe *mich armen* anstelle des unlogischen und albernen *mîn arme* der Hs. C hat man mit Recht einen „der künstlerischsten Akte der Philologie" genannt[7], die Ursprünglichkeit dieser Fassung ist wohl

---

[3] Jul. Schwietering, Einwürkung der Antike auf die Entstehung des frühen deutschen Minnesangs, ZfdA 61, 1924, S. 61–82, bes. S. 63 f.; Erich von Drygalski, Heinrich von Morungen und Ovid, Diss. Göttingen 1928.

[4] Frings, S. 6.

[5] Hans Spanke, Romanische und mittellateinische Formen in der Metrik von Minnesangs Frühling, ZfrPh. 49, 1929, wiederabgedruckt in Der Deutsche Minnesang, Aufsätze zu seiner Erforschung hg. von Hans Fromm, Darmstadt 1961, S. 255–329, dort S. 318. Freilich versteh ich Spanke nicht recht, wenn er das „wunderschöne Tagelied ... auch in formaler Hinsicht sicher eine freie Schöpfung Morungens" nennt, dann jedoch auf Ernouls Pastourelle verweist, die „dieser aparten und hübschen Form Pate gestanden hat".

[6] Frings, S. 6.

[7] Hugo Kuhn in „Die Zeit" vom 12. VIII. 1960; übrigens kommt C[a], das sog. Troßsche Fragment (15. Jh.), wohl eine Kopie von C, dieser Wahrheit wieder nahe

5*

allgemein akzeptiert. Obwohl die vier Strophen weder der Textkritik noch der Interpretation viel Not machen, haben sie, eben ihrer poetischen qualitas halber, dennoch manche nur ihnen gewidmete Untersuchung angeregt. Unter den jüngsten nenne ich die Arbeiten von Kurt Ruh[8], H. W. J. Kroes[9] und Frederic C. Tubach[10]. Ferner verweise ich auf Übersetzung und Kommentar in Kraus' schöner Morungen-Ausgabe[11], sowie auf Kraus' Untersuchungen zu MF (1939) S. 331–333. Ihre und anderer Feststellungen hoffe ich hier durch einige Beobachtungen ergänzen und bestätigen zu können, die sich vor allem auf jenen erwähnten Eigenraum künstlerischen Gestaltens beziehen und von der Forschung herausgearbeitete historische Bauelemente und normgebundene Gattungsmerkmale nach ihrer poetischen Funktion, nach ihrem Stellenwert für die dichterische Aussage befragen wollen.

Die literarhistorisch bemerkenswerteste Eigenschaft des Liedes ist die ebenso gewagte wie gelungene Verschmelzung zweier Gattungen, die vor Morungen einander fremd waren: des Tageliedes und des Wechsels (also jener vielleicht altheimischen Liedform, in der Mannes- und Frauenstrophe einander ablösen ohne doch zueinander zu sprechen, vielmehr monologisch ineinanderhallen wie – nach Uhlands schönem Wort – fernhin am Horizont verklingende Abendglocken). Indessen zeigt sich, daß Morungen diesen Schritt nicht abrupt vollzogen hat. Sein Lied *Ich hân si für alliu wîp*... 130, 31 ist gleichfalls ein Wechsel, und es berührt sich, wie man gesehen hat, in einer Reihe von bemerkenswerten Einzelheiten mit dem Tagelied: 4 Strophen, gleichfalls in der Abfolge *Er–Sie–Er–Sie*. Gleichlautende Refrainelemente: zwar nicht (wie im Tagelied) in der Häufung von Anfangs- *(Owê)* und Endrefrain *(taget ez)* in jeder Strophe, jedoch mit dem Eingangsrefrain *Owê* in den Frauenstrophen (II und IV), dem Endrefrain *sô tagt ez in dem herzen mîn* in den Mannesstrophen (I und III). Schließlich Wort- und Bildanklänge an das Tagelied insbesondere in der II. Strophe:

---

wenn es *min armen* schreibt. [Zusatz 1975: Inzwischen habe ich mich durch Ruth Harvey, Beitr. Tübingen 86, 1964, S. 266–297 davon überzeugen lassen, daß Schönbach unmittelalterlich argumentiert hat, und wir mit ihm. Entblößung der Arme ist für das Mittelalter (und nicht nur für das Mittelalter) eine Vorstellung von hohem sinnlichen Reiz; und übrigens steht sie hier als pars pro toto.]

[8] Trivium II, 1943/44, S. 173–177.

[9] Neophilologus 34, S. 141–143.

[10] ZfdPh. 79, 1960, S. 309–315.

[11] 2. (ergänzte) Auflage 1950, S. 18 und 86.

131 'Owê des scheidens des er tete
von mir, dô er mich vil senende lie.
wol aber mich der lieben bete
und des weinens des er dô begie,
5 dô er mich trûren lâ$z$en hat
und mich hie$z$ in fröiden sîn.
von sînen trênen wart ich nat
unde ergluote iedoch da$z$ her$z$e mîn.'

ergluote ist eine geistreiche aber nicht ganz überzeugende Konjektur von Kraus. Die Hss. überliefern *erkuolte*, und auch das gibt einen Sinn, zumal im Verein mit der in C folgenden Lesart *ê doch* (statt *iedoch*): „mein Herz aber war vorher schon erschauert". Jungbluth GRM 35, 1954, S. 241/42 schlägt vor: *ergruonte*.

Diese Verse wirken vollends wie eine Ergänzung unseres Tageliedes, wie ein Kontrafakt zu dessen III. Strophe: hier ist es die Frau, die sich der Tränen des Abschieds erinnert, nicht ihrer sondern seiner Tränen, von denen sie *nat wart* – aber hier wie dort tröstet er sie. So betrachten Drygalski und Kraus den Wechsel 130,21 mit Grund als „Vorstudie" zum Tagelied[12], den Kehrreim des einen als „Keimzelle" des anderen[13], und man wird sagen können, daß bereits hier präludierend angedeutet wird was das spätere Lied so erstaunlich vollzieht: die Vereinigung der beiden Gattungen. Denn wiewohl 130,31 nicht eigentlich ein Tagelied ist, so könnte doch die zweite Strophe jederzeit Zentrum eines Tageliedes sein: so sehr ist sie von Leidenschaft und Wehmut, so sehr von dessen typischen Handlungselementen getragen (*scheiden – senen – trûren –* Tröstung).

Wenn es aber richtig ist, daß der Wechsel 130,31 in engen nicht nur stimmungsmäßigen sondern auch technischen Zusammenhang gehört mit dem Tagelied (Morungen hat insgesamt nur drei Wechsel gedichtet, außer den beiden hier behandelten noch 142,19 *Ich bin keiser âne krône*), dann könnte von seiner Tektonik auch ein Licht fallen auf die von 143,22.

Kroes nämlich hat mit ernstzunehmenden Argumenten[14] eine Änderung der überlieferten Strophenfolge des Tageliedes vorgeschlagen und für eine ursprüngliche Reihung I, IV, III, II plädiert: Damit fügen sich

---

[12] MFU, S. 301.
[13] Drygalski, S. 25.
[14] aaO.

die ersten beiden Strophen in der Durchführung des Bildes vom schimmernden bloßen Körper zueinander, der einmal vom Blick des männlichen, das andere Mal von dem des weiblichen Empfindens erfaßt wird. Zudem setzt dann die letzte Strophe einen markanteren Schlußpunkt, den Abschied schildernd und die Sehnsuchtsfrage der Frau formulierend.

Da es uns nun berechtigt schien, in dem Wechsel 130,31 eine Art Modell für das Tagelied zu sehen, wird man vielleicht auch für die Frage der Strophenordnung einen Hinweis von dort erhoffen können. Der Er-Sie-Er-Sie-Rhythmus ist unumstößlich, mit ihm die Alternation von männlichem End- und weiblichem Anfangsrefrain. Über dieses parallele oder kontrapostische Wechselspiel hinaus hat Morungen aber die erste (= Mannes-)Strophe und die letzte (= Frauen-)Strophe (deren Platz ja unbezweifelt und unbezweifelbar ist) noch zusätzlich durch ein feines Moment verknüpft, das mithin das ganze Lied unter einen Spannungsbogen stellt (und das eben der Beziehung von der ersten [= Mannes-]Strophe zur zweiten [= Frauen-]Strophe fehlt): Die Eingangszeilen sind aufeinander gerichtet, insofern als dem Reimwort der ersten Strophe *wîp* bewußt das Reimwort der letzten Strophe *man* korrespondiert (s. Kraus, Morungen-Ausgabe S. 84). Eine solche Korrespondenz der Eingangszeilen aber weisen auch die (nach der überlieferten Reihung) beiden ersten Strophen des Wechsels auf: *Owê, sol aber mir iemer mê: Owê, sol aber er immer mê*... Versetzt man die zweite Strophe an die letzte Stelle, so spannt sich auch in diesem Liede ein den Mittelteil überwölbender Bogen vom Einsatz des Anfangs zum Einsatz des Endes. Dieses[15] Kunstmittel kann gemäß dem Aufbau des Vorbildes 130,31 als ein tektonisches Prinzip gewertet und mithin zur Stützung der eine Umstellung vorschlagenden These verwendet werden – da doch alle Argumente, die von der Konzeption einer inneren Geschlossenheit und Folgerichtigkeit der Handlungs-, Gedanken- und Bildführung ausgehen, gegenüber der so oft diskontinuierlich verfahrenden Dichtweise des Mittelalters letztlich ohne beweisende Kraft bleiben. In dieser Erkenntnis liegen ja Wert und Rechtfertigung aller den mittelalterlichen Literaturdenkmälern gewidmeten Kompositionsstudien: in dieser Kunst ist das Wie das Was. Die Frage nach der poetischen Funktion einiger anderer dieses Lied bestimmender Elemente wendet sich zuerst der Frage nach der Aussage der **Wechselform** zu.

---

[15] bereits von Kroes S. 143 gesehene.

Sie ist innerhalb der dingfernen Welt des Minnesangs ihrerseits die ,unrealistischste' aller denkbaren Kommunikationsformen[16]: Zwei Menschen, die zueinander sprechen und doch nicht miteinander; Worte, dem anderen zubestimmt und doch an ihm vorbeigehend. Im Wechsel erreicht das den Minnesang auszeichnende Stilprinzip der Diskretion seine subtilste Höhe: Sehnsucht, Neigung, Liebe können hier in Unbefangenheit formuliert werden, ohne daß dies Geständnis doch die Scham der Bloßstellung, der unmittelbaren Offenbarung zu fürchten hätte. Das Bedürfnis, Liebe auszusprechen wie zu verbergen, hat hier seine künstlerisch schönste Möglichkeit gefunden; die dialektische Struktur des Eros, die Öffentlichkeit wie Heimlichkeit will, Bekenntnis wie Verschwiegenheit, hat sich im Wechsel die ihr gemäße Kunstform geschaffen. Sein Antipode ist das Tagelied. In ihm hat sich das Bedürfnis nach Darstellung der Liebe nicht nur in Anspielung und Neigung, Werben und Versagen, Locken und Entziehen, sondern nach Wiedergabe in ihrer seelisch-lieblichen Totalität einmal Bahn gebrochen – eine wohlberechnete, sorgsam abgegrenzte und vor dem Abgleiten in die Sphäre individueller Erlebnisschilderung abgesicherte Bahn, versteht sich. Das Tagelied als eine Möglichkeit, Liebe in ihrer Sinnenhaftigkeit und Inbrunst zu schildern, konnte die Zuflucht jener werden, die es in der gewiß zuweilen überreizten Sphäre künstlicher Vergeistigung, wie der Minnesang sie pflegte, nach ,Natur' verlangte. Gewiß aber wohnte der Beschreibung dessen was nicht geschehen durfte, für den Hörer auch etwas Bestürzendes inne, und die Darbietung des Intimen, Privaten, der Handlungen und Worte und Tränen konnte in ihrer Direktheit befremden und verletzen. Hier setzt die poetische Funktion von Morungens Umwandlung und Verschmelzung ein: An die Stelle der epischen Beschreibung des Dinglichen, der brennenden Worte der Leidenschaft im Abschiedsdialog, der Aktualität der gestohlenen Liebe, setzt er die Erscheinung fernher erklingender, fernher singender Stimmen, in denen die Wirklichkeit körperlicher Liebe durch die Unwirklichkeit der Wechselform entdinglicht wird, körperlos und entrückt. Das allzu Private, das allzu Direkte des sinnlichen Sujets wird durch ein Formprinzip neutralisiert, das mehr Geist denn Fleisch ist. Anderseits aber schenkt die Wechselform dem Tagelied eine Tiefendimension, die es allein nicht kennt: Die Vereinigung als höchste Möglichkeit der Selbstaufgabe wirft den Menschen auch zurück auf sich, macht ihm die Grenzen des Auf-

---

[16] S. auch Ruh, S. 175.

gehens im anderen bewußt, läßt ihn wesensmäßig auch seine Individuation, sein Alleinsein erfahren. Ausdruck dieser Kluft, dieser letzten Fremdheit ist die Führung der Stimmen im liebenden Aneinandervorbei, die vergebens das lebendige Du zu erreichen streben. – Schließlich noch der „Kunstgriff"[17] der zeitlichen Verlegung. Die Szene spielt in der Vergangenheit, ist Erinnerung, Heimweh, ist Rekonstruktion aus den zurückfindenden Gedanken der Liebenden, die sich am Ort der letzten Begegnung treffen. Kein aktuelles Hier und Jetzt, kein zudringlicher Schlafzimmerblick, kein peinlicher Wächterruf, kein Heimlichtun, kein direktes Wort – so ist das Lied ganz der Sphäre des Drastischen, des Pikanten enthoben, hat nichts von dem an sich, was man heute „sexy" nennt, und verzichtet auf jene Reizwirkung, wie sie dem Tagelied häufig und zunehmend eigen ist.

In diesen Zusammenhang gehört noch die Beobachtung eines feinen Zuges, der freilich nicht überbewertet werden soll. In den Mannesstrophen spricht der sich des Glücks erinnernde Mann vor allem von sich: I: *sol aber mir iemer mê*... III: *si kuste mich* ... *iedoch getrôste ich sî* ... Die Frau jedoch in ihren Strophen spricht nicht von sich sondern vor allem von ihm, von beiden: II: *sol aber er immer mê* ... *daz wir niht durfen klagen* ... *als er mit klage pflac* ... Und ebenso ist die IV. Strophe ihm gewidmet, seinem Tun und Wollen, ja noch der liebenden Sorge um das Wohlbefinden seiner Gefühle: *daz er sô dicke sich bî mir erséen hât* ... *er endahte mich, er wolte sunder wât mich schouwen* ... *ein wunder daz in des nie verdrôz* ... Auch er spricht zwar von ihr. Aber er tut ihrer vornehmlich in Relation auf sich selber Erwähnung. Wohingegen sie sich vor allem in Relation auf ihn sieht, als Objekt. Es mag in diesem Zug etwas mitschwingen von der weiblichen Urerfahrung, daß die Frau in der Liebe den andern sucht, der Mann aber nur sich selbst; daß sie mit einem höheren Grad von Selbstentäußerung liebt, also tiefer liebt, also tiefer leidet. In der Tat ein sehr fraulich empfundenes Lied. Auf den ersten Blick mag es erstaunen, daß eben die „sinnlichsten" Worte in der Frauenstrophe stehen: das Bild von ihrer Hüllenlosigkeit und Nacktheit, in der sie zu *schouwen* er nicht müde wurde. Und dennoch will uns auch dieser Zug von tiefer Richtigkeit scheinen. Denn dieses Geständnis ist gerade in seiner befangenen Unbefangenheit schönster Ausdruck der reinen unschuldigen demütigen Hingabe, ohne Vorbehalt und Hülle[18].

---

[17] Tubach, S. 134.
[18] S. Ruhs Hinweis auf Gretchen, S. 177.

Soviel zur poetischen Funktion der schlichten Tatsache, daß in einem
Gedicht zwei Gattungsformen vereinigt werden und das Geschehen
entgegen dem üblichen Brauch in die Vergangenheit verlegt ist.

Endlich noch ein Wort zu der Aussage der Traditionselemente
Refrain und Alba. Der Refrain des Eingangs ist so wenig übersetzbar
wie der des Ausgangs. Das *Owê* ist Signatur des Schmerzes – nicht aber
eine Vokabel. Ebensowenig hat die letzte Zeile eine ausschließlich logisch
geltende Bedeutung. Diese beiden Notenreihen des Schmerzes umarmen
stimmungprägend jede Strophe, und sie spiegeln als Strukturelement
auch die Umarmung der Liebenden. Verhalten und spröde klingt das
Owê an – unbarmherzig bricht das *dô taget ez*[19] herein, mit scharfem
Stakkato, wie ein schneidender Strahl des grauen Morgens den liebevoll
deckenden Mantel der Nacht zerschlitzt. So lebt dieser Schlußrefrain aus
zweifacher Aufgabe: formal ist er Umarmung, inhaltlich Abbruch und
Disharmonie. Der Gleichlauf dieser Verse durch alle Strophen hindurch,
die Wiederaufnahme schließlich der ganzen ersten Zeile der ersten
Strophe in einer anderen macht noch einmal die Übereinstimmung der
Liebenden sinnfällig. Das Grunderlebnis indes der Einheit, der Möglichkeit des Einswerdens trägt auch das gegenläufige Erfahren in sich:
das des schicksalhaften Getrenntseins, des Auseinandergehens. Nicht
das Sichfinden sondern das Sichverlieren erwählt sich das Tagelied zum
Vorwurf, nicht den Willkomm sondern den Abschied. Die Weisheit
aber dieses Komplementärverhältnisses, die Erfahrung dieser Polarität
auszudrücken, diese Möglichkeit ist dem Tagelied – wir sahen es – dank
der Vereinigung mit dem Wechsel geschenkt, ein Vorgang, der wiederum das Tageliederlebnis reizvoll transponiert und als Form verwirklicht.

---

[19] als „Deutung des Schmerzenslautes" *Owê*, Ruh S. 174.

DER SÄNGER UND DIE DAME
Zu Walthers Schachlied (111,23)

Scachorum ludo temptat me uincere crebro
Nec potuit, ludo ni sponte dato sibi solo.
Ruodlieb IV, 187f.[1]

I

Es macht die Eigentümlichkeit des Minnewesens, daß in ihm Kunst gelebt, Leben in Kunst überführt wird. Nicht als Pose noch als Rolle, nicht
als notwendig flüchtiger Augenblick der Identifizierung des Künstlers
mit seinem Geschöpf. Sondern als das die Gattung bedingende und
definierende Moment. Diese fundamentale und allgemein erkannte Tatsache droht sich gleichwohl dem Blick des späten Betrachters zu entziehen, der in den stilisierten Gebilden gereimter Selbsterziehung das
Topische und Traditionelle, das Schema und die Konvention zu sehen
gelernt hat; der die gelegentlich spontane, häufiger berechnete Unschuld
dieser Lieder bewundert wie die Brillanz ihrer durchkalkulierten Form-
effekte, das schwerelose Spiel der gedanklichen, lautlichen, rhythmischen
Entsprechungen, in dessen Grundriß sich der planende Geist, in dessen
Filigran sich die Detailverliebtheit eines baumeisterlichen Jahrhunderts
widerspiegeln. So ergibt es sich, daß der Historiker diesen Gegenstand
seiner Bemühung nicht zwar als Artefakt, wohl aber als vom Individuel-
len und Subjektiven weitgehend gereinigte Manifestation einer allgemeinen Bewußtseinslage anzusehen gewöhnt ist; als die in ihren Grenzen
von vornherein festgelegte Variation eines gegebenen Themas, deren
Leistung eben darin liegt, daß es ihr gelingt, ihr Eigenes dem Uneigent-
lichen und Allgemeinen einzufügen und es dem geltenden Gesetz unter-
zuordnen. Eine solcherart verfahrende Betrachtungsweise des Minnesangs löst zum Ende des 19. Jahrhunderts den naiven Biographismus
der romantischen Interpretation ab. Freilich unterstand auch sie dem
Gesetz des Pendels und hat mithin ihr eigenes Programm outriert, hat

---

[1] Langosch: „Oft spielt' er Schach mit mir und sann, wie er dabei den Sieg ge-
wann; / Nur dann jedoch gelang ihm dies, wenn ich das Spiel ihm überließ."

Individuum und Subjekt ganz aus diesen Landen verbannt und nurmehr Modell, Konvention und Klischee gelten lassen. Erst die Minnesang-Forschung der letzten Jahrzehnte, insbesondere die der Form gewidmete hat uns gelehrt, vor dem verpönten ‚Erlebnis‘ nicht zurückzuschrecken – wenn nämlich wir es anders begreifen als das sich seit Klopstock sturm-drängend seine Bahn brechende Erlebnis des lyrischen Ich. Dessen hiesige Seligkeiten und Verdammnisse waren allerdings, wenn wir recht sehen, dem Mittelalter herzlich gleichgültig. Nun gibt es jedoch Erleb-nisvorgänge, die eine Generation, einen Stand, eine Gesellschaft insge-samt ergreifen und formen und auf die der Betroffene als Kollektiv ant-wortet: das Erlebnis des Schönen, der Liebe, des Kreuzzugs, einer fremden Welt mit neuen Farben und Klängen. Was auch immer durch solche Begegnung in dem Gemüte des Einzelnen ausgelöst wurde, er vertraute es einer allgemeinen Tonart und Stimmlage an. Daß auch in-mitten dieser eingeebneten Landschaft stark und aufbegehrend empfun-den, willkürlich und eigensinnig gelitten und geliebt wurde, verbirgt sich dem Historiker allermeist zufolge der zwischen ihm und dem Ein-zelnen lagernden Schicht objektivierten Aussagens (sei es gereimt oder nicht, volkssprachig oder lateinisch).

Diese Schicht aber vermag gelegentlich durchlöchert, punktweise er-hellt und durchlässig gemacht zu werden mit Hilfe der Betrachtung literarischer Partien, die auch in der objektivierenden Ausformung noch den durchaus persönlichen Anlaß, die durchaus subjektive Funktion, den durchaus eigensinnigen Willen spüren lassen. Hier ist eine der raren Stellen, die zu beobachten erlauben, wie sich ein Mensch des Mittelalters aus höchst persönlicher Betroffenheit in eigener Sache äußert, sich zur Wehr setzt, und angreift, gelegentlich den Streit aus der persönlichen Sphäre in die der programmatischen Auseinandersetzung um rechte und falsche Kunst überführend: so geschieht es in der Epik bei Gottfried und Wolfram, und dürftig nur tarnt sich da die Empörung über des anderen Anderssein hinter kunstideologischem Überwurf. Achtloser noch gibt sich der lyrische Dichter, der die persönliche Aversion zu unterdrücken sich garnicht bemüht[2]: so geschieht es bei Reinmar und Walther. In der Chance solcher Einsicht also liegt Sinn und Funktion der Betrachtung von Kontroverspoesie. Wenn er die Schichten ihres Hin- und Her, ihres Für und Wider freilegt, wenn er Ausfall und Rückzug, Stoß und Gegen-

---

[2] Es mag ihm dabei die alte Tradition des Schimpf-, Spott-, Streit- und Scheltlieds geholfen haben, deren Spielarten sich in der Romania z. B. noch als *sirventes* oder *débat* oder *Tenzone* oder *jeu-parti* gehalten haben.

stoß freilegt, registriert, erfährt der Philologe, daß auch diese traditions-
starren Gebilde Niederschlag gelebten Lebens sind, eines Lebens das
hier einmal, mittelbar aber deutlich, Zeugnis gibt von Last und Mühsal
des heute gewesenen Tages, von schmerzlicher Selbstbehauptung, persönlicher Demütigung, von der Peinigung durch die Oberen, vom Ver-
rat durch die Freunde, von der Bloßstellung durch den Gegner, der
Denunziation durch den geschwätzigen Klatsch. Und wohl auch von
dem Leid dessen, der sich von einem Menschen verlassen sieht.

II

C, die große Heidelberger Liederhandschrift, bietet an 379. und 380.
Stelle zwei im gleichen Ton abgefaßte Strophen, deren Autor nach Ausweis der benachbarten Lieder vermutlich Walther von der Vogelweide
ist (L. 111,22–112,2). Eine Vermutung, die weniger durch die dichterische Qualität dieser Strophen als durch ihre (wenngleich vorerst nicht
durchweg deutliche) Aussage erhärtet wird. Die Schreiber konnten mit
ihnen offenbar nichts anfangen und haben ihnen unsanft mitgespielt.
Die Zeile jedoch, die uns das Motiv des Nichtverstehens preisgibt, haben
sie getreulich übernommen: eine Autorennotiz und Vortragsdirektive,
die nun – einzigartig in dieser Lyrik – als Überschrift dieses Lied be-
krönt: *In dem done. Ich wirbe umb alles daz ein man.* Das heißt übersetzt:
„Dieses Lied ist eine Parodie auf das Lied Reinmars *Ich wirbe umb allez
daz ein man...*" (MF 159,1), wie schon Lachmann erkannt hat (Anm.
z. St.). Einzelne Beziehungen dieses wie anderer Reinmarlieder zu den
Waltherstrophen hat Carl von Kraus in seinen Reinmar-Untersuchungen[3] wie in seinen Walther-Untersuchungen[4] dargestellt. Sie werden hier
als bekannt vorausgesetzt und nur insoweit wiederholt, als sie in den Gang
unserer Überlegungen eingreifen.

 Die Handschrift also hat die Tatsache der parodistischen Funktion
dieser beiden Strophen nur noch mechanisch verzeichnet; verstehen
konnte sie sie nicht mehr, da es ihr an der Kenntnis des Zusammenhanges
fehlte. Die Philologen jedoch, denen es an dieser Kenntnis nicht mangelt, haben dennoch der Schwachheit des Überlieferten nicht soweit
aufhelfen können, daß ein sinnvolles und in sich widerspruchsfreies Ge-

---

[3] (= RU) Die Lieder Reinmars des Alten, I–III, MAA Philos.-histor. Kl. 30, 1919,
III, 6–11.
[4] (= WU) 1935, S. 396–400.

bilde aus ihm wurde. Der Deutlichkeit halber stelle ich im Folgenden
den Wortlaut der Hs. gegen die Fassung des Liedes, die ihm zuletzt
Kraus (1936) gegeben hat und die nur in drei Fällen von Lachmann
abweicht[5]:

I   *In dem done. Ich wirbe umb alles daz ein man.*   C 379
         Ein man verbiutet ein spil ane pfliht   (111,22)
         des im nieman wol gevolgen mag
         er gibt wenne sin ouge ein wib ersiht
         si si sin osterlicher tag
    5   *wie were uns andern liuten so geschehen*
         solten wir im alle sines willen iehen
         ich bin der eine ders versprechen muos
         besser were miner frowen senfter gruos
         da ist mates buos

II   *Ich bin ein wib da her gewesen*   C 380 (111,32)
         so stete an eren und ouch also wol gemuot
         ich truwe ouch noch vil wol genesen
         daz mir selkem stelne nieman keinen schaden tuot
    5   *swer aber küssen hie ze mir gewinnen wil*
         der werbe es mit vuoge und ander spil
         ist daz es im wirt e sa
         er muos sin iemer sin min dieb und habe ims da
         und lege es anderswa[6]

Die letzte Fassung Lachmann-Kraus[7]:

I   *in dem dône Ich wirbe umb allez daz ein man*[8].   111,22
         Ein man verbiutet âne pfliht

---

[5] Ich löse die graphischen Zeichen auf, mache keinen Unterschied zwischen ſ und s,
setze durchgehend *u* für den Vokal, ignoriere bloße Verschreibungen und tilge die
Reimpunkte zugunsten der Verszeilen. Beide Strophen beginnen mit Initiale.

[6] Die hsl. Fassung ist – sieht man von Flüchtigkeiten der graphischen Wiedergabe
ab – im Apparat L.-Kr. korrekt angezeigt. Hingegen ist Dietrich Kralik, Walther
gegen Reinmar, WSB Philosoph.-hist. Klasse 230, I, 1955, S. 86 bei seiner zeichen-
und buchstabengetreuen Wiedergabe in I, 5, 6, 8, 9 und in II, 8 und 9 je ein Fehler
unterlaufen.

[7] der sich Maurer in seiner Ausgabe von 1956 anschließt mit Ausnahme von I, 2,
wo er mit Wackernagel *des im doch nieman wol gefolgen mac* liest.

[8] Diese Teilnormalisierung der Überschrift ist sinnlos.

ein spil, des nieman im wol volge geben mac[9].
er gihet, swenne ein wîp ersiht
sîn ouge, ir sî mat sîn ôsterlîcher tac.
5   *wie wœre uns andern liuten sô geschehen,*
solt wir im alle sînes willen jehen?
ich bin der imez versprechen muoz:
bezzer wœre mîner frowen senfter gruoz.
deist mates buoz.

II   *,Ich bin ein wîp dâ her gewesen*   111,32
sô stœte an êren und ouch alsô wol gemuot:
ich trûwe ouch noch vil wol genesen,
daz mir mit stelne nieman keinen schaden tuot.
5   *swer küssen hie ze mir gewinnen wil,*
der werbe ab ez mit fuoge und anderm[10] *spil.*
ist daz ez im wirt sus[11] *iesâ,*
er muoz sîn iemer sîn mîn diep, und habe imz dâ
und anderswâ.'

Einige der Ergänzungen und Änderungen durch Lachmann und Kraus
erklären sich von selbst, wenn sie auch durchweg nicht so zwingend
sind wie die eindeutig notwendigen Umstellungen in den ersten vier
Versen. Die Tektonik zwar, Metrum und Reimordnung sind bekannt, da
ja das Modell bekannt ist (der Reinmar-*dôn* nämlich) – aber es bleibt
weitgehend der Phantasie des Editors überlassen, mit Hilfe welcher
Streichungen oder Flickwörter er das Walther-Lied dem Formschema des
Vorbilds anpassen will. So gilt denn für die Behandlung des Gebildes
insgesamt, was Lachmann zu seiner Fassung der Ostertag-Zeile sagt:
„ich habe, da die überlieferung hier überall schlecht ist, zu setzen gewagt,
was zur sache dient". Doch ist die Vorstellung des Sachdienlichen ein
weites Feld. Während die gänzliche Resignation den Textkritiker zu
konservativer Behandlung seines Denkmals nötigt, verführt die halbe
Resignation ihn zu großzügigem Verfahren. So auch hier: die Ersetzung
von *si si sin* in I, 4 durch *ir sî mat sîn* ist ein Akt, der in keiner Weise auf
die hsl. Verhältnisse sondern ausschließlich auf das vorgefaßte Verste-

---

[9] Lachmann wie C: *des im nieman wol gevolgen.*
[10] Lachmann: *âne.*
[11] Die Zutat *sus* hat Kraus nicht von Lachmann, wie er im App. meint, sondern
von Wackernagel – s. Kralik S. 75.

hen des Editors zurückzuführen ist und die Aussage des Gedichtes in einer Richtung festlegt, die – wie sich zeigen wird – nicht richtig ist. Übrigens bestätigt sich auch an diesem Beispiel die triviale Erfahrung, daß vermehrtes Nachdenken über eine Schwierigkeit nicht jeweils auch das Vermögen zur Lösung dieser Schwierigkeit mehrt: In seiner ersten Auflage (1827) hatte Lachmann sich noch begnügt mit der behutsamen Ergänzung: *er gihet, swenne ein wîp ersiht Sîn ouge, | sô sî si sîn ôsterlîcher tac*[12]... (freilich zeugt auch diese kleine Änderung wohl schon von einem Mißverstehen und verbiegt die Aussage des Liedes).

III

Kralik hat die Geschichte der Besserungsversuche Wort für Wort ausführlich dargestellt, ich kann mich also damit begnügen, auf die Seiten 13 bis 79 seiner Abhandlung zu verweisen. Sein eigener Herstellungsversuch und die ihm innewohnende Auffassung dichtet das Lied neu und hat mit Textkritik nichts mehr zu tun – so gut und brauchbar auch viele Einzelbeobachtungen sind. Kralik geht aus von der Frage nach der Zusammengehörigkeit der beiden Strophen[13]. Sie ist von der Forschung zwar nie radikal verneint worden (wie auch?), wohl aber hat man sich über den Grad der Zuordnung gestritten und z. B. behauptet, die beiden Teile könnten nicht zusammen vorgetragen worden sein (Burdach, Singer)[14], und demgemäß hat man hier und dort drucktechnisch eine gewisse Distanz angedeutet (Wackernagel, Wilmanns und Michels, zuletzt Böhm in seiner Walther-Übersetzung 1944 [Nachdruck 1955 und 1964] S. 48 f.). Die formalen, sachlichen, verbalen und stilistischen Entsprechungen sind derart eindeutig, daß ihre beweisende Aufzählung[15] geradezu müßig wirkt: Beide Strophen richten sich gegen das gleiche Lied (Reinmar 159,1, Str. I und V); Wolframs Parodie (s. u. Anm. 20) nimmt beide Strophen auf; da ist weiter die Korrespondenz der Wörter und Begriffe: *ein man, ein wîp, ich bin, nieman, muoz, andern* usw.; vor allem aber verklammert die Durchführung des Spielbildes und der Spielerminologie beide Teile. Für Kralik ist jedoch dieser Sachverhalt Aus-

---

[12] S. Kralik S. 18.
[13] S. 26 ff.
[14] S. WU S. 398, Kralik S. 26.
[15] Kralik S. 29–34.

gangspunkt seiner These von der „durchgreifenden Umgestaltung"
(S. 20), die dem Lied durch einen Bearbeiter widerfahren sei und die
wiederum Kralik dazu nötigt, das Lied wie es überliefert ist durchgrei-
fend umzugestalten: das Ergebnis (S. 87) verhält sich schließlich zum
überlieferten Text wie die Variation zum Thema.

Geht man, wozu der Wortlaut zwingt, davon aus, daß Str. I mit aller
Wahrscheinlichkeit von einem Manne, Str. II mit Bestimmtheit von einer
Frau vorgetragen gedacht wurde, so stellt sich die Frage nach der
Gattung dieses Gebildes. Kralik vermerkt mit Recht: ein Gesprächslied (Dialog), wie wir deren einige von Walther kennen, ist es nicht.
Ein Wechsel indes (unter den von Kraus als ‚echt' belassenen Liedern
finden sich bei Reinmar fünf und bei Walther zwei Beispiele dieser Gattung, s. Kralik S. 28) sei es auch nicht. Denn zu dessen gattungsbestim-
menden Merkmalen gehöre es, daß die beiden für einander aber aneinan-
der vorbei Sprechenden durch ein und dasselbe Thema aufeinander bezogen sind: durch das ihrer Liebe. Kralik sieht sich mithin dem „Dilemma"
gegenüber, daß es sich bei diesen Strophen einerseits um eine „Lied-
einheit" handelt, die indes anderseits „gattungsmäßig unbestimmbar"
bleibt (S. 33 f.). Ich kann in dieser „seltsamen Antinomie" nicht gar so
viel Seltsames finden, da doch die Poesie nicht um der Gattung willen
ist sondern die Gattung um der Poesie willen. Selbst wenn Kraliks
Zweifel Gewicht haben (ich werde zu zeigen versuchen daß hier die
Norm des Wechsels doch insofern erfüllt wird, als beide Strophen das
gleiche Thema umspielen), bliebe allemal zu sagen, daß hier eben zwei
Strophen eng zusammengehören, verklammert durch Wort und Form
und Begriff und Stil; und daß der Grad dieser Zusammengehörigkeit
sich dadurch noch als besonders intensiv erweist, daß hier die Sprech-
weise der alten Wechselform wiederaufgenommen wird. Kralik jedoch
rekonstruiert aus dem vorliegenden Material einen Frauenmonolog,
gesprochen von Walthers (sic!) Dame; und man könne ihm, meint er,
geradezu den Titel „Gruß und Kuß" geben (S. 38). Was aber die Hs.
bringt, sei „das Ergebnis der ungeschickt stümpernden Tätigkeit eines
Umgestalters, der sich veranlaßt sah, in I die ursprüngliche Strophe der
Frau in eine des Mannes zu verwandeln" (S. 42). Was um alles in der
Welt diesen Stümper dazu bewog, den ihm überlieferten Frauenmonolog
einer Form anzugleichen, die zu seiner Zeit schon veraltet und altmodisch
war, ist nur eine der vielen Fragen, zu denen Kraliks Rekonstruktion
uns nötigt (die jedoch nicht der Gegenstand dieser Untersuchung ist).
Unsere Aufmerksamkeit gilt zunächst vornehmlich zwei Punkten: der

angeblichen Crux in I, 4; und *mîner frowen senfter gruoz* in I, 8. Es ist deutlich, daß von diesen beiden Stellen das Verständnis des Ganzen weitgehend abhängt.

IV

Das Mißbehagen der Textkritik an der überlieferten Zeile *si si sin osterlicher tag* entspringt zwei Quellen. Zum einen war man nicht gewillt, eine „so übelklingende Wortfolge"[16] hinzunehmen. Zum andern aber stieß man sich an dem Sinn der Formulierung: Wie denn soll es ungeheuerlich sein und die Empörung aller Gerechten erregen, wenn Reinmar seine Herrin als *ôsterlîchen tac* apostrophiert? So hat denn Lachmann ([2]1843) eingegriffen mit der Begründung: „nur indem er [Reinmar] seine geliebte in der parodierten strophe über alle frauen erhub, hatte er sein spiel verboten ..., nicht dadurch daß er sie anderswo ... seinen osterlichen tag nannte. noch deutlicher wäre *swenn andriu wîp –, in sî mat.*" Diese Gedankenführung hat einiges für sich, und sie hat sich mit Kraus' Hilfe weitgehend durchgesetzt. Hermann Paul hingegen entschied sich für *daz daz sî* (und also für einen anderen Sinn), später für *daz si sî*. Wackernagel (1862) und Michels (1924) setzen eine Lücke an: *si sî ... sîn*, bzw. *... si sî sîn*[17]. Kraus schreibt 1919[18] wie (oder nach?) Paul noch *daz si sî*. 1935 aber [19] schlägt er sich auf Lachmanns Seite, dessen Herstellung ihm „noch immer die erträglichste" scheint, „obwohl auch sie ihre Schwächen hat". Die Begründung: es werde das Wort *mat* erfordert, „denn der Schluß der Strophe *deist mates buoz* kommt zu abrupt, wenn das Wort nicht schon zuvor gefallen ist". Und Kraus fährt fort: „Solche Strophen müssen ja auch allein genommen verständlich sein, das Reinmarsche *daz ist in mat* (159,9) genügt also für den Hörer des Waltherschen Schlusses nicht." Dieser Gedankengang irrt. Er ignoriert das elementare, von der Überlieferung ausdrücklich angezeigte Faktum, daß es sich bei diesem Liede um eine Parodie handelt. Eine Parodie aber ist wesensmäßig ein komplementäres Phänomen, und das heißt: sie kann niemals „allein genommen verständlich sein", vielmehr

---

[16] Kralik S. 16.
[17] Einzelnes und andere Besserungsversuche bei Kralik S. 20f.
[18] RU III, S. 6 und S. 40.
[19] WU S. 397.

bezieht sie ihr Wesen erst aus der Relation zu dem Modell. Daß die Ur-
fassung dieser Parodie isoliert nicht verständlich war, zeigt ja schon ihre
Mißhandlung durch die Überlieferung. Es braucht also das *mat* der
Schlußzeile durchaus nicht schon vorher angekündigt zu werden – dem
der Parodie zugedachten Hörer war es gegenwärtig. Überdies aber verstoßen hier Lachmann und Kraus zweifach gegen Grundgesetze der
Textherstellung. Zum einen: Ausgerechnet einen der wenigen Verse,
die in diesem Gedicht als gesichert gelten dürfen, verändern sie von
Grund auf: *si ist mîn ôsterlîcher tac*, hat Reinmar (170,19) in einem auch
sonst mit Walthers Parodie verknüpften Liede von seiner Herrin gesagt.
Den Satz zitiert Walther in indirekter Rede, abhängig von voraus-
gehendem „sagen": *si sî sîn ôsterlîcher tac*. Diese Zeile muß mithin als
gesichert gelten; allerdings empfiehlt sich aus metrischen Erwägungen
ein vorangesetztes *daz* (wie schon Paul es hinzufügte). Zum andern: Die
Leitfossilien des der Kontroverspoesie und dem Gewirr ihrer sich hin-
und herziehenden Fäden nachtastenden Forschers sind Kernbegriffe,
Zentralwörter, Termini, spezifische Formulierungen. Indem er ihnen
nachging, hat Kraus die erstaunlichsten Beziehungen zwischen Walther
und Reinmar feinfühlig und meist eindeutig, oft erwägenswert auf-
gedeckt. Nun setzt das parodierte Reinmarlied 159,1 ein mit der Hervorhebung *ein man*, die in deutlichem Spannungsverhältnis steht zu dem
ein wîp der übernächsten Zeile: die Begriffe sind einander punctum
contra punctum zugeordnet und fordern zu parodierender Wiederholung geradezu heraus. Reinmars Sprachgebrauch überhaupt wie die
folgenden Verse 159,4–8 lassen keinen Zweifel daran, daß *ein wîp* s e i n e
Minnedame ist, seine Herrin der er unwandelbar in Seufzern, Tränen,
momentaner Beseligung und dauernder Melancholie ergeben ist (und
der wir immerhin die vollkommenste Ausformung minnesängerlichen
Dichtens danken). Und eben von ihr hat Reinmar in dem anderen Liede
(170,1) verkündet: *si ist mîn ôsterlîcher tac*. Mit der Wiederaufnahme von
ein man in dessen demonstrativer und isolierender Bedeutung setzt
Walthers Parodie ein, und das nunmehr folgende *ein wîp* setzt die Parodie
fort – wie will man das verkennen und wegeskamotieren[20]?

---

[20] Wer noch mehr will, sei verwiesen auf Wolframs Parodie der Walther-Parodie,
KLD I, 69, III: *Ein wîp mac wol erlouben mir* ... Dazu KLD II, S. 669 ff.; Kralik S. 66 ff.;
GRM 39, 1958, S. 321–332. [Zusatz 1975: Der Aufsatz GRM 39 ist aufgegangen im
Kapitel „Das fünfte Lied" meines Buchs über Die Lyrik Wolframs von Eschen-
bach, 1972, S. 143–169.]

Die Erkenntnis der ausdrücklich bekundeten Anlehnung von Walthers Lied an zwei Lieder Reinmars zwingt mithin 1.) zu wörtlicher Wiedergabe des Zitats in indirekter Rede: *(daʒ) si sî sîn ôsterlîcher tac;* verbietet darüber hinaus aber 2.) die Zutat des *mat* auch aus Gründen des Verstehens: in der Formulierung Lachmanns (-Kraus') wird der Aussage *ein wîp* ihr eindeutig spezifizierter Sinn genommen zugunsten einer verschwommenen und sinnlosen Behauptung: *er gihet, swenne ein wîp ersiht | sîn ouge, ir sî mat sîn ôsterlîcher tac.* Das soll doch wohl nach dem Willen der Hersteller heißen (s. Lachmanns Ergänzung: „noch deutlicher wäre *swenn andriu* [!] *wîp –, in sî mat*“): „Kaum daß er (irgend)-eine Frau erblickt, erklärt er, sie werde durch seinen ‚Ostertag' mattgesetzt.“ Davon aber wissen wir nichts (zu schweigen von Kraliks berechtigtem Einwand gegen die sprachliche Form: „Eine Person *ist* nicht sondern *tuot* einer anderen *mat*“, S. 19). Hingegen wissen wir, daß Reinmar *ein wîp*, seine Dame, seinen „Ostertag“ genannt hat, und genauso wird es bei Walther wiederholt (mit leise parodistischer Übertreibung durch den temporalen Konditionalsatz): „Er verkündet, sobald er seine Herrin erblickt, sie sei sein Ostertag.“ Der Wortlaut der Hs. bedarf also, sieht man von der behutsamen Umstellung durch Lachmann und dem ergänzenden *daʒ* ab, keiner Behandlung:

> *er giht*[21]*, swenne ein wîp ersiht*
> *sîn ouge, (daʒ) si sî sîn ôsterlîcher tac.*

Bleibt die Frage an diesen Text: was denn an solcher Rühmung so ungeheuerlich sein soll, derart überzogen daß *nieman wol gevolgen mac,* daß alle ihre Zustimmung versagen müssen, daß einer sich für alle in die Bresche wirft und widerspricht, ja zum Gegenangriff übergeht. Wir kommen darauf zurück.

V

bezʒer wœre mîner frowen senfter gruoʒ – das ist Inhalt und Konsequenz des *versprechen*, zu dem Walther sich aufgerufen fühlt, des Widerspruchs. Wilmanns sagt mit Recht[22]: „Dieser Vers muß die eigentliche Pointe gegen Reinmar enthalten.“ Aber diese Pointe ist allzu gut versteckt als

---

[21] Hierzu s. u. S. 107.
[22] Walther von der Vogelweide II, [4]1924 bes. von Victor Michels, z. St.

daß sie sich nach fast acht Jahrhunderten dem Nichtbeteiligten noch ungezwungen entdeckte. Lachmann meinte, Walther formuliere hier „spöttisch, ‚der dame' ". Was immer er auch unter dem *bezzer* verstanden haben mag, er versteht also unter *mîner frowen* nicht die Dame des Sprechenden – also Walthers – sondern Reinmars Dame, jene so emphatisch als Osterfreude angesprochene; denn er fährt fort: „wenn man nicht lieber das bestimmtere *sîner frouwen* will"[23]. Er sieht also in *mîn vrou(we)* schon die Höflichkeitsform wie sie das Mittelhochdeutsche dem Französischen nachgebildet hat, wo im 12. Jahrhundert *mes sire* wie *ma dame* als Komposita zusammenwachsen[24]. Das ist gewiß möglich, die Texte zur Zeit Walthers bieten ungezählte Belege für *mîn her(re)* und *mîn vrou(we)* in lediglich formelhafter Titel- und Anrede-Bedeutung[25].

Aber die Formulierung konnte doch wohl damals wie heute auch anders, nämlich präzis im possessiven Sinne des Pronomens verstanden und damit auf des Sprechenden Dame bezogen werden, auf die Walthers also. Zudem drängt sich die Frage auf: *bezzer* als was? *bezzer* als sie zu erblicken und dann mit dem Ostertag-Bild zu dekorieren wäre es für Reinmar, wenn sie ihn zart grüßte? Das ist doch recht gekrampft. Gleich Lachmann (also für Reinmars Dame) entscheiden sich z. B. Scherer und Nordmeyer, und (fragend) Wilmanns. Anders z. B. Burdach, Hermann Schneider, Kraus, auf seine Weise auch Kralik[26]. Sie nehmen das Pos-

---

[23] Im Apparat schreibt Lachmann zweimal *frouwen*, in den Text setzt er *frowen*. Diese Delikatessen erschweren das ohnehin diffizile Handwerk des Textkritikers ohne Not.

[24] S. Gamillscheg, Etymolog. Wörterbuch der frz. Sprache, Heidelberg 1928, S. 578; s. a. Paul-Mitzka, Mhd. Grammatik [19]1963 § 220b, Anm. 1. Man vergleiche übrigens die niederländischen und englischen Entsprechungen.

[25] z. B. zählt Sparnaay im *Iwein* „16 mal mîn her (re) Iwein, 6 mal mîn her Gâwein, 2 mal mîn her Keii, 2 mal mîn vrôu Lûnet, sogar 1 mal mîn vrou Minne", Hartmann von Aue II, Halle 1933, S. 6f.; vgl. ferner – wenn der Text so richtig ist – *mîn her Salatin*. Ich verweise sodann auf *Nib.* (Bartsch-de Boor [14]1957) 304,4 und Anm.; 420,1; 1742,1. Es liegt in der Natur der Sache, daß es sich vorwiegend um Anreden handelt oder, wenn um Nennungen in der 3. Person, um Kombinationen mit dem Namen. Eindeutig meint jedoch der Beleg *Nib.* 1451 'Madame' ohne (d. h. mit nachgesetzter) Namensnennung in 3. Person: *Dô sprach aber Wärbelin: „unt möhte daz geschehen, / daz wir mîne vrouwen könden ê gesehen, / Uoten die vil rîchen, ê wir schüefen uns gemach?"* – Vgl. auch Emil Öhmann, Die mittelhochdeutsche Lehnprägung nach altfranzösischem Vorbild. Ann. Ac. Sc. Fenn. 68, 3, Helsinki 1951, S. 76 (mit Hinweis auf H. Suolahti). – Die Deutsche Wortgeschichte hg. von Maurer und Stroh, [2]1959/60, verzeichnet den Vorgang nicht.

[26] S. Kralik S. 17 und f.

sessivpronomen *mîner* noch ernst und übersetzen also[27]: „mir wären liebenswürdige Worte lieber von meiner Geliebten"[28]. Wieder fragt man sich hilflos: liebenswürdige Worte *(senfter gruoz)* von des Sprechenden, also von Walthers Dame wären *bezzer* als Reinmars heftige Rühmung seiner Dame? Da handelt es sich doch um durchaus inkommensurable Vorgänge. – Um schließlich auch dem dritten Fall gerecht zu werden, der von uns abgelehnten Konjektur Lachmanns: *bezzer* als Reinmars angesichts jeder ihm begegnenden Dame geäußerte (peinliche) Behauptung, seine Ostertag-Herrin setze alle andern matt – *bezzer* wäre freundliches Entgegenkommen von Walthers (oder Reinmars) Dame? Das eine wie das andre wie das dritte ist doch unsinnig: Denn die Brücke des *bezzer* hält nicht: einer angefochtenen und als „schlecht" empfundenen Aktion oder Verhaltensweise Reinmars wird als Gegenvorschlag (in jeder der drei vorgebrachten Auffassungen) etwas „Besseres" konfrontiert, das zu vollbringen garnicht in der Macht des Beschuldigten liegt sondern das lediglich eine dritte Person tun könnte! Hier wird eine Rechnung mit verschiedenen Nennern aufgemacht, die Glieder der Kette fügen sich nicht ineinander. Gewiß ist dabei zu bedenken, daß Gedichte wie dieses (und gar dieses!) durchaus nicht immer einer logisch verbundenen Gedankenführung verpflichtet sind. Doch darf eine Deutung sich auf das Alibi einer dem Gegenstande mangelnden Schlüssigkeit erst dann zurückziehen, wenn der Gegenstand so wie er ist keinen Ansatz für die Handhabung logischen Folgerns bietet. In dem Maße als eine Erklärung in dem zu Erklärenden Formationen logischen Schließens auffindet und respektiert, ist sie anderen Erklärungen überlegen.

Man könnte schließlich – wie es in solchen Fällen gern geübt wird – sein Heil in großzügiger und expansiver Auslegung des Textes versuchen. Aber auch dann ist das Ergebnis nicht ermutigend: *bezzer* als die bloße Augenfreude, mit der Reinmar sich angesichts seiner im übrigen spröden Dame zufrieden geben muß (aber davon steht eigentlich nichts im Text, man kann es allenfalls subintelligieren!) – *bezzer* wäre (!) freundliches Entgegenkommen von Seiten der (Reinmar- oder Walther-) Herrin. Diese Art, die Stelle zu verstehen, vertrüge sich am ehesten mit dem ‚Madame'-Fall, also mit einer Beziehung von *mîner frowen* auf Reinmars Herrin – aber sie ist, wie gesagt, eine auslegende Paraphrase und

---

[27] Kraus bei Böhm S. 48 (das Sternchen bei Böhm zeigt an, daß es sich im Folgenden um eine authentische Übersetzung des Altmeisters handelt, s. Nachwort S. 283).
[28] Hervorhebung original.

nicht die Wiedergabe des Wortlauts. Und sie hat den entscheidenden Fehler, daß sie einen Sachverhalt objektiv und gerecht abwägt (‚besser als Entbehren wäre für ihn das weibliche Entgegenkommen‘), während doch das Lied eine deutliche (und ungerechte) Anklage wider ‚falsches‘ Tun Reinmars ist!

Nun scheint sich eine Lösung anzubieten, wenn man, unter *mîner frowen* Walthers Herrin verstehend, den auftrumpfenden Hinweis auf die Qualitäten der eigenen Minnedame erklärt als Antwort auf den Schluß der Strophe II des parodierten Reinmar-Liedes (159,14–18):

> *waz obe ein wunder lîhte an mir geschiht,*
> *daz si mich eteswenne gerne siht?*
> *sô denne lâze ich âne haz,*
> *swer giht daz ime an fröiden sî gelungen baz:*
> *der habe im daz.*

Also: Reinmar rechnet zaghaft mit der Möglichkeit, daß seine Herrin ihn einmal freundlich ansehen, huldvoll grüßen werde. Geschieht das, dann wird er jedem anderen von Herzen die Behauptung gönnen, er habe noch größeres Glück genossen! Dieser Gedanke ließe Walthers Einführung seiner Minnedame verstehen. Er nimmt Reinmars Aufforderung, nimmt sein *gelungen baz* auf, und verkündet: *bezzer* als jenes von dem andern ersehnte *wunder*, seine Dame werde ihn vielleicht einmal *gerne sehen* (freundlich grüßen), *bezzer an fröiden* noch wäre seiner – Walthers – Herrin freundlicher Gruß! Dieser sachliche und gedankliche Zusammenhang ergäbe immerhin so etwas wie eine „Pointe". Aber gegen diese Auffassung melden sich doch mannigfache Bedenken. Vor allem:

Es mangelt der so verstandenen Walther-Strophe an der Einheitlichkeit der Durchführung. *ein wîp* in I, 3 meint zweifellos Reinmars Dame, die von ihrem Sänger mit offenbar provozierender Heftigkeit gerühmt wird. Wohin kämen wir, fährt Walther fort, wenn wir alle ihm zustimmten? (Er sagt nicht ausdrücklich, welchem Komplex die Zustimmung gelten könne. Der Zusammenhang suggeriert dem Hörer ein, daß es um das Ostertag-Lob gehe. Aber als sicher muß das bei dieser sich in Stichworten, Leitmotiven und Assoziationen bewegenden Kontroverslyrik nicht gelten. Ich bin es, fährt er dann fort, der (nicht *sînes willen jehen* mag sondern) widersprechen muß: der liebe Gruß meiner Herrin „wäre" *bezzer*. Da ist wieder der logische Rösselsprung: *bezzer* vielleicht als die Erfüllung von Reinmars Sehnsuchtsvision; da mag ihm (Walther) *baz* gelungen sein, und so fügt sich der Ausruf zu Reinmars Aufruf

159,16 ff.: ... *der habe im daz*. Aber er fügt sich doch gewiß nicht in die Gedankenführung dieser Strophe, deren Funktion offenbar ist, zu strafen und zu kritisieren! Das *bezzer* muß sich doch nach aller Erwartung beziehen auf etwas, das Reinmar in Bezug auf seine Herrin ‚schlechter‘ gemacht hat. Es ist sehr unwahrscheinlich, daß in ein und derselben Strophe zwei Frauen apostrophiert werden: was da *bezzer* gemacht werden könnte, vermag sich nur in Bezug auf jene Frau zu entdecken, in deren Bereich sich der Verstoß abgespielt hat. In Bezug also auf Reinmars Dame.

Aber noch andere Einwände drängen sich auf gegen diesen Deutungsversuch: Es wäre schlechterdings absurd, wollte Walther die Herabsetzung aller anderen Damen, die ihnen widerfährt dank Reinmars maßlosem Überrühmen der einen, rächen durch eine Herabsetzung von Reinmars Dame. Denn so verführe er, wenn er seiner Herrin *senften gruoz* über das Liebestrauerglück Reinmars (des *gerne gesehenen*) stellte; wenn er hier auftrumpfte gegen Reinmars *der habe im daz!* Warum überhaupt Protest? Durchaus unbestreitbar ist Reinmars Recht, in der Erfüllung von Hoffnungsträumen dieser Art das absolute Glück zu sehen. – Sodann: Walther straft offensichtlich in diesem Liede, kritisiert und verteidigt. *Ich bin* ... – das leitet eine Zurechtweisung ein – aber Reinmars Aufforderung verdient dergleichen nicht! Vielmehr provoziert sein rhetorischer Ausruf nicht nur keine Antwort sondern verbietet sie sogar: ... *habeat sibi!* – Weiter: Reinmars Formulierung klingt eher nach einer Wendung, gerichtet gegen bereits geäußerte Behauptungen: „Wenn da einer sagt, ihm sei schon höheres Glück geschenkt worden als jenes, das ich mir ersehne ...“. Warum sollte er sich gegen allfällige künftige Widersprüche vorsorglich verwahren? Und Walthers *versprechen* ist dann gar kein „Widersprechen“ mehr: vielmehr käme er einer Aufforderung Reinmars nach und leistete sich eine Aktion, die durch Reinmar von vornherein entschärft und zwecklos gemacht worden ist, da sie unter dem wegwerfenden *habeat sibi* zusammenfällt. – Schließlich: in der nächsten Strophe nimmt Walther in Frauenrolle das *der habe im daz* wörtlich auf und kehrt es gegen den Urheber: *und habe imz dâ!* Aber wohlgemerkt nur als geballte Formel, nicht in sinnvoller Entsprechung (die, wie gesagt, den Reagierenden ins Leere stoßen ließe). Es ist nicht wahrscheinlich, daß dann die ganze erste Strophe schon diesem Aufruf galt.

Den Versuch, die beunruhigende erste Strophe unseres Waltherliedes auf die Reinmarstelle 159,16–18 zu beziehen, den Versuch einer Erklärung des einen durch das andere wird man mithin verwerfen müssen[29]. Demnach will es scheinen, als sei das Dickicht der Unklarheiten und Widersprüche undurchdringlich und wir müßten das Lied halb verstanden hinnehmen. Indessen bietet sich ein Ausweg.

VI

In der älteren Sprache hat der freie Dativ häufig eine Funktion, die heute vorzugsweise mit Hilfe einer Präposition (plus Akkusativ) ausgedrückt werden muß. So z. B. der „Dativ der Beteiligung" bei dem Verbum „sein". *bezzer wære mir* ist eine mittelhochdeutsch durchaus unverfängliche, „besser wäre mir" statt „besser wäre für mich" eine neuhochdeutsch durchaus mögliche wenn auch leicht altertümelnde Ausdrucksweise[30]. Die neuhochdeutsch wohl vertrauteste Verbindung von „besser" mit dem Dativ der Person ist Luthers Übersetzung von Matth. 26,24: „Es wäre ihm besser, daß derselbige Mensch nie geboren wäre" *(bonum ei esset, si nunquam natus esset ille homo)*. Nun hat die Vorstellung der Minne-Beglückung, die ausgeht von dem *grüezen* der Dame, derart suggestiv gewirkt, daß man in *bezzer wære mîner frowen senfter gruoz* das Satzglied *mîner frowen* immer als dem Subjekt *gruoz* untergeordnetes Genitiv-Attribut aufgefaßt hat. Begreift man es jedoch als Dativ-Objekt, so ändert und klärt sich vieles. Vom neuhochdeutschen Sprachgebrauch aus befremdet dann allerdings zuerst die Artikellosigkeit des Subjekts (und seines Attributs), die indes nach mittelhochdeutschem Sprachgebrauch unverfänglich ist. Mehr noch, es findet sich bei Walther eine parallele Formulierung, die bei weitgehend gleichem Wortgebrauch die gleiche syntaktische Formation aufweist: Subjekt *gruoz* artikellos mit Attribut; (freies) Dativ-Objekt: *wîben/frouwen;* Adverb: *baz*. Es handelt sich um den Vers 43, 36 in einem von Walthers Dialogen *baz stêt wîben werder gruoz* (varia lectio innerhalb der breiten Überlieferung *baz stêt frouwen schœner gruoz*). Hier verbleibt dank der Flexionsform *wîben* und der

---

[29] Damit ist die Möglichkeit einer spielerischen Ablautentsprechung *baz* (Reinmar) – *bezzer* (Walther) – *buoz* (Walther) nicht unbedingt ausgeschlossen.

[30] S. Hermann Paul, Deutsche Grammatik, 1919, Bd. III, Teil IV/1 (Syntax), § 267–268; Paul-Mitzka, § 248–249. – Grammatische Fragen durfte ich mit Peter v. Polenz besprechen; den Hinweis auf die Parallelstelle Wa. 43,36 verdanke ich Dieter Kartschoke; „Vertreter einer ganzen Gattung": Paul-Mitzka, § 223 c. Reinmar bestätigt indirekt die Plausibilität dieser Dativ-Auffassung: u. S. 192.

konkreten Bedeutung des Verbums *stên* (anstelle des allgemeineren *sîn*) kein Zweifel hinsichtlich des Casus und der syntaktischen Funktion von *wîben* (und also auch *frouwen*). Angesichts solcher Parallelführung von Wort und Gedanken hat diese Stelle beweisenden Charakter und läßt auch den „als Vertreter einer ganzen Gattung" folgerichtig artikellosen *gruoz* nicht länger als ungewöhnlich erscheinen.

„Besser wäre für die *frowe* ein zarter Gruß", „besser wäre es, ihr würde eine sanfte Huldigung gewidmet": Nun hat der Komparativ *(bezzer)* seinen Sinn. *Ein man* hat *verboten*, d. h. nach Kralik (S. 56): im Spiel ein nach seiner Meinung unüberbietbares Gebot gemacht, und niemand vermag ihm guten Gewissens beizupflichten *(volge geben,* s. Kralik S. 63f.). Worin besteht dieser Akt? Sobald er seine Herrin erblickt, rühmt er sie (emphatisch) als sein Osterheil! Wohin kämen wir – fährt Walther fort –, wenn wir ihm zustimmten, nachtäten? Ich halte dagegen: Besser wäre es, ‚Madame' zart zu grüßen! Dieses vorläufige Verständnis der Strophe hat einen logischen Zusammenhang hergestellt: Reinmars Rühmen ohne Maß, sein outriertes Dienen, seine extreme Verherrlichung nur der Einen wird von Walther als ein Verstoß aufgefaßt. Es wäre (auch) für jene Herrin besser, er käme ihr zart entgegen. – Damit ist sodann die Einheit der Durchführung gerettet: nur von *Reinmars* Dame ist die Rede. Damit ist schließlich die Einheit des ganzen Liedes hergestellt: In der I. Strophe protestiert Walther gegen die Maßlosigkeit des Überlobens. Diese Strophe endet in einer das Objekt dieses Überlobens nachdrücklich nennenden „Pointe". Reinmars Herrin ist damit angekündigt, sie hat ihr Stichwort bekommen: Nunmehr tritt sie selber auf, in der II. Strophe, und verwahrt sich gegen die rüden Methoden des Kußraubs, den der verzückte Reinmar in der V. Strophe des parodierten Liedes (159, 37) erwogen hatte! Darin besteht ja die Malice von Walthers Hieb, daß er nicht nur als Reinmars Gegner und Rivale protestiert, sondern daß er diesem Rivalen den Fangstoß zu versetzen sucht dadurch, daß er dessen verehrte Herrin, den Anlaß seines Vergehens, zum Richter über dieses Vergehen beruft. Aus ihrem Munde vernimmt er sein Verdammungsurteil. – Bei solcher Auffassung der Stelle erhält dann auch das Attribut *senfte* seinen Sinn, das andernfalls beziehungslos im Raum schwebt: Warum sollte ausgerechnet ein *senftez* Gegrüßtwerden für den werbenden Mann so erstrebenswert sein? Eben in dem *senfte* liegt die eigentliche Zurechtweisung, es ist das Stichwort der Erziehung zur *mâze* und ist das beide Strophen verbindende Leitmotiv des Liedes.

Nunmehr ist auch die Frage nach der Gattung des Liedes nicht mehr
so rätselbelastet: Zwei Strophen, die erste vom Mann, die zweite von
der Frau vorgetragen gedacht, beide nicht zueinander aber aufeinander
hin sprechend, dem gleichen Thema zugeordnet: dem des *senften gruozes*.
Nicht verzücktes Überloben, nicht frivoles Kußrauben – sondern zartes
Auftreten fordern die Herren, fordern die Damen dieses höfischen
Zirkels. Ein *Wechsel* in der Tat – freilich mit der bezeichnend Waltherschen Abweichung aus dem Eros in die polemische Pädagogik: Nicht
die gemeinsame Bekundung gegenseitiger Zuneigung, sondern die gemeinsame Bekundung gemeinsamer Kritik ist der Kern des Liedes. Die
alte, im Donauraum heimische Tradition des *Wechsels* ermöglicht es
Walther, den schmerzenden Schlag zu führen: Reinmars Herrin auftreten zu lassen, in ihrer Rolle ihren Diener zurechtzuweisen, dessen Art
des Dienens zu verwerfen. Ein *Wechsel* also, mit bezeichnender Modifizierung des alten Inhaltes[31]. Das definierende Gattungsmerkmal: der
Einklang der beiden Sprechenden, ist auch in dieser Spielart gewahrt –
sehr zum Schaden des Opfers solcher Übereinstimmung.

VII

Wen versteht Walther unter *mîner frowen?* Gewiß doch Reinmars Herrin.
Denn wenn ihr die II. Strophe gehört (wie die Forschung, soweit ich
sehe, immer angenommen hat mit Ausnahme Kraliks, der ja das ganze
Lied als von Walthers Dame vorgetragen versteht), dann kann die vor-
aufgehende Strophe nicht in der Apostrophierung einer Anderen gipfeln
(gleichgültig ob man sich für den Genitiv oder für den Dativ entscheide).
Warum aber sagt Walther *mîner frowen?* Man könnte die Formulierung
zwar des possessiven Sinnes entkleiden und als das formelhafte ‚Madame'
(s. o. S. 84) verstehen. Doch haftet solcher Auffassung etwas Unbefrie-
gendes an, da man sich nicht leicht entschließen wird, in einem derart
kasuistisch-abwägenden, vergleichenden, gegenüberstellend verfahrenden Text einem derart exponierten Wort nurmehr eine formelhafte Bedeutung zuzuerkennen. So drängt sich die Frage auf, ob jene *frowe*
nicht sowohl die Reinmars wie die Walthers könne gewesen

---

[31] So wie Morungen auf seine Weise die Gattungsgesetze des Wechsels erweiterte,
indem er die eine tradierte Form mit der anderen der Alba verband: *Owê, sol aber mir
iemer mê . . .* (143,22); s. oben S. 65–73.

sein, die Herrin vielleicht des ganzen Hofes? Unter solcher Perspektive erklärte sich der Wortgebrauch ebenso zwanglos wie die Rivalität, wie der Grad der Verbitterung, wie die Aktualität der Vorgänge.

„Reinmars Dame glauben wir zu kennen. Es wird dieselbe gewesen sein, der Reinmar mit einer großartigen Geste literarischer Gunstbettelei die ‚Witwenklage‘ um ihren verunglückten Gatten in den Mund gelegt hatte: Helene, die Gemahlin weiland Leopolds (V.), die Mutter Friedrichs (I.) und des jüngeren Leopold (VI.). Sie war eine ungarische Prinzessin, Tochter des 1161 verstorbenen Königs Geisa II.; zur Zeit der ersten Reinmarfehde mag sie etwa vierzigjährig gewesen sein. Das ist nicht mehr ganz jung. Nahm Walter in der Fehde gegen Reinmar und dessen *frouwe* Stellung, so traf er mittelbar auch die Herzoginwitwe bzw. Herzoginmutter." Wir stimmen Karl Kurt Klein zu[32], meinen aber, daß Walther auf für ihn wohl recht bezeichnende Weise die prekäre Situation zu meistern versucht und das scheinbar Unmögliche unternimmt: Reinmar zu verurteilen und zugleich sich die Huld von dessen Herrin zu erhalten – oder sie zu erringen: Er macht sie kurzerhand zu seiner Parteigängerin, beteiligt sie an der Aktion gegen ihren Sänger und versichert sich zugleich ihres Wohlwollens durch den pointierten Hinweis auf die rechte, kommentgemäße Art und Weise, in der ihr zu huldigen sei: *mîner frowen*, „Madame" zwar, aber doch auch: „Meiner, unser aller Herrin", der ersten Dame des Hofes, die gewiß nicht ohne Einfluß war auf das Geschick des einzelnen Mitgliedes der Hofgesellschaft. Bei solcher (Dativ-)Auffassung hat das Possessivpronomen seine sinnvolle Richtigkeit. Hielte man indessen am Genitiv fest, und geht füglich davon aus, daß Reinmar der Sänger der Herzoginmutter war, so grenzte Walthers preisender Hinweis auf seine (eigene) Herrin gesellschaftlich an Selbstmord, denn er wäre zugleich eine Herabsetzung der Herzogin. (Möglich wäre allenfalls – will man die Genitiv-Lesung um jeden Preis retten – wieder die Beziehung auf die gemeinsame Herrin: „*bezzer* wäre es, wenn unsere Fürstin ihm [Reinmar] huldvoll entgegenkäme". Aber wir haben diese Auffassung schon oben S. 85 f. als gezwungen abgelehnt.) Vielleicht läßt sich Kleins weiterführende Vermutung, Reinmars Minnedame sei die Herzogin Helene gewesen (und wir fügen hinzu, daß sie dann ipso iure auch die Herrin Walthers war), stützen durch den Wortgebrauch des Liedes selbst?

---

[32] Walthers Scheiden aus Österreich, ZfdA. 86, 1955, S. 215–230, hier S. 225. – Siegfried Beyschlag ist nicht bereit, „Kleins Folgerung auf die Herzoginwitwe mit(zu)-vollziehen", Jb. f. fränk. Landesforschg. 19, 1959, S. 383 Anm. 33.

VIII

Es liegt im Wesen des Schachs als einer Transposition menschlicher
Ordnungs-, Macht- und Bewegungsformen in die den Geist bändigende
aber nicht kettende Regelwelt des Spiels, daß es seinerseits wiederum zu
einer Auslegung auf menschliche Verhältnisse herausfordert und metaphorisch, allegorisch und symbolisch wuchert. Den ersten Beleg für das
Schachspiel in Deutschland liefert der *Ruodlieb* (Mitte des 11. Jahrhunderts), und wenngleich da von einer doppelsinnigen Handhabung
der Schachsprache noch nichts zu hören ist, so hat doch auch dort schon
das Spiel und das Spielen tiefere Bedeutung, da Ruodlieb es mit einem
König als Partner zu tun hat[33]. Um 1180 legt der englische Abt Alexander
Neckam in seiner Abhandlung *De naturis rerum* die Figuren und ihren
Gang auf das Kriegswesen aus und warnt „vor zu leidenschaftlichem
Spiel"[34]. Diese seine Bild- und Symbolträchtigkeit macht das Schachspiel

---

[33] S. das Motto über dieser Studie. – Es ist übrigens gewiß weder Zufall noch
Willkür, wenn das einzige dem Schachspiel gewidmete Bild des Manesse-Codex einen
großen Herrn zeigt: den Markgrafen Otto mit dem Pfeile (von Brandenburg; Bild 6,
Fol. 13a, von der Hand N I). Denn bei der großen Mehrzahl der Miniaturen handelt
es sich um „typische Darstellungen aus dem Lebenskreis der Verfasser" (Arthur
Haseloff im Einleitungsband zur Faksimile-Ausgabe der Manesse-Hs., Leipzig 1929,
S. 121). In keinem der sieben Lieder des Markgrafen wird das Schachspiel erwähnt –
aber es gehört eben nach Entstehung, Wesen und Übung dem feudal-höfischen Raum
an: so im *Ruodlieb* wie im *Rolandslied,* wo (V. 682) die heidnischen Boten den Kaiser
in majestätischer Einsamkeit *ob deme schachzabele* antreffen, das hier geradezu wie ein
Herrschersymbol erwähnt wird. Auch wird in literarischer Darstellung dem Schachbrett gern die Kupplerrolle zugeschrieben: über ihm verliebt sich das Paar in Ulrichs
von Türheim *Willehalm,* und im VIII. Buch des *Parzival* verwandeln sich schließlich
in der Amazonenhand der Prinzessin Antikonie die Figuren des liebefördernden
Spieles in Waffen des lebenbedrohenden Ernstes. – Der feudalistischen Aura des
Schachspiels versuchte in der Französischen Revolution der Nationalkonvent dadurch
zu steuern, daß er die Umbenennung der Figurennamen befahl (Hans Ferd. Maßmann,
Geschichte des mittelalterlichen, vorzugsweise des deutschen Schachspieles, Quedlinburg und Leipzig 1839, S. 118). – Zur literar. Tradition des Schachspiels vergl. auch
die Kapitel 166, 178 und 275 der *Gesta Romanorum.*

[34] Vgl. Wilhelm Wackernagel, Das Schachspiel im Mittelalter, 1846, wiederabgedr.
in den Kleineren Schriften I, 1872, S. 107–142; erneut abgedruckt als Kap. II der
Einleitung von Ferdinand Vetters Ausgabe: Das Schachzabelbuch Kunrats von
Ammenhausen, Mönchs und Leutpriesters zu Stein am Rhein. Nebst den Schach-
büchern des Jacob von Cessole und des Jakob Mennel, Frauenfeld 1892. Die Technik
und Spielweise des Mittelalters hat v. d. Lasa dargestellt bei Vetter S. 803 ff. Das

bis in die Literatur der Gegenwart hinein zu einem beliebten und höchst brauchbaren Instrument literarischer Darstellung – ich erinnere nur an die Spielszenen im „Nathan" und im „Götz", in Heinses „Anastasia", an Stefan Zweigs „Schachnovelle", an Graham Greenes „Our man in Havanna", an Nabokov („Lushins Verteidigung") oder Beckett („Murphy").

Reinmar ist der Verführung, Termini des Schachspiels auf die Minne-dienst-Ebene zu übertragen, nicht erst mit dem *mat*-Affront erlegen. Vielmehr hat er ihn schon vorbereitet durch die beiden vorhergehenden Verse. In dieser ersten Strophe des parodierten Liedes *Ich wirbe umb allez* ... 159,1 erklärt er – das ist der alte Unsagbarkeits-Topos –, die Vollkommenheit seiner Herrin übersteige die Grenzen jeglicher Dar-stellbarkeit durch das Wort:

> ... *ein wîp der ich enkan*
> *nâch ir vil grôzen werdekeit gesprechen wol.*

Die übliche Form der Rühmung, wie sie auch anderen Damen zuteil wird, akzeptiert sie nicht:

> *lob ich si sô man ander frowen tuot,*
> *dazn nimet eht si von mir niht für guot.*

Dieser ihr hoher Anspruch aber reißt Reinmar ins Verderben:

> *doch swer ich des, sist an der stat*
> *dâs ûz wîplichen tugenden nie fuoz getrat.*
> *deist jenen mat*[35].

Solatium Ludi Scacorum (so eines seiner Titel) des Dominikaners Jacobus de Cessolis war, wie Hunderte von lateinischen und Hunderte von volkssprachigen Überliefe-rungen des Werks bezeugen, eines der meistgelesenen und beliebtesten Bücher des ausgehenden Mittelalters. (T. v. d. Lasa, Zur Geschichte und Literatur des Schach-spiels, Leipzig 1897, S. 95 : „damals das verbreitetste Buch nach der Bibel".) Datierung: um 1275. Datierung der deutschen Versübersetzungen: Heinrich von Beringen „zwi-schen 1290–1300", Konrad von Ammenhausen 1337, Der Pfarrer zu dem Hechte 1355, Meister Stephan (mnd.) 1357–1375. – Die Urfassungen der Prosa-Bearbeitungen gehören wohl ebenfalls in die erste Hälfte des 14. Jh.'s (dies nach Gerard F. Schmidt [s. u. Anm. 39], S. 7–11).

[35] Im letzten Vers 159,9 nehme ich mit Kralik S. 10 die „vortreffliche Konjektur" Lachmanns auf. Die Überlieferung der Hss. ist uneinheitlich und unklar. Die Fassung in MF *daz ist in mat* ist kombiniert aus A und E. Lachmanns Konjektur gibt den glei-chen Sinn, ist aber deutlicher: mit *in* wie *jenen* sind *ander frowen* gemeint.

Diese extreme Rühmung verstößt deshalb gegen die Regeln der „höfischen Komparation"[36], weil sie die Eine auf Kosten der Anderen erhebt. Der Preis der Herrin mag, ja muß superlativisch und parabolisch sein – er darf indessen nie zu Lasten der anderen ertönen. Dies umso weniger, wenn die Anonymität nurmehr Farce und die Gepriesene jedermann bekannt ist. Nocheinmal rechtfertigt sich von hier aus unsere Dativ-These: „Mag das Wort auch kaum hinreichen, um dieser Herrin Herrlichkeit zu schildern – eine derart die Ordnungen der höfischen Konvention verletzende Rühmung ist ein eklatanter Verstoß gegen die Sitte: *beȝȝer wære mîner frowen senfter gruoȝ ...!*"

Nicht mit dem *mat* erst betritt Reinmar das Schachbrett. *stat* bereits (7) ist ein Terminus technicus und meint das „Feld" auf dem Brett (das daneben noch durch viele andere Ausdrücke bezeichnet werden kann). Ewald Eiserhardt[37] verzeichnet insgesamt sieben Belege aus vier Quellen[38], die leicht vermehrt werden können. Ich zitiere nur aus der (Eiserhardt noch nicht bekannten) mittelhochdeutschen Prosaübersetzung der Schachauslegung des Jacobus de Cessolis[39] „Vom Gange der Königin": *wenn sy von stat get, so hat sy tȝwayer stain geuertt vnd natur ...;* „Vom Gange der Roche": *wenn als gestain, wie sy genannt sind, gesetȝt wirt an sein stat, edel vnd vnedel, so hat yeder stain seinen ausganckch von stat, an dy roch; den mus man rawmen, ee sy von stat gen mugen*[40].

Für die Bewegung des Steines nun kann offenbar fast jedes Verbum der Bewegung eingesetzt werden[41]: „ziehen", „springen", „gehen",

---

[36] Herbert Kolb, Euphorion 51, 1957, S. 474. – Es ist interessant zu beobachten, wie die routinierte Geschicklichkeit eines Burkart von Hohenvels die Gefahr eines isolierend-superlativischen Lobes seiner Dame auf Kosten der andern sowohl provoziert wie abwehrt (KLD 6, X, 1): Wie die Sonne den Sternen ihren Glanz nimmt, *alsus nimt diu frouwe mîn | allen wîben gar ir glast: | Si sint doch deste unschœner niht!* (so die Hs.; Kraus: *sints och deste unschœner niht.*) Dazu Kraus treffend im Kommentarband (S. 44): „Damit schützt sich Hohenfels vor dem Vorwurf, *allen wîben durch sîn eines frouwen mat* zu sprechen."

[37] Die mittelalterliche Schachterminologie des Deutschen, Diss. Freiburg/Br. 1907 (oder 1908, merkwürdigerweise fehlt die Jahresangabe). – Ich verweise übrigens auf die Heidelberger Diss. (1966) von Hans-Jürgen Kliewer über die Mhd. Schachbücher.

[38] S. 66 und S. 69.

[39] Ed. Gerard F. Schmidt, Berlin 1961, Texte des späten Mittelalters H. 13.

[40] Schmidt S. 119 und S. 125. Es hat hier *stat* wohl die Bedeutung „Ausgangspunkt", „Position". Entscheidend ist in unserem Zusammenhang, daß *stat* ein im Schachspiel häufig vorkommendes Wort ist. (Die übliche Bezeichnung für das „Feld" ist auch im Mittelhochdeutschen schon *velt*.)

[41] S. Eiserhardt S. 69 ff.

„setzen", „fahren". Aber auch, wie einem Beleg aus des Pfarrers vom
Hechte mitteldeutscher Übersetzung des Jacobus von Cessolis (aus dem
Jahre 1355) zu entnehmen ist, das Verbum „treten": *wil he* (der Stein)
denne tretin vort, so get he ok uf einen ort vor sich[42].

Weder *stat* noch *trat* verweisen ausschließlich zwingend auf das
Schachspiel. Als (wörtlich!) Vor-Klang jedoch des *mat* sollte man auch
sie als Fachwörter der Spielsprache aufnehmen. Dann heißt die Passage
bei Reinmar:

„Ich schwöre, daß die *frouwe* auf einem Feld (in einer Position) von
solcher Vollkommenheit steht, aus dem sie nicht herausrückt (von dem
aus sie keinen falschen Zug macht): von dieser Position aus gesehen sind
die andern mattgesetzt."

So mag es denn sein, daß der klügelnde Schwärmer nur durch die
Not, seinem *dôn* gemäß einen Dreireim finden zu müssen, in die *mat*-
Falle geriet. Der Sog der Schachterminologie zwang ihn nicht minder
als die Reimnot, *stat* zog *trat*, *trat* zog *mat* nach sich, und so stürzten
Reim und Bild ihn in das Verhängnis seiner maßlosen Behauptung[43].

Walther nun greift nicht nur den einen Terminus *mat* auf, sondern er
spielt Reinmars Schachbilder weiter: *verbieten* gehört dahin, vor allem
aber *spil* – und der Schlußvers der I. Strophe: denn *buoz* ist die Bezeich-
nung für den Gegenangriff, nachdem „Schach" geboten worden ist:
„Wir haben hier offenbar einen offiziellen Spielterminus vor uns. Der
Angreifer rief: *schâch!*, der Angegriffene entgegnete, wenn es seine
Stellung ermöglichte: *buoz!*"[44]. So V. 4155 in Heinrichs von Freiberg
Tristan:

> ... *der künic sprach*
> *zu der küneginne : ʻschâch!ʼ*
> *ʻdâ schâch!ʼ sprach diu künegîn,*
> *ʻhie buoz mit dem ritter mîn!ʼ*[45]

(„Ritter" meint die heute „Springer" genannte Figur, und wenn die
Königin sich mit Hilfe „ihres Ritters" aus der Schachumklammerung
befreit, dann ist sogleich die Affinität der beiden Welten deutlich: der

---

[42] Eiserhardt S. 72.
[43] Daß Walther sich nicht direkt gegen sie wendet sondern einen Vorwand angeht,
wird weiter unten zu behandeln sein: Abschnitt X.
[44] Eiserhardt S. 17.
[45] Ed. Bernt, 1906; s. Wackernagel bei Vetter S. 112.

Formwelt des Schachspiels und der Formwelt des Hofes, wozu unten mehr[46]. Der Plastik, die das abstrakte stm. *buoz*, das swv. *büezen* durch die Einbeziehung der Schachbildlichkeit gewinnt, bedient sich Walther übrigens geschickt in dem wohl an Otto von Braunschweig gerichteten Gedicht 31,23, das in der bewußten Koppelung der allgemeinen mit der schachterminologischen Bedeutung von *büezen* seine Pointe hat: *nû büezet mir des gastes, daz iu got des schâches büeze!* „Befreit mich von der Bedrängnis des heimatlosen Herumwanderns, auf daß Gott Euch von Eurer Bedrängnis befreie!" – jener nämlich [diese Aussage ist dem Schachbild anvertraut], in die nur ein König geraten kann[47].) Walthers Formulierung *mates buoz* hält sich indessen noch näher an den fixierten Sprachgebrauch bildlichen Ausdrucks als es bisher schon scheinen will. *buoz* und *büezen* werden schließlich auf dem bildlichen Schachspielfeld auch da eingesetzt, wo sie nach den orthodoxen Regeln keinen Sinn mehr haben: „als Entgegnung auf ein gebotenes Matt" nämlich[48]. Nächst unserer Walther-Stelle verzeichnet Eiserhardt aus dem *Wartburgkrieg*[49]: *ich wil mit rehter künste iu sagen mates buoz* und V. 103 f. aus der *Martina* des Hugo von Langenstein[50] *die* (sc. Welt) *man doch lâzen muoz, | ir schaches mat wirt niht buoz.*

Wir sehen nun klar. Die beiden sich so einfach gebenden und sich der Deutung doch so spröde entziehenden Verse *bezzer wære mîner frowen senfter gruoz. | deist mates buoz!* meinen: „Besser (als jene verstiegene Rühmung, kaum daß Reinmar seine Herrin erblickt: ,Sie ist meine Osterwonne'!) wäre es unserer Fürstin, sie zart zu grüßen! Mit diesem (meinem) Gegenzug sind alle Damen heraus aus der Mattandrohung!"[51]

---

[46] Abschnitt IX.

[47] Aggressiver noch im Sinne eines „Gegenschach" klingt es V. 69 435 ff. in Ottokars *Österreichischer Reimchronik*, s. Eiserhardt S. 17.

[48] Eiserhardt S. 17f.

[49] Simrock S. 57, Nr. 28, V. 5.

[50] Ed. Ad. v. Keller.

[51] Man darf die Anwendbarkeit der Schachregeln auf die von den rivalisierenden Minnespielern besetzten Felder nicht überziehen: *mates buoz* dürfte eigentlich nur der Partner-Gegner sagen, also die betroffene Damenwelt. Wie aber soll sie? Da eigentlich nicht sie sondern nur der König mattgesetzt werden kann? Solcher durch die Bildsprache lizenzierten Abweichung von der Regel entspricht Walthers Eingreifen in das Spiel: er ist es, der *versprechen muoz*, der eingreift und das „Matt!" aufhebt! – Nur um den Bereich der Möglichkeiten ganz abzuschreiten, füge ich die nicht auszuschließende Auffassung an: „Besser stünde es unsrer Fürstin an, auf sanfte Weise zu grüßen" (statt an Reinmars Hand als Königin des Spiels andre Damen matt zu setzen).

IX

„Unserer Fürstin" – so übersetzten wir Walthers *mîner frowen*. Die schon von Karl Kurt Klein geäußerte, von uns übernommene – auf die Herzogin Helene zielende – Vermutung gewinnt sehr an Wahrscheinlichkeit, wenn man dieses Lied Walthers wie schon die Provokation Reinmars aus dem Geiste des Schachspiels versteht. Von je ist es als Spiegelung menschlicher Verfahrensweisen und Gesellschaftsordnungen verstanden, ja aus ihnen abgeleitet worden. Insbesondere aber korrespondieren seine Züge den Konventionen und Verhaltensformen einer so labilen und fragilen Welt wie der des Hofes. Dessen spezifische Aura, komponiert aus Vorliebe und Intrigue, Protektion und Indiskretion, Takt und Abenteuer, kontrolliert von den scharfen Augen und Ohren des Neides und der Liebe, bewegt von Eitelkeit und Grazie – sie verurteilt den Einzelnen, sich dem ständigen Zwang zur Selbstbehauptung inmitten ständiger Bedrohung durch andere Figuren ausgesetzt zu fühlen, preisgegeben der Bedrohung durch regelrechte aber nicht mit absoluter Sicherheit vorausberechenbare Züge, durch Gewichtsverlagerungen, Rochaden, plötzliche Umschwünge der Machtzentren, Einbrüche, Einbuße der Gefolgschaft ... Die Unantastbarkeit einer hierarchischen Stufung, die jedem Wesen sein Maß und seine Möglichkeiten, die Weite seines Schrittes und die Kraft seiner Aktionen zumißt – und den Wert seines Sterbens; dazu ihm freilich die Chance gibt, über seinen angeborenen Wert hinaus sich zwar nicht ändern wohl aber auswirken zu können (so daß vielleicht der Bauer die Macht einer Königin ausüben darf, aber er bleibt doch ein Bauer) – eine solche starre und fein gestufte Gesellschaftsordnung wie die ihr angemessenen Aktionen und Daseinsformen rücken das Hofleben und das Schachspiel zueinander in den Grad einer nahezu sinnlichen Entsprechung. Daß es an dem kultivierten und glanzvollen Hof der Babenberger Herzöge Leopold (V.) und seiner Söhne Friedrich (I.) und Leopold (VI.) wie seiner Herzogin (-Witwe) Helene nicht eben gefehlt haben wird an jenen subtilen Beziehungen der Protektion und Neigung wie der Rivalität und des Neides, ist der Philologie längst deutlich aus Walthers sein Schicksal darlegenden Aussagen: sein „Scheiden aus Österreich", seine gelegentliche Wiederkehr, seine Bitten um Herberge, seine Fehde mit Reinmar sind ein beredtes Zeugnis auch für die Verschiebung von Machtverhältnissen, Entziehung von Gunst und Neigung, Bildung von Parteien und Gegenparteien – mögen uns gleichwohl die Einzelheiten unbekannt sein. Es lag nahe genug, die Konfigurationen dieser kleinen Welt mit denen des Schachspiels zu vergleichen – fast so nahe wie mit denen einer Bühne, die immer wieder das Bild abgeben muß für die Charakterisierung der geschäftigen Menschenwelt insgesamt und ihrer endlichen Nichtigkeit.

Ein solcher Analogievollzug konnte überdies in dem Maße näher liegen, als auf dem Spielfeld des Hofes wie auf dem des Schachs eine Gestalt in gleicher Weise ausgezeichnet war durch Wert und Würde: die *frouwe*. Denn in der hoch- wie niederdeutschen Sprache des Mittelalters kann die *küniginne* des Schachspiels auch einfach *frouwe* heißen[52]! Die *frouwe* des Hofes, die *frouwe* des Minnedienstes, die *frouwe* des Schachspiels konnten so unvermittelt ineinander übergehen, die sie umgeben waren von hohen Chargen und von Trabanten und von einer Figur, die lat. *eques* oder *miles*, franz. *chevalier*, ital. *cavaliere* und mhd. *rîter* heißt. Die Königin aber des königlichen Spiels wird in dessen Auslegungen immer wieder als Inbegriff der weiblichen Vollkommenheit, als Hort der Tugend und Sitte, als alle überstrahlendes Vorbild geschildert: Wir glauben damit an der Wurzel von Reinmars Über-Lob zu sein.

Die Worte z. B., mit denen Konrads von Ammenhausen Übersetzung des Jacobus de Cessolis V. 3299ff. die Königin charakterisiert, scheinen kaum mehr als eine ausführliche Paraphrase dessen zu sein, was Reinmar in Kurzfassung gegeben hatte:

> *Ich sag mê von der künigîn:*
> *si sol kúsch und êrber sîn*
> *mit werken und mit worten,*
> *sô das si ze allen orten*
> *vor unkúsche sî behuot.*
> *si sol ir herz und ir muot*
> *behüeten sô an aller tât,*

---

[52] S. Eiserhardt S. 76. – Hier muß erwähnt werden, daß der Figur der Königin nach der Spielweise des Mittelalters nur ganz beschränkte Bewegungsfähigkeit zuerteilt war. Die ihr von der Allegorese geschenkte Hoheit ist nicht das Resultat praktisch auf dem Brett ausgeübten Herrschertums. Erst um 1500, da das „Neue Spiel" (auch „Welsches Spiel", ital. „alla rabiosa") sich durchsetzt, wird die Königin zur Figur der größten spielerischen Potenz. Zuvor ist sie „blos ein Stück Schachpoesie" (Antonius van der Linde, Geschichte und Litteratur des Schachspiels, Bd. II, 1874, S. 150; zu diesem Wandel in der Geschichte des Schachspiels vgl. die einschl. Literatur).

als si vür ander vrouwen hât
von gotes gnâden wirdekeit.
si sol an kúsche machen breit
ir lop, das ir wol gezeme,
und das ein bilde bî ir neme
ein ieklich vrouw, swâ si erkant
dekeiner werde über allú lant,
das die bilde nemen an ir.

Entsprechend sagt es, nur mit ein bißchen andern Worten, die Mittelhochdeutsche Prosaübersetzung des Jacobus S. 36–43[53]: Es soll die
Königin ausgerüstet sein mit folgenden Tugenden: *Des ersten mit syten*
altpärich[54] *und volkomen, nit pald vnd schämig.* (Folgt Auslegung). – *Darnach,*
des andern mals, sol dew chünigin sein rain vnd käwsch, also das sy sey andern
frawn ain spiegel vnd ein pylder[55]. (Folgt Auslegung.) – *Tzw dem dritten mal*
schol die chünigin weis sein mit weschaiden siten vnd gemessen worten, vnd geheim
helen. (Folgt Auslegung.) – *Tzw dem vyerden mal schol die chünigin irew chind,*
sun vnd töchter, tz yehen an tügenten vnd an syten vnd an chawschait. (Folgt Auslegung.)

Übrigens soll sie – so beginnt das Kapitel *Von der Königin* – s c h ö n
sein, und diese Schönheit rückt sie sogleich auch in den erotischen Bereich: *Der chünigin gestalt sol also sein: ein schönew fraw in vergoltem gewant,*
vmbgeswaift mit vehem, gesetzt in den palast mit einer chran auf irm hawpt.
Vnd sol dann die fraw (!) *sten tzw der lenken hant auf dem schachtzabel darümb,*
das sey der chünig mit der rechten hant mug gehalsen. Und es folgt zur näheren
Begründung ein Zitat aus dem Canticum canticorum (2,6; 8,3), aus
der mynn püech (so schon die Vorlage Jacobus – fehlt z. B. bei Ammenhausen, s. Vetter zu V.2 901 ff. Ammenhausen hält es übrigens, als es
an die Rühmung der *vrouwe* geht, mit eben der gleichen rhetorischen
Technik wie Reinmar in der *vrouwen*-Rühmung seines parodierten Liedes
[159,3 f.: ... *der ich enkan | nâch ir vil grôzen werdekeit gesprechen wol*]:

Künd ich nu vrouwen loben wol,
als man si billich loben sol
und sunderlich ein künegîn,

---

[53] die ich deshalb hier häufiger heranziehe, weil sie, erst 1961 ediert – s. o. Anm. 39 –,
den älteren Arbeiten über Schachspiel und Schachterminologie noch nicht bekannt
sein konnte.
[54] Schmidt S. 131: (*altbaerec?*) 'maturus'.
[55] Schmidt: *bildaere* „Vorbild".

7*

das wære wol der wille mîn.
nu kan ich des leider niht (V. 2 901–05).

Beide retten sich in die Unfähigkeitsbeteuerung – und beide heben dann an.)

Die Königin des Schachspiels ein Fürstinnen-Spiegel, das Innen und das Außen in Vollkommenheit repräsentierend: nach diesem Modell hat Reinmar seine Herrin stilisiert, Königin (als Königstochter war Helene in mittelhochdeutschem Sprachgebrauch eine *künegîn*) und Herrscherin seines Hofes wie seiner Gefühle.

Wessen Stand von Gottes Gnaden ausgezeichnet ist vor allen anderen, der stehe ihnen auch an sittlicher Würde voran – diesen Optativ hat Reinmar in einen Indikativ umgewandelt. Seine Minne-*frouwe* war zugleich die Herrscherin des Hofs, was lag näher als sie mit den Attributen der *frouwe* des Schachspiels zu rühmen. Mochte solche extreme Art des Lobens jedoch ihre Berechtigung aus dem traditionellen Tugendkatalog der Schachfigur ableiten – Walther und die Seinen haben sie dem Lobsänger nicht durchgehen lassen. Es war nicht unumgänglich, ihn falsch zu verstehen. Aber da man ihn falsch verstehen wollte, verstand man ihn falsch.

X

Es bleibt noch eine Unklarheit. Walthers Protest, deutlich genug provoziert durch die schnöde Matt-Stellung, richtet sich dennoch nicht gegen sie – oder genauer: richtet sich nur indirekt, nur in der Pointe, gegen sie. Zuvor aber nennt er ausdrücklich die inkriminierte Aussage: Reinmar erkläre, *swenne ein wîp ersiht sîn ouge, daz si sî sîn ôsterlîcher tac*, und es komme nicht in Frage, ihm da zuzustimmen, gemäß seinem Willen zu handeln. Es ergibt sich scheinbar ein Widerspruch: Das parodierte Gedicht, das doch schon durch den Umstand, daß es parodiert wird, sich als der eigentliche Gegenstand der Kritik erweist; das überdies in der Tat eine extreme Aussage enthält; und das schließlich das Ziel der Pointe der I. Strophe des Parodisten abgibt – dieses provozierende Lied wird von Walther nicht direkt kritisiert. Der ausdrücklich formulierte Widerspruch gilt vielmehr der Aussage eines anderen Liedes des Rivalen: *si ist mîn ôsterlîcher tac* ... (170,19), so hatte Reinmar gesungen. Das klingt freilich recht ekstatisch, klingt hymnisch und verzückt – aber so sagen es andere auch, z. B. Morungen 140,15 f.: *sist des liehten meien schîn und mîn ôsterlîcher tac* ... ; oder ein Ps. Neidhart[56]: *dû bist immer mînes herzen bluomter ôstertac.* Ähnlich formulieren späte Minnesänger wie Ulrich von Liechtenstein, der Düring, Rudolf von Rotenburg, Heinrich von Frauenberg u. a.[57]. Nicht anders die Epiker: für Gottfrieds Tristan ist Isolde der *ôsterlîche tac aller sîner vröude* (V. 17 555), ähnlich formuliert sein Schüler Heinrich von Freiberg[58].

Daß dieses in seiner hyperbolischen Verzückung selbst im verzückten Minnesang ein wenig verschroben anmutende Bild so unbefangen verwandt und weitergegeben wurde, erklärt sich aus dem Wortgebrauch der kirchlichen Hymnenpoesie: dort ist das *paschale gaudium* stehender Ausdruck für die höchste Freude[59].

Reinmars Metapher verdient also offenbar weder Empörung noch Protest (und so haben die Herausgeber ja auch den überlieferten Wortlaut dieses Protestes verschärfend ändern wollen, wie wir oben S. 78f. sahen). Wie haben wir uns diesen Bruch in Walthers Strophe und Aussage zu erklären?

Wir versuchen, uns die Position der beiden Minnesänger im Geflecht der gesellschaftlichen Beziehungen des Wiener Hofes zu vergegenwärtigen soweit unsere Kenntnis von Minnesang und Minnedienst allgemein, von Walther und Reinmar und den Babenbergern im besonderen uns eine Rekonstruktion erlaubt, die nicht in Fabelei und Wunschbild abgleitet. Daß die Beziehungen zwischen den beiden Dichtern durch den Geist der Rivalität bestimmt und getrübt waren, vermuten nicht nur allgemeine Erwägungen sondern beweisen ihre eigenen Aussagen. Die Folgerung drängt sich auf, daß solche Rivalität in der Praxis des Minnedienstes sich niederschlagen und aktualisieren mußte in der Werbung um ein und die gleiche Dame, in der wetteifernden Bemühung um ihre Erhöhung und Verherrlichung. Der größte deutschsprachige Minnesänger und der größte deutschsprachige Lyriker des Mittelalters werden diesen ihren agonalen Sang nicht irgendeiner *frouwe* gewidmet haben sondern aus Prestige- wie Nützlichkeitserwägungen der Herrin des Hofes,

---

[56] Ed. Wiessner 1955, Zu W 35 nach VI, = S. 166f.

[57] Belege bei Richard M. Werner, AnzfdA. 7, 1881, S. 123; Edmund Wiessner, Kommentar zu Neidharts Liedern, Leipzig 1954, S. 219 zu 10; Carl v. Kraus, MFU S. 364.

[58] S. Wiessner.

[59] E. Nickel, Studien zum Liebesproblem bei Gottfried von Straßburg, 1927 (= Königsberger dt. Forschg. 1), S. 8; daher auch in weltlicher Dichtung Anwendung im allgemeineren Sinne vorkommt, *Iwein* 8118ff. (Lachmann): '*ditz ist diu stunde | die ich wol iemer heizen mac | mîner vreuden ôstertac.*'

in deren Person sich (auch im Sinne eines biologischen Kontinuums) diese Welt konzentrierte und repräsentierte: der Herzogin Helene, seit dem 31. XII. 1194 Witwe Leopolds V., Mutter des regierenden Herzogs Friedrich I., seit April 1198 Mutter des regierenden Herzogs Leopold VI.: *eins küneges swester und eines küneges kint* (ihr Bruder war König Bela III. von Ungarn, bei dem Friedrich Barbarossa auf seiner letzten Fahrt 1189 gastlich einkehrte).

Wir wissen, daß Reinmar zum Sommer 1195 in der Rolle seiner Herzogin eine Witwenklage um Leopold V. gedichtet hat. Wir wissen, daß Walther wider Willen unter Leopold VI. Wien geräumt hat. Wir wissen, daß er dem *wünneclîchen hof* Zeit seines Lebens sehnsuchtsvoll angehangen aber vergeblich gehofft hat, dort wieder aufgenommen zu werden und Heimat zu finden. Diese Kenntnisse unterrichten uns zugleich darüber, in welchem Maße die Existenz des höfischen Sängers, zumal des Sängers Walther, von Gunst und Wohlwollen seiner fürstlichen Herren abhing. Sie erlauben zugleich den Schluß auf Hofparteien, Interessengruppen, Konzentrationen von Sympathien und Abneigung, auf Kabale und Intrigen (dazu s. auch Beyschlag in seiner Anm. 32 genannten Abhandlung S. 382).

Nun die konkrete Situation: Reinmar hatte, wie man von je mit Grund angenommen hat, die Position etwa des offiziellen Hofsängers und Minnedieners inne. Walther ging es darum (aus welchen Gründen auch immer, müßig mehr geltend zu machen als die allgemeinsten Erwägungen), Reinmar zu treffen o h n e z u g l e i c h d e s s e n M i n n e d a m e z u v e r l e t z e n; mehr noch: er mußte darnach trachten, im gleichen Zuge Reinmar der Lächerlichkeit preiszugeben und Reinmars Minnedame und aller Herrin für sich zu gewinnen! Die erwünschte Gelegenheit bietet ihm das Lied *Ich wirbe umb allez* . . . (159,1). Darin gibt Reinmar sich zweimal eine Blöße. Zum einen verstößt er (Str. I) gegen die gesellschaftliche Norm der *mâze* und verletzt alle Damen des Hofes durch übersteigertes Lob der einen Dame. Zum andern spielt er (Str. V) mit dem Gedanken, ihr einen Kuß zu rauben und diesen Diebstahl wieder gutzumachen auf dem fragwürdigen Wege der Verdoppelung des Deliktes, nämlich durch Rückgabe des Kusses.

Beide Verstöße sind harmlose Exaltationen eines vornehmlich theoretisch gestimmten Gemütes. Der Kußraub ist ein alttradiertes Bild, die Pointe seiner Rückgabe ein liebenswürdiges Spiel mit Worten und Einbildung. Gefährlicher scheint es um den Lapsus der ersten Strophe zu stehen: Hier müssen sich Alle zu Gunsten der Einzigen eine Wertminderung gefallen lassen. Wir sahen indes, daß ein so sensibel und rational verfahrender Geist wie Reinmar diesen Ausfall schwerlich auf eigenes Risiko unternommen hat. Er fühlt sich abgesichert und mithin legitimiert durch ein literarisches Instrumentarium, das im Mittelalter in bemerkenswertem Gegensatz zur Neuzeit Träger der wesentlichen Aussage sein kann: durch die Tradition, die Konvention, die vorgeprägte Formel, die überkommene Bildsprache. Es lag nahe genug, die Konfigurationen der Hofgesellschaft, ihre Positionen und Bewegungen im Spiegel des Schachspiels zu erleben. So lag es nicht minder nahe, sich die Lizenz für die unerlaubte superlativische und verabsolutierende Rühmung der Königin des Hofes zu besorgen aus der Tradition der Schachauslegung, in der die Königin Spiegel aller Vollkommenheit ist – dort postiert *dâs ûʒ wîplichen tugenden nie fuoʒ getrat*. Diese Legitimation jedoch nimmt Walther nicht wahr, will sie vielleicht nicht wahrhaben. Er greift zwar die Schachterminologie auf, deckt aber die Farben des tradierten exegetischen Prismas ab und unterbindet das Mitschwingen der die Aussage objektivierenden und distanzierenden Obertöne. In dem Augenblick da er Reinmar an dieser Stelle packt, hat er zwangsläufig die Partei der vorgeblich herabgesetzten Damen auf seiner Seite. Eindrucksvolles Dilemma: Wie ist es möglich, die Partei der Entwerteten zu ergreifen und zugleich die Gunst dessen nicht einzubüßen, dessen Wertsteigerung komplementär aus der Entwertung der Übrigen resultiert? Walther hält es für möglich, er wirft sich zum Anwalt der verletzten Damen auf und bewirbt sich zugleich um die Gunst jener *frouwe*, die das Instrument der Verletzung war. Er macht das ungemein geschickt: nämlich indem er sie nun zum Instrument seiner Aktion wählt! Er unternimmt einen Überraschungscoup, schafft vollendete Tatsachen und versucht, sich ihrer Sympathien zu versichern indem er sie vor aller Öffentlichkeit als Vertreterin seines Standpunktes auftreten läßt, sie als seine Parteigängerin präsentiert. Nachhaltiger konnte er seinem Publikum die Unterstellung nicht in die Brust senken, daß die Herrin sich durch seine Gegenaktion nicht geschmäht fühle. Im ersten Auftritt des gegen Reinmar angestrengten Prozesses protestiert er im Namen der Gesellschaft gegen Reinmars Überloben und also gegen eine Verletzung des gesellschaftlichen *ordo*[60], im zweiten Auftritt protestiert die Herrin[61] gegen den

---

[60] Nicht nur, wie Kraus RU III, S. 8 meint, „im Namen der Männer".

[61] wieso „im Namen der Frauen", wie Kraus aaO. sagt? – Zum Motiv des Kußraubs s. MFU S. 349 mit Hinweis auf Erich Schmidt. Bei den Romanen: s. Wilmanns-Michels II, S. 378; Lommatzsch, Liederbuch 24, VII = S. 43 (u. S. 287).

Kußraub und seine Ausdeutung, in eigener Sache also aussagend zu eigner Sache. Die Darlegung nun dieser Umstände macht erklärlich, warum Walther dem Scheine nach inkonsequent verfuhr, auswich auf ein anderes Lied und den hymnischen aber unverfänglichen Ostertag-Vergleich angriff. Die zugespitzte Form einer Lied-Aussage sperrt sich der sittenrichterlichen Erörterung und machte es unmöglich, das Ungehörige in Reinmars Über-Lob zu explizieren. Es aber kurzerhand als ungehörig zu bezeichnen, hätte geheißen, seinen Wahrheitsgehalt zu bestreiten, Walther aber konnte und wollte es sich nicht leisten, vor aller Öffentlichkeit den Schein zu erwecken als bestreite er, daß die Herzogin-Mutter Inbegriff und Hort aller Tugenden sei und außerstande, den Bereich weiblicher Vollkommenheit zu übertreten. Denn eine Widerlegung Reinmars hätte zumindest so geklungen, als werde der Inhalt der Rühmung widerlegt oder eingeschränkt. So biegt Walther geschickt um: Jedermann denkt zufolge der Imitation des Tones sogleich an Reinmars Matt-Lied, findet sich in seinem Denken bestätigt durch die Wiederaufnahme der *spil*-Terminologie – wird dann abgelenkt auf den Ostertag-Vergleich, empfindet aber gewiß in den Geleisen der durch die Parodie wie ihren Inhalt vorgezeichneten Bahn die Empörung (des *wie wære uns andern liuten sô geschehen, | suln wir im alle sînes willen jehen?*) als Empörung nicht gegen die vertraute Oster-Metapher, sondern gegen jene verabsolutierende Rühmung; und solche Gedankenfolge rechtfertigt sich sogleich: *bezzer wære mîner frowen senfter gruoz!* Die Notbrücke zur logisch-unverfänglichen Deutung ist nicht zerstört, der kritisierte also der nicht *senfte gruoz* kann den verzückten Vergleich meinen – in Wahrheit weiß jeder: er meint das maßlose Über-Loben. Seine Zurückweisung macht das „Matt!" zunichte, ist *mates buoz*.

XI

Wir fassen zusammen: Die beiden Strophen des Liedes stellen sich uns nunmehr als ein zwar nicht unkompliziertes aber durch eine in sich bündige Aussage geschlossenes und zusammengefügtes Gebilde dar, dessen Logik sich in dem Maße offenbarte als seinem überlieferten Wortlaut nicht Gewalt angetan wurde. Zwei Strophen in der altehrwürdigen, den Sänger schon von vornherein mit der Patina des Seriösen auszeichnenden Form des Wechsels – mit der bezeichnenden Modifizierung: nicht die Gemeinsamkeit der Neigung zueinander, sondern die Gemein-

samkeit der Abneigung gegen einen Dritten ist die das Gesetz dieser
lyrischen Spezies bewahrende Haltung! Wieder erweist sich die Wahrheit
der Form: Schon die Wahl dieser Gattung suggeriert gegen jeden Zweifel von außen die unverbrüchliche Solidarität ja Vertraulichkeit der
Partner, die Walther nicht vorsorglich genug unterstellen konnte! So
wie die Form des *dônes* nicht minder unmittelbar die Polemik gegen den
Rivalen, gegen sein Gedicht in eben jenem *dône*, offenbart. Der Parodist
nimmt auch die Bildsprache seines Opfers auf, verläßt indes das Schachbrett einen Augenblick um ein Zitat aus einem anderen Liede Reinmars
(„Ostertag!") einzuflechten. Diesem gilt scheinbar die Kritik – in Wahrheit gilt sie unzweideutig der Matt-Ansage des Parodiemodells. Deren
alle anderen Damen beleidigende Maßlosigkeit degradiert – so sehen es
Walther und die Seinen – auch diejenige, die von ihr profitieren sollte:
Ihr wäre eine taktvolle Huldigung angemessener! Jedoch
durfte Reinmar sich das extreme Lob ihrer Vollkommenheit arglos
leisten, da seine Herrin als Königin des Hofes und ‚Königin seines Herzens' mit der Königin des Schachspiels verschmolz, die traditionsgemäß
die Summe der weiblichen Vollkommenheiten repräsentiert[62]. Solche
mögliche Legitimation des verabsolutierenden Preises wird ihm indes
nicht eingeräumt. Walther und die Seinen vermögen zwar die Vollkommenheit der Herzogin nicht anzuzweifeln; aber sie protestieren indirekt
– und nicht minder deutlich. Die Spitze, so scheint es, ist auf den *öster-*
lîchen tac gerichtet – sie trifft aber das taktlose „Matt!". Die zweite Strophe
fügt der ersten Verurteilung die zweite hinzu, damit die erste bestätigend,

---

[62] Die faktische Machtposition der Herzogin Helene und also auch ihren Einfluß
auf das Schicksal Walthers mag man sich übrigens als besonders stark vorstellen dank
dem *Privilegium minus* von 1156, da auf dem Reichstag zu Regensburg ihrem späteren
Schwiegervater Heinrich Jasomirgott als Ausgleich für seinen erzwungenen Verzicht
auf das Welfenerbe Bayern u. a. die Möglichkeit weiblicher Erbfolge für das Herzog-
tum Österreich zuerkannt worden war. – Helene starb 1199 Mai 25. Ob Walthers
Scheiden mit diesem Datum zusammenhängt? Seinen ersten Reichsspruch 8, 28 *Ich*
hôrte ein wazzer diezen müssen wir allerdings schon ein Jahr früher ansetzen. So ist
eher die Vermutung erlaubt, daß sein Werben vergebens war. (Vgl. jedoch die
Datierung Beyschlags [s. o. Anm. 32], vor allem S. 383–388.) [Zusatz 1975: Einen in-
teressanten Hinweis verdanke ich – mündl. – Peter Rühmkorf: 119, 10 rühmt Walther
seine Herrin als *schœner unde baz gelobet dan Hêlêne und Dîjâne:* die einzige Stelle, an der
er sich dieses mythologische Maskenspiel erlaubt. Könnte es sein, daß er sich hier,
stilistisch-rhetorisch abgesichert, endgültig verabschiedet von der Wiener Herzogin-
Mutter und ihrem Hofkreis? Das Lied wird von Maurer u. a. angesetzt zwischen 1198
und 1203, es müßte, wenn Rühmkorfs Erwägung zutrifft, zwischen 1198 (Frühjahr)
und 1199 (Frühsommer) entstanden sein. – Dazu s. jedoch unten S. 130, Anm. 52.]

da hier jemand als Richter vorgestellt wird der auch in der ersten Sache betroffen war, und dessen letztes Wort das Verdikt endgültig macht.

So offenbart sich Walthers Schachlied, die Grenzen seiner augenblicksbedingten Funktion innerhalb der Kontroverse mit Reinmar durchaus überschreitend, in seiner Verflechtung und Verschwisterung der sozialen Wirklichkeit des Hofwesens, der poetischen Wirklichkeit des Minnedienstes und der emblematischen Wirklichkeit des Schachspiels als ein historisch gewichtiges Zeugnis – mag seine eigentlich lyrische Ausstrahlung auch beschränkt sein und uns über die Zeiten hinweg nicht mehr erreichen.

XII

Ich gebe zum Schluß das Lied in der Gestalt, die mir die angemessene zu sein scheint. Der Zustand der Überlieferung hindert hier den Philologen, sich unbeschwert dem schönen Glauben hinzugeben, er könne es vorstellen wie einst der Autor es gesungen habe. Aber so lange die Handschriften nicht offenbaren Unsinn sondern einen gemäß unserer Kenntnis des Gegenstandes schlüssigen Sinn liefern, wird man ihre Aussage mit der des Originals gleichzusetzen gehalten sein.

In dem dône: Ich wirbe umb allez daz ein man   111,22

I   *Ein man verbiutet âne pfliht*
ein spil, des im ouch nieman wol gevolgen mac.
Er gibt so wenne ein wîp ersiht
sîn ouge, daz si sî sîn ôsterlîcher tac.
5   *Wie wære uns andern liuten sô geschehen,*
suln wir im alle sînes willen jehen?
ich bin derz im versprechen muoz:
bezzer wære mîner frouwen senfter gruoz!
deist mates buoz.

II   *'Ich bin ein wîp dâ her gewesen*
sô stæte an êren und ouch alsô wol gemuot:
Ich trûwe ouch noch vil wol genesen,
daz mir mit stelne nieman keinen schaden tuot.
5   *Swer küssen hie ze mir gewinnen wil,*
werbe aber ez mit fuoge und anderm spil.
ist daz ez im wirt ê iesâ,

er muoz sît iemer sîn mîn diep, und habe imz dâ
und anderswâ.[63]

Sowenig ich der Auffassung Kraliks im Ganzen folgen kann, so förderlich empfinde ich viele seiner Einzelvorschläge zur Textgestaltung und Übersetzung. Auf Fälle, die schon im Zusammenhang dieser Untersuchung behandelt worden sind, ist im Folgenden nicht weiter eingegangen. Die hsl. Fassung und die von Lachmann-Kraus s. o. S. 77f.

I, 2: *ouch* Kralik; Benecke *doch; wol gevolgen* Hs.!

3: *giht so wenne:* Walthers Form – wie die der Hs. – ist *giht*. Die Forderung nach Auftakt nötigte Lachmann zum zweisilbigen *gihet*, das jedoch verdächtig ist, s. Kralik S. 19. Mein Vorschlag (Ausgabe 1962, Nr. 4) *sprichet* ist zwar formal einwandfrei und ließe sich rechtfertigen als Correspondens zu *versprechen* in 7. Jedoch machte ich mich eines Denkfehlers schuldig (worauf mich dankenswerter Weise Alfred Kracher aufmerksam gemacht hat), als ich hier *sprichet* glaubte stützen zu können mit Hinweis auf Wolfram P. 115,5–8: *sîn lop hinket ame spat,* | *swer allen frouwen sprichet mat* | *durch sîn eines frouwen* (s. auch Kralik S. 65). Denn wollte man hier Wiedergabe des Reinmar-Wortlautes durch Wolfram annehmen, müßte man diese Kombination von *sprechen* und *mat* für die Textherstellung nutzen, wie durch Lachmann-Kraus geschehen und von uns abgelehnt. Ich korrigiere also meine Fassung von 1962 und schlage fragend die metrische Ergänzung *so (wenne) vor.*

6: *suln* angeregt durch Kralik 46f. Lachmann *solt* ist schwerlich zu rechtfertigen, s. Kralik ebd.

7: *derz* analog der Kralik-Fassung *diuz*, S. 45.

II, 6: *werbe aber ez:* die hsl. Fassung *der werbe ez* ... ist an sich möglich, den Hiat mag die Melodie gerechtfertigt haben. Lachmann wollte das *aber* des voraufgehenden Verses retten und zog es verkürzt in diese Zeile: *der werbe ab ez* ... Das klingt übel, außerdem (Kralik S. 76) „wirkt das *ez* in der Hebung nicht gerade vorteilhaft". Da Bewahrung des *aber* vielleicht wichtiger ist als des wiederholten Pronomens (*der*), schlage ich *werbe aber ez* vor (wobei *aber* wie in

---

[63] Die Textgestalt entspricht der meiner Walther-Ausgabe (Fischer Bücherei 6052) seit deren 4. Auflage.

der hsl. Fassung vermutlich adversativen Sinn hat – oder doch iterativen?).

7: *im wirt ê iesa* ist die der Hs. nächste Fassung. Kralik setzt (S. 76) *wart*, ändert jedoch Wackernagels, den Auftakt gewinnende Ergänzung *sus (iesâ)* einleuchtend durch Auffüllung des hsl. (getrennt geschriebenen!) *e sa* zu *ê iesâ*. Das meint: „Verhält es sich jedoch so, daß der Kuß ihm noch vorher plötzlich zuteil wird" (d. h. bevor er sich um ihn mit Schicklichkeit beworben) ...

8: *sît* Kralik S. 77, in der Überlieferung verschrieben zu *sîn*.

Zur Übersetzung verweise ich auf meine Ausgabe S. 19. Das *verbieten âne pfliht* fasse ich nach Kraliks gründlichen Ausführungen als „bietet ohne schiedsrichterliche Zustimmung so hoch daß er meint, nicht überboten werden zu können". – Zu dem rechtlichen Bereich um *mîn diep* in II, 8 vgl. Konrad Burdach, Reinmar der Alte und Walther von der Vogelweide, [2]1928, S. 141 f.[64]

---

[64] Ob diese Auffassung des Liedes die festgestellten oder behaupteten Querverbindungen zu anderen Liedern Walthers oder Reinmars beeinflußt oder ändert, müßte gesondert untersucht werden. Wenn Reinmar sich antwortend in 197,3–4 empört beschwert: *Waz unmâze ist daz, ob ich des hân gesworn | daz si mir lieber sî dan alliu wîp?* so spielt er falsch (und macht das nicht ungeschickt). Er hatte anderes geschworen, und darin lag die *unmâze* (dazu s. Norman-Festschrift, 1965, = unten S. 183 ff.). Unsere Auffassung wird davon nicht berührt. Wenn es in den beiden letzten Versen der III. Str. (197, 13–14) dann aus ihm herausbricht *si möhten tuon als ich dâ hân getân | und heten wert ir liep und liezen mîne frouwen ledic gân* (*ledic* [stattdessen einsilbiges *und*] sinnvoll ergänzt durch Kralik S. 12 f.), so wirkt dieser Protest im Angesicht unserer Interpretation nur umso tiefer begründet: „. . . sollen sie doch meine Herrin in Ruh lassen, weder dekretieren welche Art von *gruoz* ihr zukommt noch sie selber zum Auftritt zwingen!" (Übrigens macht m. E. allein schon dieser Vers Kraliks Auffassung hinfällig, beide Walther-Strophen seien als von Walthers Dame gesprochen zu denken.) Daß Walther „eigentlich" eine andere Herrin mag gehabt, sich der Herzogin als Reinmars Minnedame anmaßend mag zugewendet haben, sind mögliche aber für den Gang unserer Untersuchung gleichgültige Vermutungen. Unterstellt man, daß Walther in der Herzogin seine *frouwe* gesehen hat, so wirkt naturgemäß ihr Verdikt 114,22: *si hânt daz spil verlorn, er eine tuot in allen mat* umso großartiger und erhöht ihn im gleichen Maße wie es Reinmar erniedrigt. [Zusatz 1975: Ein meine These möglicherweise gefährdendes Gegenargument habe ich erwogen in meinem Buch über Die Lyrik Wolframs von Eschenbach, 1972, S. 191 Anm. 30.]

WALTHERS LIED VON DER TRAUMLIEBE (74, 20) UND DIE DEUTSCHSPRACHIGE PASTOURELLE

Stoff und Gattung bedingten einander im Mittelalter ausschließlicher und präziser als im Dichten der Neuzeit. Bestimmte Vorgänge, Begebenheiten und Sachverhalte konnten nur in bestimmten Gattungen, Dichtungsformen, dargestellt werden; und bestimmte Gattungen wiederum entstanden nur mit den ihnen zugehörigen Inhalten, stofflichen Vorwürfen.

Die Gegenwart hat in ihrem Dichten solche Sicherheit in der Zuordnung von Gegenständen zu ihnen gemäßen Groß- und Kleinformen wie die Sicherheit in deren Bau verloren[1]. Insbesondere die Lyrik – von je als Dichtungsgattung meist auf jene Gebiete verwiesen, die von den beiden anderen „Naturformen" nicht beansprucht wurden – hat die Gesetze der figurativen Tektonik und der Stilmittel je länger je mehr zugunsten des Phänomens der „Innerlichkeit" aufgegeben. Einer ihrer im Mittelalter traditionell fixierten Dichtungsformen und deren Erscheinungsbild im deutschsprachigen Bereich ist diese Arbeit gewidmet. Sie geht aus von der Untersuchung eines Einzelstücks. Doch findet – was in unserem interpretationsbeflissenen Stadium ausdrücklich gesagt werden muß – jede Interpretation ihre wissenschaftliche Legitimation nur insoweit, als sie von der Methode her exemplarisch, vom Gegenstand her repräsentativ ist. In solchem Sinne enthielt auch bisher alle Literaturgeschichte „Interpretation".

I. „Nemt frowe, disen kranz" (Walther 74, 20)

Man ist nicht müde geworden, die poetische Schönheit wie die literarhistorische Bedeutung dieses Gedichtes zu rühmen, und das mit Grund[2].

---

[1] S. Richard Kienast, in Stammlers Deutscher Philologie im Aufriß II (1954), Sp. 775 f. – Zur Aufgabe der Mittelalterforschung gegenüber diesem Fragenbereich: Hugo Kuhn, Minnesangs Wende (= Hermaea NF 1), Tübingen 1952, S. 89.

[2] S. zuletzt de Boor, Gesch. d. dt. Lit. II, 1953, S. 305/06.

Indessen ist es, glaube ich, trotz allen Preisens und Umwerbens bisher nicht gelungen, seinen Kern zu enthüllen. Überlieferung wie Editionen zeugen von Unsicherheit und Widerspruch.

Das augenfällige Ärgernis ist die R e i h e n f o l g e d e r S t r o p h e n. Die Hss. überliefern wie folgt (und ich bediene mich künftig zur Bezeichnung der in den Hss. fixierten Anordnung der Kleinbuchstaben *a* bis *e*):

a Nemt frowe	134 A, 262 C, 51 E,	L. 74, 20.
b Ir sît	135 A, 263 C, 52 E,	L. 75, 9.
c Si nam	136 A, 264 C, 53 E,	L. 74, 28.
d Mir ist	137 A, 372 C, 54 E,	L. 75, 1.
e Mich dûhte	138 A, 373 C, –,	L. 75, 17.

A also bietet die fünf Strophen aufeinanderfolgend, E die vier ersten unter Auslassung der letzten, C schiebt über 100 Strophen zwischen *c* und *d*, hält sich aber an die gleiche Abfolge. Immerhin ist deutlich, daß sich bereits der Sammelhandschriften eine gewisse Unsicherheit bemächtigt hat. Die scharfsinnigen textkritischen Überlegungen, die Carl von Kraus angesichts dieses Befundes angestellt hat (WU 302–303), sollen hier nicht wiederholt werden. Hingewiesen sei nur auf von Kraus' Beweisführung der ursprünglichen Reihenfolge *c b*. Es enthält *b* (C 263) nämlich Fehler, die sich nicht anders als aus einem Vorgriff auf die dritte Zeile des in C unmittelbar folgenden Gedichtes (75, 25 = C 265) erklären lassen. Dies Hinübergleiten ist verständlicher, wenn in der Vorlage der Quelle AC diese beiden Strophen benachbart waren, ursprünglich also C 263 auf C 264 folgte (*b* auf *c*).

Jedoch ist es nicht primär dieser Sachverhalt, der Kraus zu einer Umordnung zwingt. Vielmehr geht er, nicht anders als die Herausgeber vor ihm, von der Interpretation aus.

Es ist offensichtlich, daß die Strophen sich in der handschriftlich überlieferten Reihenfolge nicht zu einem organisch gefügten Gedicht zusammenschließen:

Der Aufforderung des Ritters an die *frowe*, zugleich mit seinen Komplimenten *disen kranz* anzunehmen *(a)*, folgt (nicht die Annahme, sondern) weiteres Rühmen und die Erwähnung eines (neuen?) Kranzes, *so er aller beste hât*: Ihn wünscht er mit ihr aus *wîzen unt rôten bluomen* fern vom Ort des Tanzes auf der Heide zu pflücken *(b)*. – Jetzt nimmt sie an – aber worauf nun bezieht sich der *lôn* dieser Strophe *(c)*, die doch gewiß stilistisch *a* korrespondiert und zu ihr zu gehören scheint? (*Nemt ... Si nam ...*) – Die Konsequenz soll sein, daß der Dichter in diesem Sommer allen Mädchen in die Augen sehen muß, um „Sie" wiederzufinden *(d)*. Warum das? In *e* schließlich erweist sich die Liebeswonne als Traumgaukelei.

Ganz offenbar sind hier also Traumwelt, Wachwelt und Erzählwelt willkürlich und verderblich gemischt. Schon der erste Herausgeber empfand das. Er glaubte des Widersinns Herr zu werden dadurch, daß er die „fünf gesetze ... gegen die handschriften nach gutdünken in zwei lieder" ordnete (vgl. zur Stelle). Aber auch seine Reihung *(ac | dbe)* befriedigte nicht[3], sondern ließ den Wunsch, dieses kostbare Stück Poesie als Ganzes zu empfinden, nur noch dringlicher werden. Die Nachfolger: Simrock, Pfeiffer, Paul, Wilmanns-Michels (nachdem Wackernagel [1862] und Wilmanns – in der 1. Aufl. [1869] seines Walther – sich erst mit anderen Kompromissen zu helfen versucht hatten) taten dann einen entschiedenen Schritt vorwärts insofern, als sie *d* klar als Schlußstrophe des Ganzen erkannten: Das als Traum entlarvte Liebesglück zwingt den Dichter, das Traumbild unermüdlich in der Wirklichkeit, so auch in diesem zu seinem Stück getanzten Tanze, zu suchen. Aber sie beließen konservativ wiederum *b* an zweiter Stelle. Wie wollten sie erklären, daß der Kranz, in der ersten Strophe schon offeriert, nun erst gewunden werden soll? Oder etwa daß schon von einem neuen Kranz die Rede ist, ohne daß die *wol getâne maget* Gelegenheit hatte, den ersten anzunehmen?

So hat denn Carl von Kraus (10. Ausg., 1936, und WU 299 ff.) entschlossen die bisherigen Reihungsversuche beiseite getan[4] und eine neue Ordnung von der Aussage des Gedichtes her aufgerichtet, wobei ihm allerdings entgangen zu sein scheint, daß schon 1884 Scherer[5] den gleichen Vorschlag gemacht hat: Nämlich zu ordnen (und ich bezeichne in der Folge die Strophen in dieser Reihung mit den römischen Ziffern I bis V):

I	*Nemt frowe*	*(a)*
II	*Si nam*	*(c)*
III	*Ir sît*	*(b)*
IV	*Mich dûhte*	*(e)*
V	*Mir ist*	*(d)*

---

[3] S. Robert Petsch, ZfdPh 56, 1931, S. 233.

[4] Auch den von Petsch, S. 231–235, dessen Schwächen er klar aufzeigt, WU 301, Anm. 1.

[5] Anz. 10, S. 310, in der Rez. der 2. Wilmanns-Ausgabe. – Zu korrigieren ist ein Versehen Brinkmanns (Liebeslyrik der deutschen Frühe, 1952, S. 407): „Kr[aus] stellt mit E die zweite hinter die dritte Strophe." E ordnet wie A und C.

– wobei zu betonen ist, daß von Kraus wie Scherer von der Interpretation (und nicht von der Textkritik) ihren Ausgang nehmen. Scherer: „Ein einheitliches gedicht und durchweg fortschreitend. er bietet den kranz; sie nimmt ihn und dankt: *daz wart mir ze lône: wirt mirs iht mêr, daz trage ich tougen!* von diesem mehreren erzählt er in der dritten Strophe: abermals überreicht er einen kranz, jetzt mit kühnerer rede und der aufforderung, das mädchen solle mit ihm blumen brechen. sie tut es; er ist hochbeglückt – aber dieser ganze liebesverkehr war ein traum ...doch der traum war so süß, daß er den ganzen sommer lang suchen muß, ob er die traumgeliebte nicht im leben findet...“

Dem entspricht etwa auch die Auffassung von Kraus'. Leider jedoch wird an dieser Stelle dank so lakonischer Kürze eine wichtige Frage nicht ganz deutlich geklärt: Versetzt Scherer die ersten vier Strophen allesamt oder nur die III. und IV. in die Traumwelt[6]? Hier nämlich sieht von Kraus den Grundfehler der früheren Versuche (von Simrock, Pfeiffer, Paul, Michels): daß sie Wirklichkeit (in *acd*) und Traum (in *be*) zusammenwerfen und nur *d* als „nicht erträumt" fassen (WU 299). Für von Kraus läuft der Handlungsablauf wie folgt ab: Darbietung des Kranzes (I), auf die „natürlicherweise" die Annahme folgt (II). Diese Begegnung erzähle Walther „als etwas Reales". Jetzt folgt der Traum: in III „bietet er ihr einen Kranz, wie er ihn *aller beste* (nicht bloß *schœne* I 4) hat". IV: Das Mädchen folgt ihm – aber eben nur im Traume! „Dieses vorgegaukelte Glück verfolgt den Dichter in die Wirklichkeit" von Strophe V und nötigt ihn, die Verlorene wiederum beim Tanze zu suchen (WU 300/01).

Der Crux mit den zwei Kränzen (I und III) wird von Kraus also dadurch Herr, daß er den einen der Wach-, den anderen der Traumwelt zuteilt. Es bleibt jedoch sehr fraglich, ob dem mittelalterlichen Publikum bei jenem zweiten Angebot, das doch vorerst aller Logik entbehrt, ohne weiteres klar geworden wäre, daß es sich jetzt um einen Vorgang auf anderer Ebene handelt! Auch Kraus spürt diese Schwäche seines Vorschlags, und er sichert ihn, indem er für den „Übergang vom wirklichen Erlebnis (I. II) zum geträumten (III. IV)" auf den Volksliedstil verweist, z. B. Uhland 20. Es geht ja aber gar nicht um das naive Neben- und Ineinander der beiden Realitätswelten von Traum und Wachsein, sondern es geht um die Fatalität einer aller Logik widersprechenden

---

[6] Jedoch s. u. Anm. 37.

Darstellung, die so lange widerspruchsvoll bleibt, als sie nicht deutlich das Traumerlebnis als solches verständlich macht[7]!

Der Handlungsablauf wie die Verteilung von Wach- und Traumwelt bleiben also auch in der durch von Kraus vorgeschlagenen Ordnung unklar und unbefriedigend. Überdies bliebe die methodisch sehr wichtige Frage noch zu beantworten, aus welchen Motiven ein sich dem Herausgeber als konsequente Einheit darstellendes Gebilde von den Sammlern und Schreibern so erbärmlich durchgeschüttelt werden konnte! – So ist es begreiflich, daß auch der Editor der jüngsten Walther-Ausgabe Friedr. Maurer (Die Liebeslieder, Tübingen 1956) sich (Scherer und) von Kraus nicht anschloß und es (Nr. 65) bei der Folge *abced* beließ.

Dennoch wird sich die Reihung nach von Kraus als die richtige erweisen – und das nicht nur aus den oben erwähnten textkritischen Gründen. Allerdings baut sie auf einer anderen Auffassung des Gedichtes auf.

Das *schapel* ist ein „weiblicher kopfschmuck, und zwar besonders der jungfrauen"[8]. – Der Kranz kam „besonders der jungfrau ... zu, da ihr durch sitte und natur am meisten gebührte, sich zu schmücken". Er „war vom schmucke der jungfrau das notwendigste stück" und galt daher „förmlich als zeichen und zier der reinen jungfrauschaft, wie auch deren himmlisches vorbild Maria die reine magd, von alters her einen kranz auf fliegendem haare trägt, meist von roten und weiszen rosen"[9].

Demnach ergibt sich: Grundsätzlich ist der Kranz, das *schapel*, im Mittelalter als Schmuck und Zeichen der Jungfrauschaft anzusehen[10]: *schapel ûf blôzez houbet, | als megden ist erloubet* (Martina 218). Verlust des *schapels* bedeutet also: Verlust der Jungfrauschaft.

---

[7] Insofern ist das von Kraus herangezogene Beispiel Uhland 20 ungeschickt: Es betont den sich in der III. Strophe vollziehenden Übergang von Wachwelt zu Traumwelt mit aller denkbaren Deutlichkeit: *Ich war in fremden landen, | da lag ich unde schlief, | da traumt mir eigentlichen | wie mir mein feins lieb rief.* Selbst wenn das Gedicht schon ab I Traum sein sollte, so ist es doch frei von jeder Widersprüchlichkeit und also nicht erhellend für unseren Fall. Zudem aber: Was braucht Walther „Sie" so verzweifelt zu suchen, wenn sie ihm doch „in der Realität" bekannt ist?

[8] DWb 8, Sp. 2169.

[9] DWb 5, Sp. 2051/52; s. a. Moriz Heyne, Fünf Bücher deutscher Hausaltertümer, 3. Bd., 1903, S. 300.

[10] S. Mhd. Wb. II, 2, Sp. 85–87; I, Sp. 876–77.

Nun gibt es jedoch auch Belege dafür, daß Männer einen Kranz tragen. Bei näherem Zusehen zeigt sich jedoch, daß es sich dabei selten um bloßen Schmuck handelt. Vielmehr charakterisiert der Dornen-, der Lorbeer-, der Laubzweig seinen Träger als Repräsentanten einer bestimmten Ausnahme-Situation: Friede, Sieg, Leiden kennzeichnen ihn. Ferner ist es durchaus üblich, daß Männer sich durch ein künstliches *schapel* schmücken, d. h. eines aus Stoff, Edelmetall und Edelsteinen[11]. Daß sie jedoch Blumenkränze als Schmuck tragen (z. B. Parz. 776, 7), ist offenbar Ausnahme, die am ehesten noch einleuchtet als Zeichen der Partnerschaft: Trist. 3150ff., insbesondere natürlich der erotischen: Neidhart XIV, 15. Mag auch Weinholds Behauptung, das *schapel* sei „nur ein Schmuck der Jungfrau" gewesen, zu einseitig gefaßt sein, so zwingt doch die Rolle des Kranzes in unserm Gedicht, wo er zweifellos eine zentrale Bedeutung einnimmt, zur Besinnung auf die „sinnbildliche Bedeutung aller Kopfhüllen" im Mittelalter[12].

Keineswegs merkwürdig hingegen und ungewöhnlich ist es, daß Männer ihren Mädchen Kränze pflücken und schenken, wie viele Belege zeigen (insbes. bei Neidhart).

Das heißt: Es ist nicht auffallend, wenn unser Dichter der *wolgetânen* einen Kranz, *disen kranz*, anbietet[13]. Widersinnig aber wirkt es, wenn er dieses Angebot wiederholt, und zwar in einer Formulierung, die solche Schenkung seines (!) *schapels* als ein – besonderer Begründung bedürftiges – Opfer erscheinen läßt: *Ir sît sô wol getân, | daz ich iu mîn schapel gerne geben wil ...*

So wie der Kranz von Blumen, so hat auch das Brechen der Blumen seine noch heut geläufige und im Volkslied immer wieder besungene Symbolbedeutung: des *de-florare*. Der Symbolgehalt der in III enthaltenen Aufforderung ist denn auch wohl immer gespürt worden. Was aber die Interpreten nicht gespürt haben, das ist die groteske Vertauschung der Rollen, die sie der Dichtung zumuteten: Es ist doch unmöglich, das Schenken des *schapels* vom Schenken der Liebe, vom Brechen der Blumen, zu lösen. Und da soll sich, als Symbol der Hingabe, das Brechen der Blumen auf das Mädchen beziehen, das Schenken des Kranzes aber, nicht minder Symbol der Liebeshingabe, soll sich nur als Überredungsfloskel entpuppen und den Mann meinen? Das hieße denn doch, mittelalterliche Gefühls-, Denk- und Bildwelt fahrlässig verkennen.

---

[11] S. Alwin Schultz, Das höfische Leben z. Z. der Minnesinger, I, 1879, S. 233.
[12] Heyne, S. 319.
[13] S. z. B. Neidhart 24, 21f.; 25, 28f.; 17, 12f.

Wir werden uns der Konsequenz dieser Überlegungen nicht entziehen können und werden versuchen müssen, diese Strophe III als Frauenstrophe zu fassen[14]. Zwar das moderne Empfinden schreckt zurück: Die Willenskundgabe des Mädchens scheint peinlich heftig zu sein. Selbst Carl von Kraus, der sich in unserer mittelalterlichen Lyrik mit souveräner Intimität auskannte, urteilt merkwürdig unhistorisch: *ir sît sô wol getân* passe nur, wenn es an ein weibliches Wesen gerichtet sei, und es wäre „unzart, wenn die Aufforderung zum Blumenbrechen von ihr ausginge" (WU 299).

Wir sollten uns jedoch vorerst schon einmal entsinnen, daß es in der mhd. Lyrik die Frauenstrophen sind, die unverhüllt sehnen und unverblümt aussprechen[15]. Überdies wird in unserer Strophe das „Anstößige" gedeckt, da dem Mittelalter die tatsächliche Überreichung eines Kranzes durch ein junges Mädchen an einen jungen Mann ein üblicher Brauch war. Scherer wies (Anz. 10, 311) auf einige Volkslieder hin, in denen der Liebhaber der Geliebten einen Kranz übergibt. Er hätte unschwer Belege für den umgekehrten Vorgang finden können: „beim tanz und festen oder auch sonst war es gebrauch, dasz jungfrauen mit solchen kränzen als zeichen der gunst und ehre junggesellen beschenkten und zierten"[16]. Bei Hans Sachs heißt es:

> *Hans Tötschinprei von Ramerloch*
> *die Gret von Erbelting auf zoch*
> *die het im geben einen kranz,*
> *das er mit ihr solt thun ein tanz*[17].

---

[14] Zu den Rätseln dieses Gedichtes fügt von Kraus ein weiteres, WU 299: Lachmanns „Annahme, die Strophe 75, 9 sei von dem Mädchen gesprochen", sei nur von Wilmanns übernommen worden und habe sonst „mit Recht nirgends Beifall gefunden". Weder Lachmanns noch Wilmanns' Textgestalt oder Kommentar rechtfertigen diese Bemerkung. Im Gegenteil: Lachmanns Textgestaltung beweist eindeutig, daß auch er unsere Strophe dem Manne in den Mund legt. Denn in der 1. Aufl. ließ er die (in allen 3 Hss. überlieferte, jedoch die Zeile metrisch überfüllende) Anrede *Frowe* stehen und entschloß sich zur Streichung des *sô*. Von der 2. Aufl. an schloß er *Frowe* in Klammern und beließ das *sô* – bedeutete ja aber durch das in Klammern stehende Wort klar genug, daß er eine Zuweisung an das Mädchen nicht ins Auge faßte. – Aus einer gelegentlichen Bemerkung in den Reinmar-Untersuchungen (I, S. 83) müssen wir schließlich folgern, daß von Kraus 1918 seinerseits die Strophe dem Mädchen zuteilte. Dazu auch u. Anm. 41.

[15] S. Wilmanns-Michels I, S. 29 und die große Zahl von Belegen S. 400/01, Anm. 54.

[16] DWb 5, Sp. 2048.

[17] DWb 5, Sp. 2049; s. ebda. die anderen Belege aus Hans Sachs.

8*

Es handelte sich dabei um eine Sitte, die sich „durch alle stände und schichten der nation" zog[18]. Unmittelbar aber mit dem Brauch verbindet sich offenbar schon sehr früh dessen Symbolbedeutung:

> *ein ieglîch man mac wünschen mîn:*
> *dem aber mîn schappel werden sol*
> *der muoz vil wol gevieret sîn*
>
> (Winsbekin 16, 10).

Brauch wie Symbol sind am reinsten im Volkslied und Volksmund erhalten und tradiert worden. So hat man schon früh unser Lied der Bild- und Gefühlswelt des Volkslieds nahegerückt (Scherer, Wilmanns-Michels), und es wird daher richtig sein, zur Verdeutlichung seiner Haltung eben das Volkslied zu Rate zu ziehen (Uhland, Volkslieder 57):

> 6. *Des morgens in dem tawe*
> *die meidlin grasen gan,*
> *gar lieblich sie anschawen*
> *die schönen blümlin stan,*
> *darauß sie krenzlin machen*
> *und schenkens irem schatz,*
> *den sie freundlich anlachen*
> *und geben im ein schmatz.*

(s. auch Uhland, Volkslieder 244).
Uhland, Volkslieder 90 (Das Ritterfräulein zum Wächter):

> 4. *Ich hab mir außerwelet*
> *so einen ritter stolz,*
> *zum brunnen hab ich zilet*
> *dört niden vor dem holz,*
> *der leit bei einem holen stein;*
> *dem ritter will ich bringen*
> *von rosen ein krenzelein.*
>
> 5. *Es soll uns nit mißlingen,*
> *es sol uns wol ergon,*
> *ob ich entschlafen würde*
> *so weck mich mit geton!*
> *ob ich entschlafen wär zu lang,*
> *o wechter, traut geselle*
> *so weck mich mit gesang!*

---

[18] Ebda.

Der Kranz des Mädchens für den Liebhaber kann auch aus Steinen und Geschmeide bestehen:
Uhland, Volkslieder 32 (nachdem Er Ihr einen Ring geschickt hat):

> 4. *Was schickt sie mir denn wider?*
> *von perlen ein krenzelein;*
> *„sih da, du feiner ritter,*
> *dabei gedenk du mein!'*

und 41 A:

> 1. *Der winter ist ein scharpfer gast,*
> *das mirk ich an dem hage;*
> *mein lieb gab mir ein krenzelin*
> *von perlin fin,*
> *das solt ich lustlichen tragen*
> *all mein tage.*

In dem schon von Scherer (Anz. 10, 311) für die Parallele von Traum und Blütenfall herangezogenen Liede Uhland 27 gibt der Mann dem Mädchen die Blätter; sie flicht

> 8. *... ein Kränzlein drauß*
> *und setzet mirs auf mein har ...*

(s. ferner Uhland 173, Str. 2. 5.)
Von Interesse für unser Motiv ist auch das Lied 137 (Hilka-Schumann) der ‚Carmina Burana'

> 2. *Iuvenes, ut flores*
> *accipiant*
> *et se per odores*
> *reficiant,*
> *virgines assumant alacriter*
> *et eant in prata*
> *floribus ornata*
> *communiter!*

Wie sehr das Volkslied den Kranz als Symbol der Jungfräulichkeit empfand, mögen einige Klänge aus diesen zarten und schmerzlichen Weisen in die Erinnerung rufen: Das Mädchen will tanzen gehn und sucht Rosen auf der Heide. Sie warnt den Haselstrauch: ihre zwei stolzen Brüder würden ihn abschlagen. „Frau Haselin" pariert (Uhland, Volkslieder 25):

> 6. *‚Und haun sie mich im winter ab,*
> *im sommer grün ich wider;*
> *verliert ein mägdlein iren kranz,*
> *den findt sie nie mer wider‘*[19].

Oder: „das Mädchen sagt der Nachtigall, Reif und Schnee werden ihr
das Laub von der Linde streifen, die Nachtigall entgegnet" (Uhland,
Abhandlung, S. 90, 427):

> *Und wann die Lind' ihr Laub verliert,*
> *behält sie nur die Äste*
> *(a. so trauern alle Äste),*
> *daran gedenkt, ihr Mägdlein jung,*
> *und haltet eur Kränzlein feste.*

(s. auch Uhland, Volkslieder 113 B.)
Die „Unglückliche, die den Blumenkranz verscherzt hat", klagt (Uhland, Abhandlung, S. 428):

> *Da zog sie ab ihr Kränzelein,*
> *warf's in das grüne Gras:*
> *‚ich hab' dich gerne tragen,*
> *dieweil ich Jungfrau was'.*
> *Auf hub sie wohl ihr Kränzelein,*
> *warf's in den grünen Klee:*
> *‚gesegen' dich Gott, mein Kränzelein,*
> *ich seh' dich nimmermeh'.*

(s. auch Uhland, Volkslieder 114.)
Und kaum bedarf es noch des Hinweises auf Lieschens Gehechel am
Brunnen (3574ff.): „Kriegt sie ihn, solls ihr übel gehn: / Das Kränzel
reißen die Buben ihr, / Und Häckerling streuen wir vor die Tür!"

    Diese Symbolik kann bis ins Obszöne gehen, und natürlich sind
Neidhart und seine Schule eine reiche Fundgrube für mehr oder minder
angedeutete grobere Sinnlichkeit (wobei ich mich beschränke auf Beispiele, in denen der Kranz vom Mädchen zum Manne geht)[20]:

> 20,35 ff.   *sî bôt im bî dem tanze*
> *ein krenzel:*
> *sô mir got, deist unlougen.*

---

[19] S. auch Uhland, Abhandlung z. d. Volksliedern = Schr. z. Gesch. d. Dichtg. u.
Sage 3, 1866, S. 426.
[20] S. auch Abhandlung, S. 429f.

(wo bereits die Beteuerungsformel beweist, daß es sich um mehr als bloß ein *krenzel* handelt).

So mahnt Ringwald[21] die Junggesellen zur Vorsicht:

> *hieneben merk auch diese schanz,*
> *nim nicht ein kranz beim abendtanz*
> *aufs ehegelübd in voller weis,*
> *das dich nicht eine kuh bescheisz.*

(„auch die kuh ist bildlich gemeint" DWb ibd.).
Auch den Kranztausch kannte man[22]:
Neidhart (80, 35 ff.):

> *Hiwer an einem tanze*
> *gie er (Adeltir) umbe und umbe.*
> *den wechsel het er al den tac:*
> *glanziu schapel gap er umbe ir niuwen krenzelin.*

Das mag an unsere Stelle erinnern, wo es sich gleichfalls um einen Kranz „tausch" handelt[23].

Das Mädchen will dem Manne einen Kranz schenken – das also ist nicht ungewöhnlich oder gar bestürzend, ungeachtet der mit dem Bild verbundenen Symbolschwere. Und wiederum schützt, deckt die „Real"-bedeutung die „Symbol"bedeutung: Es kann nicht ungewöhnlich anmuten, wenn sie für diesen Kranz mit ihm die Blumen zu pflücken wünscht – aber untrennbar verbunden ist mit dem volksläufigen Motiv des Blumenbrechens sein Symbolgehalt[24]. Es genüge als auf das bekannteste Beispiel der Hinweis auf das ‚Heideröslein'[25]. Auch in Walthers *Under der linden* schwingt dieser Bedeutungsgehalt mit; und er denkt an ihn, wenn er sich zurücksehnt:

---

[21] ‚Die lauter warheit', 1621, s. DWb 5, Sp. 2049.

[22] Uhland, Abhandlung, S. 417.

[23] Vielleicht auch sind wir in Walthers Gedicht dem Bereich des volksmäßigen Kranzsingens, der Kranzlieder nahe: Durch Lösen von Rätseln und Singen von Liedern und das Aufsagen schöner Gedichte warb man um ein Kränzlein von der Geliebten: Seuse berichtet von dieser Sitte aus seiner Jugendzeit, s. Uhland, Abhandlung, S. 206; S. 314, Anm. 137. – S. auch R. Wagner, Meistersinger: „Das Blumenkränzlein von Seiden fein, wird das dem Herrn Ritter beschieden sein?"

[24] Ich verweise auf Uhland, Abhandlung, S. 420ff.; s. wiederum Lieschen am Brunnen, 3561.

[25] Zu der Bildkraft des Volksliedes, das nicht vergleicht, sondern im Nebeneinanderstellen identifiziert (Rosen–Mädchen–Brechen), s. Walther Killy, Wandlungen des lyrischen Bildes, Göttingen 1956, S. 6, 7, 8.

> *Müeste ich noch geleben daz ich die rôsen*
> *mit der minneclîchen solde lesen,*
> *sô wold ich mich sô mit ir erkôsen,*
> *daz wir iemer friunde müesten wesen ...*
>
> (112, 3 ff.)

Auch hier ist wiederum die Glut in Herz und Mund einer Frau nicht so unerhört: In einem Reinmar zugeschriebenen Gedicht (195, 37 ff.) nimmt sich die inbrünstig sehnende *frouwe* vor (196, 21/22):

> *ê ich danne von im* [dem Ritter] *scheide,*
> *sô mac ich wol sprechen, gên wir brechen*
> *bluomen ûf der heide*[26].

(s. ferner Uhland 110.)

Der Symbolgehalt von Hingabe des Kranzes und Blumenbrechen verschmilzt dann auch zwanglos, wie z. B. bei Neidhart 19, 11 ff.:

> *mägede, sô man reie,*
> *sô sît gemant*
> *alle*
> *daz wir diu rôsenkrenzel*
> *gewinnen*
> *soz tou dar gevalle*[27].

Unter Neidharts Namen (XXVIII, 1 ff.):

> *Swaz ich bluomen ie gesach,*
> *swaz ich rôsen ie gebrach*
> *den sumer, den meien,*
> *die sint ungelîch gevar*
> *den rôsen, die sî truoc*
> *in ir schœzel, der sî mir*
> *gap ein krenzel: got lôn ir ... usw.*

---

[26] Nach Bartsch, Paul und Plenio echt, nach Schmidt, Burdach, Becker, Kraus nicht von Reinmar, s. MF 1940, S. 503 und MFU, S. 403. – Zu der Stellung des Gedichts in bezug auf das Werk Walthers und zu der Echtheitsfrage s. u. S. 126 ff.

[27] Vgl. Uhland, Volkslieder 24 = Abhandlg., S. 424:

> 4. ‚Die röslein soll man brechen
> zu halber mitternacht,
> denn seind sich alle bletter
> mit dem kühlen tau beladen
> so ist es rösleinbrechens zeit‘.

Weitere Belege für diesen Symbolbereich[28] anzuführen, sollte sich erübrigen. Ich verweise vor allem auf Uhlands Abhandlung, Schriften 3, Kap. 3 und 4, sowie auf die vielen Belege bei Neidhart, Wiesner, Wb. s. v. *kranz, kränzel, schapel, bluome*.

Wir stellen fest: Das *schapel*, der *kranz* ist Schmuck und Attribut des Mädchens. Es war Sitte, daß die Mädchen ihrem Liebhaber einen Kranz bei Tanz und Spiel überreichten.

Als Attribut des Mädchens wird der Kranz zum Zeichen der jungfräulichen Reinheit.

Sein Schenken, Übergeben, Verlieren bedeutete somit sinnbildlich die Liebeshingabe, den Verlust der Jungfräulichkeit (beide Funktionen am deutlichsten in der „dualistisch" gespannten, in Metapher, Allegorie und Symbol einerseits und „Naturalismus" anderseits gespaltenen und geeinten Welt Neidharts[29]).

Solche sinnbildhafte Funktion vereinigt sich vom Gegenstand (Blumen) wie der übertragenen Bedeutung (Liebeshingabe) her mit der Symbolik des Blumenbrechens.

Das heißt auf unser Gedicht angewandt: Die Str. III verkündigt mit klarer Deutlichkeit, wenn auch gemildert „durch die Blume", den Wunsch und Willen des ganz in den Bannkreis des *wol getânen* Ritters gezogenen Mädchens zur Liebeshingabe. Eine solche unumwundene Deutlichkeit hat nur für moderne Ohren etwas Erstaunliches oder gar „Unzartes". Die mittelalterliche Dichtung hat gerade der Frau das unverhüllte Verlangen, das sinnliche Besitzenwollen oft in den Mund gelegt. Überdies erfolgt eine weitere Dämpfung der direkten Aussage dadurch, daß wir auch diese Strophe als Traumerlebnis auffassen müssen (wie anderseits das nicht minder „deutliche" *Under der linden* durch die episch-zeitliche Distanz gedämpft und verklärt wird).

Vorher aber ist zu fragen nach dem Motiv für die Unordnung in der Überlieferung – eine Frage, die wir nicht außer acht lassen dürfen, wenn wir uns der Aussage der Verse bemächtigen wollen, und auf die z. B. von Kraus nicht einging.

Es war offenbar so, daß die Sammler und Schreiber diese ursprünglich an dritter Stelle stehende Strophe *Ir sît sô wol getân* ... nicht mehr

---

[28] Der noch im modernen Schlager auftaucht: „Wir wollen Flieder pflücken, du und ich..."

[29] S. dazu Richard Alewyn, ZfdPh 56, 1931, S. 37ff.; weiteres s. u. S. 152 und Anm. 121.

als Frauenrede erkannten. Ebensowohl ist möglich, daß sie sie nicht
erkennen wollten, d. h. sie dem Mädchen nicht in den Mund zu geben
wagten, weil sie ihnen, den Archivaren in einer späteren Zeit, als „an-
stößig", als den Leitbildern einer idealisierten Vorzeit nicht gemäß
erschien. So modelten sie um und faßten die Zeilen, sie an zweite Stelle
rückend, schlecht und recht als Fortsetzung der Rede des Ritters auf (sei
es nun aus echtem, sei es aus bewußtem Mißverstehen). Diesem Fehl-
griff verdanken wir das überzählige und von allen Herausgebern aus
metrischen Gründen getilgte, die Zeile überfüllende und zweifellos
später zugefügte *Frowe* der Anrede. Vielleicht wollte man mit dieser
Adresse ein übriges tun und es über jeden Zweifel erhaben machen, daß
hier der Mann so deutlich begehrend sprach. Vielleicht auch handelt es
sich nur um eine – durch die neue Nachbarschaft bedingte – mechanische
Herübernahme der Anrede in der ersten Zeile der ersten Strophe[30]. Wir
wissen nunmehr nicht nur (wie schon seit von Kraus' textkritischen Erwägungen zu vermuten war), daß unsere Strophe ursprünglich an dritter
Stelle stand; sondern wir wissen nach diesen Erwägungen auch, weshalb
die Hss. sie von dort vertauschend an die zweite rückten. Zu solcher
Vertauschung lieferte äußerlich die Auffassung ein gewisses Recht, daß
die *maget* den *kranz* bzw. das *schapel* (die man bei gewaltsamer Interpretation identifizieren mochte) ja doch erst nach der Rede und Überredung
annehmen konnte[31].

Wilmanns-Michels[32] stellen fest, es sei „in Anbetracht der Abneigung
welche die Minnesinger im allgemeinen" gegen die erzählende Form
der Darstellung haben, „bemerkenswert", daß Walther hier erzähle.
Diese Erzählform wird jetzt schon verständlicher und zwangloser, wenn
wir erkannt haben, daß die ganze Begegnung ein Traumbericht ist (so
wie auch 94, 11 „erzählt"). Und eben diese Erkenntnis läßt wiederum
schon jetzt die Tatsache als nicht so erstaunlich erscheinen, daß wir es

---

[30] Vielleicht aber, um eine vage Vermutung hinzuzufügen, enthielt die Quelle
ursprünglich eine Rollenbezeichnung und dieses *(Diu) frowe (sprichet:)* faßte der Ab-
schreiber als Bestandteil der Rede auf?

[31] Es ist merkwürdig, daß von Kraus gerade den unechten (auch ihn, aus metrischen
Gründen), störenden Zusatz *Frowe* zugunsten seiner, der echten Reihenfolge, mobil
macht (WU 303): Der Fehler erkläre sich aus der ursprünglichen, also richtigen
Position der Strophe! Das „richtig" hergestellte, also in sich vollkommene und geschlossene Gedicht beweist sich ja gerade dadurch, daß es den Zusatz nicht verträgt!
Eine Verderbnis entsteht doch nur durch die Störung, und so ist sie Bestandteil der
unechten, nicht Beweis der ursprünglichen Reihenfolge.

[32] II, S. 280, Vorbemerkung zu 74, 20.

hier mit der „im älteren Minnesang" seltenen Form des Dialogs[33] zu tun haben: Auch er, der sich in der Traumwelt abspielt, wird episiert als Gegenstand einer Erzählung. Doch wird sich die relative Logik der Einzelinterpretation erst vor der literarhistorischen Untersuchung rechtfertigen und bewähren müssen.

Zusammenfassende Interpretation: Den Schlüssel für das Verständnis unseres Gedichtes 74, 20 geben zweierlei Erkenntnisse:

 1.: Str. III: *Ir sît* ... ist Frauenstrophe.

 2.: Wir haben es mit drei Realitätsebenen zu tun:

  a) der des Traumes; b) der des Wachens; c) der die beiden ersten umspannenden des Erzählens.

 Die Erkenntnis 1 fördert die Erkenntnis von 2:

Die indirekt aber deutlich ausgesprochene Liebesbereitschaft, ihrerseits gedeckt durch die Ambivalenz von tatsächlicher und übertragener Auslegung der Kranzschenkung und des Blumenbrechens, wird schließlich dem Bereich der konkreten Aktualität entzogen dadurch, daß sie, daß alles sich als Traum erweist. Der Dichter riskiert, durch die Tradition gestützt, die Kühnheit – aber er hält sich den Rückweg offen durch die Schlußpointe: Es war ja nur ein Traum ... (Diese Auffassung wird erhärtet durch das logische Moment: Das Suchen unter den *hüeten* ist nur sinnvoll, wenn die ganze Begegnung ein Traum war.) Das Gedicht stellt sich uns nunmehr in folgender äußerer und innerer Ordnung (Folge-Richtigkeit) dar:

I. Der Ritter bietet einem jungen schönen Mädchen, wie es der Brauch, einen Kranz von Blumen, den es im Tanze tragen soll. Lieber noch aber schmücke er, wie er beschwört, ihr Haupt mit Edelsteinen.

II. Sie nimmt an – und mit einer Gebärde, die ihren inneren Adel ausdrückt. Rot färben sich die weißen Wangen (so wie die Blumen weiß und rot sind, die sie pflücken werden) – *und*[34] ihre Augen schlagen sich in Glück und Scham nieder. – In wunderbarer Schlichtheit hat Walther hier die schüchterne Sicherheit des noch kindhaften Mädchens dargestellt,

---

[33] Wilmanns-Michels II, S. 187/88 zu 43, 9.

[34] [Im Erstdruck habe ich das „doch", das alle Hss. (also auch die beiden unmittelbar zusammenhängenden Zweige A und E) für 74, 33 überliefern, fälschlich auf 74, 32 bezogen. Es wäre mithin eine vorsichtige adversative Beziehung zwischen den beiden Versen 32 und 33 herzustellen: ihre hellen Augen zwar schlug sie nieder, *doch* dankte sie mir mit vollkommener Gebärde. Deshalb ist oben in den Text entgegen dem Wortlaut des Erstdrucks anstelle des „doch" ein „und" eingefügt.]

in Farben und Tönen, die das Volkslied kennt und die doch höchstver-
feinerte Kunst sind, hergeleitet aus dem klassischen und mittelalterlichen
Bereich lateinischer Literatur[35]. – Sie verbeugt sich dankend. Und jetzt
folgt wieder eine Wendung, die typisch ist für Walthers Neigung zur
Verschmelzung der beiden sozialen und kulturellen Sphären, in der die
eigentliche poetische Leistung seiner Mädchenlieder besteht (s. zuvor
schon *frowe: maget* in I; *kint: êre* in II): Er apostrophiert, als Konzession
an das Ideal der höfischen *mâze*, die *tougen minne* – hier im schlichten
Alltag des Volkes, der aller Doktrin höfischer Thematik entklammert
ist: Wenn ihm mehr Dank erwiesen wurde, dann werde er das heimlich
zu bewahren wissen.

III. Nun antwortet sie: Auch er, der Ritter ist schön (und sie nimmt
das ihr [indirekt] geschenkte Attribut aus I auf und schenkt es zurück).
Auch sie möchte ihm einen Kranz geben, „ihren" Kranz – womit sie
wiederum „parallel" reagiert (auf den *kranz* in I), und dennoch unend-
lich viel tiefer, ernster, opferungswilliger. Diese ungleichartige Gleichheit der Anreden und Angebote spiegelt die Vereinigung der zueinander-
strebenden „Ungleichen" wundersam wider. Konkrete wie übertragene
Bedeutung sind innig, unlösbar miteinander verbunden, die möglich Beziehung auf die wörtliche Auffassung dämpft, mildert – und ermöglicht
das Aussprechen des anderen Vorgangs. Das Schönste, was sie bewahrt
hat, wird sie ihm geben. Fern von hier, auf der Heide, unter dem Gesang
der Vögel, werden sie Blumen brechen, wird sie ihm den Kranz schenken.

IV. Höchstes Glück erfüllt ihn dort; und die Blüten rieseln hernieder.
In diesem Augenblick, als der Dichter in zarter Kühnheit Wunsch und
Sehnsucht der Hörer im eigenen Erlebnis Wirklichkeit hat werden
lassen, erfolgt der Umschlag: Das Übermaß des Glücks hat ihn zum
Lachen gebracht, das Lachen ihn – geweckt! Diese Pointe nun zeigt,
daß Walther tatsächlich nicht „wortbrüchig" geworden ist, als er ver-
sprach, das Geheimnis zu bewahren, dessen Wesen darin besteht, niemanden zu kompromittieren: das *wirt mirs iht mêr, daz trage ich tougen*
unterstrich raffiniert den fingierten Realitätscharakter und erfüllte die
Zuhörer mit um so größerer Spannung. Auch das enthüllte *mêr* aber
enthüllt sich am Ende als unwirklich, als *wünschen und wænen*[36]. Die ganze

---

[35] Dazu A. E. Schönbach, WSB 145, 1902, S. 52 ff.; s. a. Hennig Brinkmann, Geschichte der Lat. Liebesdichtung im Mittelalter, Halle 1925, S. 65; ders.: Entstehungsgesch. des Minnesangs, Halle 1926, S. 156, 157.

[36] Dies gegen Petsch, S. 233, der den „Widerspruch" zwischen der letzten Zeile von
II und der Schilderung von III und IV als „psychologische Merkwürdigkeiten" tadelt.

Begegnung im Zauber von Frühling, Tanz, Blumen und Liebe – sie war nur Traum[37].

V: Auf der „Wachebene" nun ist der Dichter gezwungen, immer noch als Sklave des Traumglücks zu handeln: Er sucht die Geliebte den ganzen Sommer lang. Vielleicht trifft er sie unter den Mädchen, die vor ihm tanzen? Den Kopfschmuck mögen sie lüften; wie, wenn er sie (und damit mündet das Gedicht in der Endzeile wörtlich wie bildlich wieder in die Traumwelt der ersten Strophe ein) unter dem Kranzschmuck fände!

Somit entsteht ein klarer, widerspruchsloser Geschehensablauf, der sich ohne alle Gewaltsamkeit der Deutung entfaltet und sich durch die kindlich-inbrünstige Rolle des Mädchens, seines Bekenntnisses zu ihrem Liebesgeschick und -glück tiefer, ernster und profilierter darstellt, als man bisher annahm. Statt undeutlichen Pendelns zwischen Wachen und Träumen bietet sich jetzt klare Entfaltung; statt begieriger Überredung durch den Mann spüren wir das entschieden-schlichte Bekenntnis des Mädchens, daß es so sein muß. Der Klarheit der Handlungsführung entspricht die Klarheit des Aufbaus, die sich in der ‚inneren Form' auf die formale Dreigliederung (Stollen, Stollen, Abgesang) des mittelalterlichen Liedes beziehen läßt:

I: Traumanrede (Ritter)
II: Traumhandlung

III: Traumgegenrede (Mädchen)
IV: Traumhandlung und pointierter Übergang in die „Wachwelt"

V: Wachwelt (aktuelle Gegenwart).

Der Traum nicht Wahn und Märchen, sondern Möglichkeit, potentielle Wirklichkeit – das ist einer der Wesenszüge, die dieses Gedicht

---

[37] Und ist damit auch dem Bereich von Gelöbnis und Wortbruch entrückt. – So sah z. B. Scherer den Beginn von Gedicht und Traum schon ineins, Lit.gesch.[5], S. 207; desgl. Pfeiffer-Bartsch (Ausg.), und zuletzt: Julius Wiegand, Zur lyrischen Kunst Walthers, Klopstocks und Goethes, Tüb. 1956, S. 29f. (wo auch treffende Bemerkungen zum Stil). Ganz klar hat diese Auffassung schon 1936 H. Schneider ausgedrückt (in der Rez. der WU, Anz. 55, S. 128): „Nur sollte . . . der Erklärer auch noch den letzten Schritt tun und mit der alten Anschauung aufräumen, daß die zwei ersten Strophen im Wachen gesprochen werden, die folgenden zwei Traum sind und die fünfte wieder nach dem Erwachen fällt. Diese unwahrscheinliche Meinung war ja doch nur durch frühere verkehrte Anordnungen bedingt. In Wahrheit ist Strophe 1–4 ein Traum, und das Erwachen erfolgt mit 5."

und seine Welt in volkstümlicher Schlichtheit und klassisch beeinflußter Rhetorik, in dem Widerspiel von Mann und Frau, von Höfisch und Volkstümlich, von Glück und demaskiertem Glück, von Humor und Ernst, in der realen Einheit von sinnfälligem und symbolischem Tun zu einem typischen Gedicht Walthers machen – und zu einem seiner schönsten.

Der Mann spricht, das Mädchen antwortet. Wir erhielten ein in sich widerspruchsloses Kunstwerk. Die „immanente Interpretation"[38] gibt sich zufrieden damit. Die Philologie jedoch hat nicht zu fragen, ob eine Deutung schön ist, sondern ob sie literarhistorisch möglich ist, und was sie literarhistorisch besagt.

Wir werden uns demnach nicht davon dispensieren können, das neu gewonnene Gedicht in das Werk Walthers wie in die Entwicklung des Minnesangs und die der mittelalterlichen Lyrik einzuordnen. Erst die Ergebnisse solcher Untersuchung werden den vorläufigen Gewinn endgültig legitimieren.

II. Die Gruppe der Walther-Lieder von Liebe und „*wân*"

Eine unmittelbare Stütze unserer Dialog-Auffassung schenkt uns Ps. Reinmar MF 195, 37. Die Frage ob echt oder unecht, soll uns hier nicht beschäftigen. Zuletzt hat von Kraus die Authentizität entschieden bestritten[39]. Dieses (nach von Kraus, RU I, 83, der hier nicht eben allzu gerecht ist) „höchst einfältige" Gedicht läßt eine *frouwe* einem Partner[40], der sich bestürzt nach ihrem schlechten Aussehen erkundigt, ihr Leid klagen: Sie muß den Geliebten entbehren, den die Gesellschaft von ihr fern hält. Wenn er aber wiederkommen wird (196, 17ff.), dann wird sie ihn anlachen, und:

196,21   *ê ich danne von im scheide*
           sô mac ich wol sprechen ‚gên wir brechen
                    bluomen ûf der heide'.

---

[38] S. dazu zuletzt: Rainer Gruenter, Euphorion 50, 1956, S. 235.
[39] RU I, S. 83; MFU, S. 403; Bartsch stimmte für echt, Paul und Plenio zweifelten, Schmidt, Burdach u. a. sprachen das Stück Reinmar ab.
[40] „nicht näher bezeichnetem Verwandten" Wilmanns-Michels II, S. 403, Anm. 63.

Diese Parallele ist für uns höchst bedeutungsvoll, denn hier fordert ganz unbezweifelbar die *frouwe* den Mann zum gleichen Tun auf wie gemäß unserer Untersuchung das Mädchen den Dichter. Von Kraus bezeichnet so auch Walther als das „Vorbild unseres Poeten" (RU I, 83), aber wiederum ist ihm der Gedanke peinvoll: der „Geschmacklosigkeit" solcher Aufforderung aus Frauenmund mache sich zwar auch Walther schuldig, „aber – im Traum!" nur geschehe es[41]. Seine Überlegungen zu diesem ganzen Komplex sind nicht klar zu verfolgen. In den RU läßt er von unserm Traumliebenlied 74, 20 weiterhin abhängen die Strophe Walther 119, 11–16: *Hœrâ Walther, wiez mir stât* . . ., die er damals noch für unecht hielt: hier werde die Aufforderung zum Blumenbrechen „taktvoll dem Manne in den Mund" gelegt (ibd. Anm. 3). In den Untersuchungen hingegen zu Walther (1935) und zu Minnesangs Frühling (1939) wird nur noch eine Abhängigkeit unseres Ps. Reinmar von eben jener (nunmehr von v. Kraus für echt gehaltenen) Walther-Strophe 119, 11 ff. konstatiert (WU 434; MFU 403), ohne daß diese Akzentverschiebung erklärt und ohne daß diese Vorbildstrophe in irgendeinen Zusammenhang mit dem in den RU noch gültigen Vorbild 74, 20 gerückt würde[42].

Entscheidend ist für uns vorerst: Im hohen Minnesang erklärt eine *frouwe* unumwunden, sie wolle den Geliebten auffordern, mit ihr Blumen auf der Heide zu brechen! Die Abhängigkeitsverhältnisse ändern nichts an dem Gewicht dieses Belegs.

Indessen läßt uns die M o t i v g l e i c h h e i t noch keine Ruhe:

Nur vier Mal bezeichnet Walther in seinen Dichtungen den ganzen Menschen als *wol getân*: zwei Mal in unserem Gedicht 74, 20 (74, 21 und 75, 9); die beiden anderen Male in dem schon angeführten Liede 118, 24 (119, 8; 119, 14) mit der umrätselten V. Strophe

119, 11   *Hœrâ Walther, wiez mir stât,*
           mîn trûtgeselle von der Vogelweide.
           helfe suoche ich unde rât:
           diu wol getâne tuot mir vil ze leide.

---

[41] Zu dieser Auffassung von Kraus' vom Jahre 1918 s. o. Anm. 14.

[42] Der Grund wird darin zu suchen sein, daß von Kraus so lange an eine Beziehung von 74, 20 zu Ps. Reinmar glaubte, als für ihn bei Walther das Mädchen sprach. Warum er jedoch später die Verbindung von 74, 20 zu 119, 11 aufgibt (nachdem doch seiner Meinung nach an beiden Stellen der Mann vom Blumenbrechen spricht), hingegen an der von 119, 11 zu Ps. Reinmar festhält (obwohl hier die *frouwe*, dort der Mann auffordern), ist rätselhaft.

15   *kunden wir gesingen beide,*
       deich mit ir müeste brechen bluomen an der liehten heide![43]

Sodann: Nur zweimal bedient sich Walther der Formel vom „Blumenbrechen auf der Heide" innerhalb des Bereichs von Natur und Liebe:
In der III. Strophe unseres Liedes von der Traumliebe (75, 12–16)
und – wieder – in jener umstrittenen *Hœrâ-Walther*-Strophe (119, 16).
(Von den weiteren drei in diesem Bereich gehörenden Formulierungen
102, 35 [*rôsen brechen*] und 112, 3 [*rôsen lesen*] sowie 39, 16 [*gebrochen
bluomen unde gras*] werden die ersten beiden sich ebenfalls als wichtig für
uns erweisen[44].) Wort- und Bildgebrauch wie die inhaltliche Nähe machen einen Zusammenhang der beiden Lieder sehr wahrscheinlich und
vermögen insofern auch zu dem Echtheitsproblem beizutragen. Kurz
den Gedankenablauf von 118, 24:

I. Der Dichter ist überglücklich; denn er hat die Hoffnung, seiner
frowen minne zu erringen.

II. Immer wenn er sie sah, dann leuchteten seine Augen. Die andern
mochte der Winter peinigen – ihm war er gleichgültig, und er fühlte
sich *die wîle* als ob er *enmitten in dem meien wære*!

III. Dieses Lied gilt dem Ruhm seiner Herrin. Sie hat es in der Hand,
ihn (und damit die Welt) glücklich zu machen – sie hat es in der Hand
ihn zu quälen.

IV. Niemand wird ihn von diesem *wâne* abbringen. Wo denn sonst
fände er eine so vollkommene Frau? Ihre Schönheit und ihr Ruhm über-
treffen den Helenas und Dianas[45].

V. *Walther, mein Bruder von der Vogelweide, höre wie es um mich steht: Rat
suche ich und Hilfe*[46]. *„Diu wol getâne' bereitet mir so viel Schmerz. Könnten wir
doch singen: ,ich darf mit ihr Blumen brechen auf der bunten Heide!'*

---

[43] Die übrigen Belege: Gott hat *w. g.* 119, 26; *kel, hende, fuoz* sind *w. g.* 54, 18;
unpersönlich abstrakt *ez* ist *(niht) w. g.* 84, 3; 88, 32; 116, 6; 2 Belege in unechten
Gedichten 121, 1; XVII, 30.

[44] Und auch die letzte entstammt einem Gedicht, das sachlich, stimmungsmäßig
und chronologisch in den Zusammenhang mit den behandelten gehört. Doch wider-
stehe ich wohlweislich der Versuchung, allzu innige Entsprechungen, Verbindungen
und Korrespondenzen zu knüpfen und damit romanhafte Züge zu unterlegen. – Ein
sechstes Zeugnis bedient sich der Formel rein metaphorisch (21, 5) und bezieht sich auf
den *fürsten ûz Osterrîche* und seine *milte*; s. dazu K. K. Klein, ZfdA. 86, 1955/56, 217f.

[45] Es verficht hier nicht, ob etwa nach Singers Vorschlag *Dione = Venus* zu lesen ist.

[46] Die Untersuchungen von Wolfgang Mohr, Hilfe und Rat in Wolframs Parzival,
Trier-Festschrift 1954, S. 173–197, sind weit über diese eine Dichtung hinaus von
Gewicht.

Von Kraus wendet (WU 431–434) viel Scharfsinn auf, um dieses Lied mit dem nach seiner Anordnung (und der von C) vorausgehenden inhaltlich und wörtlich eng zu verbinden und auf diesem Wege auch die Echtheit der V. Strophe zu erweisen – mit magerem Erfolg, wie bei aller Ehrfurcht vor des Verstorbenen unerreichter Meisterschaft gesagt werden muß. Von einer Beziehung zu 74, 20 ist bei ihm jetzt nicht mehr die Rede. Dabei ist die Gemeinsamkeit doch schlechthin in die Augen springend – selbst wenn man absieht vom Gebrauch der *wolgetân*-Formel, die – um es zu wiederholen – nur in 74, 20 und diesem Liede in dieser Form vorkommt, und absieht von dem Bilde des Blumenbrechens. Beide Lieder sind fünfstrophig. Beide sind voll innigen Liebesglücks, und in beiden erweist sich das Glück als illusionär. Denn der Entlarvung des Traumes auf der einen entspricht die Erkenntnis, daß es sich „nur um Wahnfreude" handelt[47] auf der anderen Seite. In beiden Liedern erfolgt die Desillusionierung in der IV. Strophe; in beiden bringt die V. einen konkreten Anruf an die gegenwärtige Situation, der das wirkliche Erlebnis mit der fernen Geliebten sucht. So mag man sich das zweite Lied als eine Fortführung des ersten denken und diese Vorstellung durch Einzelentsprechungen stützen: Immer wenn er sich *die schœnen* vorstellt, fühlt er sich aus kaltem Winter in den Maitraum verzaubert (II). – Das Suchen nach dem Sommertraum setzt sich fort: Wo, wenn er sie aufgäbe, fände er eine *alsô wol getâne*? Und dem Traumbild dort entspricht hier ihre Glorifizierung aus mythologischem Bereich: Sie übertrifft Helena und Diana (IV). – Der Anruf der V. Strophe apostrophiert hier wie dort die schale Wirklichkeit – im zweiten Falle durch einen imaginären Interlokutor, der der Dichter selber ist und durch den er sich ermutigt. Das Genus von *beide* zeigt, daß der Dichter und sein Gesprächspartner gemeint sind. Da aber der Wunsch, einen Freudensang anstimmen zu können, angesichts der Chance, mit der *einen wolgetânen* Blumen auf der Heide brechen zu dürfen, vernünftigerweise nicht für zwei verschiedene Männer gilt, bleibt kein anderer Schluß, als Walther hier mit sich im Selbstgespräch zu hören (eine sehr typische Zuspruch-Situation). So klingt aus diesen Strophen die gleiche Seelenverfassung wie in dem Traumlied – nur noch intensiver, noch ungeduldiger und weniger von Heiterkeit beglänzt: die Sehnsucht, in

---

[47] Wilmanns-Michels, Vorbemerkung, I, S. 397. – Maurer (Liebeslieder, Nr. 46) stellt Str. V an dritte Stelle.

9 Wapnewski, Studien

der Wirklichkeit zu besitzen, was Traum und Hoffnung schon schenkten.
Theodor Frings[48] meint, hinter Walthers Traumliebe (74, 20) stehe die
„Traumliebe des Arnaut de Maroill". Eher als an diese hochhöfische
Liebesepistel[49] würde ich an Jaufre Rudels *No sap chantar qui so no di*
denken[50]. Ein anderes Lied des Arnaut de Mareuil hingegen sollte man
mit dem *Hœrâ-Walther*-Lied vergleichen: *Bel m'es quan lo vens m'alena*...[51]
Da vergleicht der Dichter die Geliebte (III. Str.) mit Helena (und den
knospenden Blumen), und in der letzten ersehnt er sich mit ihr eine
„kurze Reise", einen „kurzen Weg": *Plus blanca es que Elena ... E pois
farem breu viatge | Sovendet e breu cami* ... Auch die Stimmung des Ganzen
ist vergleichbar: es ist ein Sehnsuchtslied, das ein Idol umwirbt und die
irdische Liebe mit ihm ersehnt, die im einen wie im anderen Fall metaphorisch durch einen „Ausflug" umschrieben wird! – Der mythologische
Vergleich ist bei Walther singulär; die Troubadours apostrophieren
Helena häufiger (so Bertran de Born beim Preis der Herzogin Mathilde
von Sachsen)[52]. Ganz offensichtlich steht Walther also in diesem Gedicht
(118, 24) den Troubadours nahe, und so sollte man auch den befremd-
lichen *Hœrâ*-Anruf der letzten Strophe aus dem Brauch der romanischen
Lyrik verstehen, zum Schluß (mit oder ohne Geleitstrophe) mit ver-
steckender Anspielung die Geliebte oder Vertraute, einen Freund oder
Vermittler, Zunftgenossen, Gönner oder Spielmann anzureden. Die
besondere Variante bei Walther besteht darin, daß er sich selber in die
Geleitstrophe stellt, damit die Intensität seines Anliegens verdoppelnd[53]
– und sich im Versteckspiel überschlagend: Gerade die offene Namensnennung erzeugt die Mystifikation.

Mit dem Wunsch, in dem 118, 24 endet, setzt ein anderes Lied, 112, 3,
ein: *Müeste ich noch geleben daz ich die rôsen | mit der minneclîchen solde lesen*...

---

[48] Minnesinger und Troubadours, 1949, S. 22.

[49] La Lírika de los Trovadores, Antología comentada por Martín de Riquer, I.
Barcelona 1948, S. 470ff.

[50] Ed. Jeanroy 1915, S. 16 = Nr. VI.

[51] Lommatzsch, Provenzal. Liederbuch, 1917, Nr. 56 = S. 107.

[52] S. Ferdinand Michel, Heinrich von Morungen und die Troubadours, Straßburg
1880, S. 211, S. 241; Wilmanns-Michels I, S. 490, Anm. 286. Zur Helena-Apostro-
phierung s. die Zusatz-Anm. oben S. 105.

[53] Zu bedenken ist fernerhin, daß ein Trobador wie Arnaut Daniel z. B. es liebt,
seinen Namen in der letzten Strophe zu nennen, s. Karl Voßler, Der Trobador Marcabru und die Anfänge des gekünstelten Stils, MSB, philos.-philolog.-hist. Kl., 1913/11,
München 1913, S. 6 u. Anm. 1.

Aber die heitere Hoffnung ist über inständigen Wunsch zu resignierter Klage geworden: *Wäre es mir doch noch vergönnt* ... Wiederum verbindet die Wortwahl; wiederum ist der Gedanke weiterentwickelt. Die Liebe zu der, mit der *minneclîchen* würde ihn mit höchster Glückseligkeit erfüllen – aber die zweite Strophe bringt den Umschlag: Aus dem Bekenntnis zu dem schönen ist die Absage an den leeren *wân* geworden; *lieblîch sprechen, singen, wîbes schœne, guot* sind dahin, des Menschen Würde ist zerbröckelt und mit ihnen jede Möglichkeit irdischen Glücks.

Einzelheiten, die unsere beiden letzten Gedichte verbinden, hat von Kraus klar herausgearbeitet (WU 400). Ein weiteres Lied hingegen, 102, 29 *(Mirst diu êre unmære)*, hat er isoliert und in die unbestimmte Gruppe der „Letzten Lieder" eingereiht. Ich glaube jedoch, daß es in unseren Zusammenhang gehört – und das nicht nur, weil es den vierten der insgesamt fünf Belege für *bluomen brechen, rôsen lesen* u. ä. bei Walther enthält; auffallender schon ist, daß es uns dazu den dritten der insgesamt drei Belege für den Gebrauch des Wortes *kranz* bei Walther bietet – deren erste beide in unserem Traumlied stehen. – *êre*, Ansehen, Glück vor der und durch die Welt, die flüchtig sind, verschmäht der Dichter:

> 102, 33 *alsô hân ich mangen kranz verborn*
> *und bluomen vil verkorn.*
> *jô bræche ich rôsen wunder, wan der dorn.*

Auch hier also wieder die Absage an den *wân*, an das flüchtige Glück, das Kranz und Blumen und das Brechen der Rosen schenken können. Er sieht *die gallen mitten in dem honege sweben,* spürt in den Rosen nur den Dorn (= I). – Die Freude an den diesseitigen Genüssen, am *tanze,* wird recht nur der empfinden können, der sein Herz bewahrt hat, des Endes eingedenk ist, dessen Außen seinem Innen entspricht (II, III). – Der Moralist erklärt das wechselnde Glück der Jugendzeit für eitel. Beständig allein ist die Redlichkeit, wichtig allein der sittliche Wert und die ihm entsprechende Stellung in der sozialen Ordnung.

So werden wir das Gedicht noch (mit Pfeiffer und Simrock) in den Bereich der Lieder von Minne und Liebe rücken – aber eben an deren Abschluß, ihnen dadurch zugehörig und nicht mehr zugehörig[54]. An die

---

[54] Bei Wilmanns-Michels, Vorbemerkung, I, S. 358 wird es zu einseitig auf den Herrendienst zugeschnitten.

Stelle der lebendigen Anschauung ist die Reflexion, an die Stelle der Hoffnung der Rückblick, an die Stelle persönlichen Wünschens und Sehnens der ordnende Schritt in die durch innere Würde bestimmte Position in der Gesellschaft getreten. Elemente der „Niederen Minne" werden durch Gnomik und Didaxe überlagert, die den Dichter herausführen aus unserem Bereich von *liebe* und *wân* in eine andere Welt, deren Blumen und Kränze von anderem Stoff sind.

Wieviel Vor- und Umsicht jegliches zeitliche Ordnen der Lieder verlangt, zeigt eindringlich Maurers Vorwort zu seiner Ausgabe der ,Liebeslieder'. Es handelt sich bei uns in solchem Sinne um einen Hinweis, der sich bewußt ist, daß er eine Seite vor allem herausarbeitet, wenn er – anstelle einer Zusammenfassung des Abschnitts – den Grad der Zusammengehörigkeit der 5 Lieder in Form eines Stemmas illustriert[55].

74, 20
Nemt, frowe, disen kranz
118, 24
Ich bin nû sô rehte frô
(V: *Hœra Walther*)

(28, 1   Ps. Reinmar 195, 37
Von Rôme vogt,   (Sie wünscht mit ihm
von Pülle künec[56])   Blumen zu brechen)

112, 3
Müeste ich noch geleben
102, 29
Mirst diu êre unmœre

---

[55] Unsere Reihung will im Sinne einer sich innerlich bedingenden Ordnung, nicht unbedingten arithmetisch-chronologischen Nacheinanders verstanden werden. Ich verweise auf Maurers nachdrückliche Mahnung, über der Sukzession von Gruppen nicht deren zeitliches Nebeneinander auszuschließen (Liebeslieder, S. 12, 26). Bei M. steht ,Traumliebe' als Nr. 65 in Gruppe IV („Mädchenlieder, von 1205 ab"). 118, 24 und 112, 3 rückt auch er zusammen (als 46 und 47), aber in Gruppe II, Lieder aus der Wanderzeit 1198–1203, „manche vielleicht später". Zu anderen Zeitansätzen vgl. Maurers instruktive Gegenüberstellungen S. 15–18 und 28 f.

[56] Datiert: 1220; die Beziehungen zu 74, 20, in unserem Zusammenhang nicht von Belang, geben von Kraus (WU 304 f.) für dieses den Terminus ante quem. Man könnte mit ähnlichen Argumenten auf den Spruch 24, 33 und (bei Walthers spärlichen *schapel*-Belegen) dessen *schappel* und *frowen zeinem tanze* verweisen, den uns jetzt K. K. Klein trefflich erschlossen hat (ZfdA 86, 1955/56, S. 227 ff.).

III. Die Pastourelle

Die Frage lautet vorerst einfach: wie fügt sich ein Dialog wie der unsere in Walthers Schaffen ein? Sie wird die weitere Frage nach sich ziehen: ob die deutsche Lyrik vor Walther Dialoge kennt, und wenn ja, welcher Art sie sind; und sie wird sich schließlich nicht auf die deutschsprachige Lyrik beschränken lassen.

Außer dem von uns entdeckten kennen wir drei Minne-Dialoge Walthers: 85, 34 *(Frowe 'nlât iuch niht verdriezen ...)*; 70, 22 *(Genâde, frowe! tuo alsô bescheidenlîche ...)*; 43, 9 *(Ich hœre iu sô vil tugende jehen ...)*[57]. Führt von diesen Dialogen ein Weg zu dem unseren? Es ist eine wichtige Feststellung, daß in keinem von ihnen die Dame ihrem Ritter ein Liebesgeständnis macht. In 70, 22 bekundet sie zwar scheu, daß sie ihn *under wîlen gerne* bei sich *sæhe* (70, 35) – aber die Liebe ist doch schon überwuchert durch Enttäuschung, Resignation und Argwohn. Carl von Kraus hat sehr schön darauf hingewiesen (WU 282), daß sich gerade dieses scheue Liebesbekenntnis nicht in einer Dialogpartie, sondern im alten Wechselstil äußert: Str. II und III sind formal noch in der alten Monologform gehalten, Str. I und IV sind lebendige Anrede. Das Gedicht zeigt „also historisch genommen eine Übergangsform". Von Kraus erklärt das psychologisch. Die *frouwe* will, kann dem Manne nicht das offene Geständnis ihrer Zuneigung machen. „Derselbe Grund ist für Walther auch sonst maßgebend: Überall, wo die Dame ihre Neigung verrät, redet sie vom Geliebten in der dritten Person ..., wo das nicht der Fall ist, wendet sie sich direkt an ihn".

Anders ausgedrückt: Der höfische Dialog scheint nicht die Form zu sein, die eine offene Bekundung des weiblichen Liebesempfindens dem Partner gegenüber erlaubt. Das erklärt sich zwanglos aus der Struktur des Minnewesens. Vielmehr war, wie das zuletzt Theodor Frings deutlich gezeigt hat[58], der Dialog zwischen den Geschlechtern einer anderen Form der Kommunikation vorbehalten: der agonalen, pointierten, lehrhaften Auseinandersetzung. Modell und Quelle ist die provenzalische Tenzone, und zwar deren fingierter Typus (in dem der Partner erdacht ist). Unter dem Einfluß provenzalischer Konversation sind schon die

---

[57] Dazu kommen außerhalb der Minnesphäre noch die Absage an *Frô Welt* und den *wirt* (100, 24) und der Atzespruch (82, 12) [sowie der Botendialog 112, 35].

[58] Walthers Gespräche, in der Festschrift für Dietrich Kralik, 1954, S. 154–162.

Strophen Johansdorfs und Reinmars entstanden. Erst Walther aber „gibt solchen Gesprächen die klassische Form der provenzalischen Tenzone ... Das Gespräch tritt an die Stelle des veraltenden und sterbenden Wechsels"[59]. Seine Einführung gab der „eintönigen Form" des Minneliedes romanischer wie deutscher Sprache „eine Wendung ... zu größerer Lebendigkeit"[60]. Diese Wendung erkannte Walther und vollzog sie auf deutschem Boden – und auch hier erweist sich die Lebenskraft einer neuen Form in ihrer Wandelbarkeit: er gab ihr neuen, seinen Esprit. In seinen drei höfischen Dialogen (die „fingierte Tenzonen" sind) spricht die Dame „nicht wie in provenzalischen Tenzonen als Eifersüchtige und Hadernde, sondern als die hohe, überlegene, geistvolle Erzieherin des Mannes der Kanzonen"[61].

Wir halten fest, daß Walthers drei höfische Dialoge unserem Liede 74, 20, in dem das Gespräch nicht Mittel der Auseinandersetzung, sondern Medium des Zueinanderfindens ist, fernstehen. Und wir vermerken ferner die an sich nicht erstaunliche Tatsache, daß in des wirklichen Dichters Hand (der im Mittelalter auch immer ein wirklicher ‚Anverwandler‘ ist) eine neue Form ihren Stil ändern kann, ohne ihre Substanz einzubüßen.

Das Gefäß für die hingebungsvolle und -bereite, sehnsuchtsschwere, wünschende und werbende Liebe der Frau ist von alters her das F r a u e n - l i e d, die Frauenstrophe. Hier ist der „Anfang aller Lyrik"[62]. Die liebenden, selbstbewußt-werbenden Frauenstrophen des frühen deutschen Minnesangs atmen den gleichen Geist wie die älteste uns erkennbare romanische Liebeslyrik, die Mädchenlieder, Frauenlieder, *cantigas d’amigo*, *cantares d’amigo*. Die mozarabischen, die galicisch-portugiesischen, die kastilischen Mädchenlieder sind, nach Frings, Grundlage und Vorboten der westeuropäischen Kunstlyrik, sind als Grundlage aller Lyrik der Iberischen Halbinsel (Dámaso Alonso) auch der Grund für die Blüte der provenzalischen, französischen, mittellateinischen, deutschen Lyrik.

Hier steht nicht die Ursprungsfrage der mittelalterlichen Lyrik zur Debatte. Wichtig ist für uns, daß die innige Liebesbekundung aus Mädchenmund ihre alte Tradition hat, die auf eine „gemeineuropäische

---

[59] Frings, Gespräche, S. 156.
[60] Ebda. S. 158.
[61] Ebda. S. 162.
[62] Th. Frings, Altspanische Mädchenlieder aus des Minnesangs Frühling, PBB 73, 1951, S. 176–196; Zitat S. 192. – S. auch oben S. 13 ff.

Schicht" noch vor dem 11./12. Jh. zurückführt[63] und die wir deutlich wiedererkennen in den Frauenstrophen unserer frühesten Lyrik: *Chume, chume, geselle mîn, ich entbîte harte dîn* (Hilka-Schumann 174a; wohl ein Wechsel) strömt die gleiche Intensität der Sehnsucht und des Besitzenwollens aus wie das schon adelig stilisierte *er muoʒ mir rûmen diu lant, ald ich geniete mich sîn.*

So ist denn das Bekenntnis erwidernder, sehnender Liebe aus Frauenmund gattungsgeschichtlich dem Monolog vorbehalten – sei es dem des Frauenliedes, sei es den Frauenstrophen eines Wechsels. Doch ist im deutschen Minnesang die Zeit für solche Geständnisse bald vorüber – die Rücksicht auf *ʒuht, mâʒe* und *êre* nötigen die Dame des höfischen Sanges zur Zurückhaltung. Immerhin finden wir Nachzügler auch noch bei den Späteren[64], so beim jungen Walther 119, 17 oder bei Hartmann 216, 1. Allein steht das eine *Under der linden* da, das einzige Lied Walthers, „in dem weiblicher Mund von dem Glück genossener Liebe spricht"[65], und in ihm knüpft der Dichter ebensowohl an Tradiertes und fast Vergessenes an, wie er Neues und Unerhörtes hineingab. Wir sehen es jetzt an der Seite unseres Dialogs 74, 20: in beiden Liedern das einfache, unhöfische Mädchen. In beiden Liedern bekennt es seine Liebe zu dem Ritter. Beide Lieder haben lyrischen Kern und epischen Rahmen. Beide sind vermutlich Tanzlieder[66]. Vor allem aber: in beiden ist das offenbarte Geheimnis höchsten Liebesglücks gedämpft, verschleiert, auf Distanz gehalten durch einen Kunstgriff der Darstellung: hier der wie absichtslos plaudernde Mund, der die Realität des Erlebnisses in die Erinnerung versetzt; dort das Liebesgespräch, das sich als Traum erweist.

Nachdem wir in Walthers Dichtung Vergleichbares in der Form nur dort fanden, wo der Inhalt fernsteht (nämlich die drei Tenzonen), Vergleichbares in Stil, Inhalt und Atmosphäre dort, wo wiederum der reine Monolog herrscht *(Under der linden)*, müssen wir die Dichtung vor Walther nach Wechselgespräch und Dialog durchmustern. Zwar haben wir bereits erfahren, daß die eigentliche confessio der weiblichen Liebe sich im Monolog vollzieht, doch werden wir auch keimhaften Präfigurationen unserer Traumszene nachzuspüren haben. Den Wechsel indes

---

[63] Frings, Altspan. Mädchenlieder, S. 192.

[64] S. Carl von Kraus, Unsere älteste Lyrik, Festrede i. d. Bayerischen Akademie der Wissenschaften, 1930, S. 13, 15f.

[65] Von Kraus ebda. S. 18.

[66] Frings, Minnesinger und Troubadours, S. 3.

können wir von vornherein beiseite lassen, desgleichen seiner Sonderstellung halber das Tagelied.

Die Sichtung ergibt vier verschiedene Typen des Dialogs im deutschen Minnesang vor Walther:

1. Der berichtete Dialog zwischen Dritten.
Die Sänger selbst begnügen sich mit der *inquit*-Formel: *sô sprach* ...; *alsô redeten* ... Es handelt sich um MF 8, 9 (Kürenberg); 32, 5 (Dietmar); 4,35 (Kaiser Heinrich[67]). Offensichtlich die älteste Stufe.

2. Der Botendialog.
Zu dieser Sonderform gehören: MF 177, 10 (Reinmar, „das früheste wirkliche Gesprächslied neben jenen Walthers", von Kraus[68]); 214, 34 (Ps. Hartmann); 112, 35 (Walther).

3. Reiner Dialog zwischen Dritten.
Gerade diesen Typus, der ohne Einrahmung und Kommentar die Liebenden im Gespräch zeigen könnte, gibt es nicht! Es gehört lediglich hierher das bereits besprochene Lied Ps. Reinmar MF 195, 37.

4. Der berichtete Eigendialog.
Diesem Typus, in dem der Dichter von einem Gespräch erzählt, das er selber geführt hat, gehört unser Stück 74, 20 an. Das erste Lied dieser Gattung gibt uns Johansdorf (MF 93, 12), er zuerst zeigt den „Sänger selbst im Zwiegespräch mit der Dame"[69]. Es handelt sich um ein reines Streitgespräch, das Vorbild der Tenzone ist unverkennbar[70]. – Sodann gehört hierher das Namenlose Lied MF 6, 14, in dem das erzählerische Element in viel stärkerem Maße das Übergewicht hat. Beide Stücke beginnen mit erzählendem Eingang: das Namenlose Lied mit der Naturschilderung, Johansdorf mit der Berichtsformel *Ich vant* ... Es handelt sich also (wie beim Tagelied) um die lyrisch-epische Mischgattung, die „Lieblingsgattung des späteren Volksliedes"[71], die besonders geeignet ist, die Begegnung der Liebenden zu beschreiben.

---

[67] Die Argumente, mit denen von Kraus MFU, S. 111f. die II. Str. dem Manne in den Mund legt und somit aus dem Gedicht einen Dialog macht, sind auch für unseren Fall interessant.

[68] Unsere älteste Lyrik, S. 17.

[69] Wilmanns-Michels I, S. 403, Anm. 63.

[70] Zum provenzalischen Einfluß s. Wilmanns-Michels ebda.; Vogt, MF z. St. – Vgl. Ulrich von Singenberg, Bartsch LD XXX, 1, wo der stichomythische Charakter noch stärker ausgeprägt.

[71] Wilmanns-Michels I, S. 403, Anm. 63.

5. Reiner Eigendialog.

Hier erzählt der Dichter nicht von seinem Gespräch mit dem Partner, sondern er gibt es, ohne jede Einkleidung. Diesen „reinen Dialog zwischen Sänger und Frau ohne jedes epische Element bietet erst Walther"[72], und zwar in den zuvor genannten drei „fingierten Tenzonen".

Zusammenfassend: Die deutsche Lyrik bis zu Walther ist ausgeprägt „lyrisch", d. h., sie vermeidet auffallend streng sowohl episch-erzählende wie dialogisch-dramatische Partien, ist also *genre subjectif*[73]. Der episch-lyrische Typ ist wohl der ursprüngliche. Er bedient sich formelhafter Elemente (Natureingang; Einleitungsformel). Der reine Dialog (und d. h. Eigendialog) ist unter dem Einfluß der provenzalischen Tenzone, des *débat*, entstanden und wird uns erst durch Walther geschenkt[74].

Elemente unseres Liebesliedes 74, 20 („berichteter Eigendialog") wird man wiederfinden in der epischen Einkleidung von Johansdorfs Strophen, in dem Natureingang des Namenlosen Liedes. Doch bringt keines von ihnen Liebesbegegnung und Liebeserfüllung.

So stellt sich zu diesem Stand der Untersuchung eindringlich die Frage: Gibt es überhaupt ein Genre, das die wesentlichen Elemente in Walthers Lied von der Traumliebe enthält und durch sie als Gattung bestimmt wird? Von der Beantwortung dieser Frage wird die philologisch-literargeschichtliche Relevanz unserer Gedichtauffassung bestimmt werden.

Reduziert man die Elemente unseres Gedichtes auf ein typologisches Schema, so erhalten wir folgende inhaltliche, formale und stilistische Bestandteile: Begegnung eines Mannes und eines Mädchens, die zur Liebesvereinigung führt. Der Ort ist die freie Natur, und offenbar ist es die Zeit des Frühlings. Der soziale Status der beiden ist sehr unterschiedlich, der des Mannes hoch (Ritter), der des Mädchens niedrig (Landmädchen). Der Held der Begebenheit ist identisch mit dem Erzähler. Der Bericht umschließt als seinen Kern einen erotischen Dialog (doch sind epische und dramatische Elemente eingebettet in die liedhaft-lyrische

---

[72] Wilmanns-Michels, ebda.

[73] S. auch Wilmanns-Michels I, S. 30.

[74] Eine schematische Einteilung der Dichtungsgattungen nach den redenden Personen (Dichter allein; Personen allein; Dichter und Personen) war dem Mittelalter nicht fremd: sie wurde ihm durch den Grammatiker Diomedes (4. Jh.) vermacht, der seinerseits auf Platons dichtungsfeindlicher Klassifikation fußt; s. E. R. Curtius, ELLM, 1948, S. 439f.

Form des Ganzen). Der Schluß ist pointiert-abrupt, der Eingang nicht frei von Formelhaftem *(alsô sprach ich …)*. – Als – jedoch nicht uninteressante – Akzidenzien seien noch erwähnt: zu den Requisiten gehört ein Kranz; und der Mann bietet ein Geschenk (und böte deren mehr, wenn er hätte).

‚Le mythe de la pastourelle allemande‘ ist ein Aufsatz betitelt, den der französische Germanist André Moret 1948 publizierte[75]. Schon der Titel ist Programm. Nicht minder entschieden bekämpft Moret die Statuierung einer deutschen Pastourelle in seinem nützlichen Handbuch ‚Les débuts du lyrisme en Allemagne (des origines a 1350)‘[76]. Es ist sehr verdienstvoll, daß Moret Schneisen schlägt in das Dickicht von verfilzten Undeutlichkeiten, immer wieder tradierten und übernommenen halbklaren und halbgaren Meinungen und Behauptungen. Seit Wackernagel (1846) und Bartsch (1864) wandert die „deutsche Pastourelle" durch die Literaturgeschichten und Handbücher, und es ist Moret durchaus zuzustimmen, wenn er „le vague des affirmations" kritisiert[77]: man liest seit je von „pastourellenhaften", „-artigen" Zügen, und das Milieu sei dem der Pastourelle „verwandt", „benachbart" oder es „klingt an". Die mangelnde Klarheit in Sache und Begriff wird auch evident an der Variationsbreite der Beispiele: es gibt durchaus keine Übereinstimmung in der Auswahl der für „Pastourellen" erachteten Stücke. Hat man erst einmal das Feld selber abgeschritten, fehlen einem Recht und Mut, die Zunft gegen Morets Verdikt zu verteidigen: „De toute évidence, la plupart des historiens n'ont que des connaissances de seconde main"[78].

Das an sich nicht leicht verständliche Faktum, daß die mittelalterliche deutsche Lyrik gerade dieses wichtige Genre nicht von der „provenzalischen Mutter" (Frings) übernommen habe, erklärt Moret soziologisch. Er erkennt die Pastourelle für eine höchstkultivierte Blüte höfischen Geschmacks, für ein „genre conventionnel et savant"[79], und befindet sich dabei in Übereinstimmung mit den meisten Romanisten: „Tout le monde est d'accord … pour reconnaître dans la pastourelle une chanson aristocratique cultivée dans les milieux courtois du XIIᵉ et

---

[75] Etudes Germaniques 3, S. 187–193.
[76] Lille 1951, S. 296ff.; s. dazu Rainer Gruenter, Anz. 66, 1952/53, S. 93–99.
[77] Mythe, S. 188.
[78] Ebda.
[79] Débuts, S. 295.

du XIIIe siècle"[80]. In Deutschland nun fehlt dem ritterlich-höfischen Milieu die letzte raffinierte Verfeinerung, die nötig ist „pour goûter pareille fiction"[81]. Diese Erklärung wird für möglich halten, wer sich mit dem Fehlen der Gattung selbst abgefunden hat – das doch verwunderlich bleibt angesichts der Fülle übernommener höfischer Sitten und subtiler Gesten, angesichts der Rezeption von Tagelied und Minnedienst, angesichts der Minneparodie.

Welches sind nun die das Genre konstitutiv bedingenden Elemente (deren Fehlen die Behauptung vom Fehlen der Gattung selbst rechtfertigte)? Alle Definitionen der provenzalischen und französischen Pastourelle stimmen darin überein, daß es sich um die Darstellung einer Begegnung unter freiem Himmel zwischen einem „galant d'une classe élevée", in klassischer Zeit um einen Ritter also, und einem Mädchen aus dem Volke, einer *bergère*, einer *fille des champs*, handelt. Der Ausgang der Begegnung entspricht entweder den Wünschen des Ritters, der das Mädchen mehr oder minder leicht überredet, oder aber er läuft ihnen zuwider, da das Mädchen sich verweigert. Die Variationsbreite in der Ausschmückung der Verführungsszene reicht auf der einen Seite von schmeichelnden Worten bis zu brutal-zynischer Gewalt, auf der anderen von bereitwillig-lockendem Geneigtsein bis zum Auftrag von Bedingungen (das Lamm aus dem Rachen des Wolfs zu retten) und Hilferufen an die herbeieilenden Freunde und Verwandten[82]. Eliminiert man die Akzidenzien, so bestimmen sich die gattungspoetisch wesensbedingenden Elemente durch folgende Tatsachen:

1. „Die Bezeichnung ,Pastourelle' ... bezieht sich nur auf den Inhalt eines Liedes, nie auf seine Form"[83].

---

[80] M. Delbouille, Les origines de la pastourelle, Académie Royale de Belgique, Classe des lettres et des sciences morales et politiques, Mémoires XX, 2, Brüssel 1926, S. 7. Diese Charakterisierung sagt natürlich noch nichts über die vertrackte Ursprungsfrage aus. – S. auch Alfred Jeanroy, Les origines de la poésie lyrique en France au moyen âge, ³1925, S. 19: „Le caractère profondément aristocratique"; desgl. Alfred Pillet, Zum Ursprung der altprovenzalischen Lyrik = Schr. d. Königsberger Gelehrten Ges., Geisteswiss. Klasse, 5. Jg. H. 4, Halle 1928, S. 346f.

[81] Moret, Débuts, S. 296/97.

[82] S. z. B. Jeanroy, Les origines, S. 2; – W. P. Jones, The Pastourelle. A Study of the Origins and Tradition of a Lyric Type, Cambridge/Mass. 1931, S. 7; – Moret, Débuts, S. 294.

[83] Friedrich Gennrich, Grundriß einer Formenlehre des mittelalterlichen Liedes, Halle 1932, S. 30; Form hier im musikalisch-tektonischen Sinne (Strophen- usw. Form). Wenn im folgenden von „Formen" die Rede ist, so sind damit Stilformen gemeint: Dialog, epische Einkleidung usw.

2. Stilistisch ist die Pastourelle eine Mischgattung: Ihr Kern ist ein Dialog. Dieser ist abzuleiten aus der Form des *débat* (prov. *tenso*), der, eine alte Dichtform und als solche durch verschiedene Themen bestimmt und abgewandelt, „le fond de la pastourelle" ist[84]. Mithin gehört sie – gleich Tenson, Partimen und Coblas – dem dialogisierenden Genre an. Anderseits jedoch ist der Dialog „accompagné d'un élément narratif", wodurch die Pastourelle – wie z. B. die Alba oder die *chanson de mal mariée* – dem genre objectif zugehört[85].

3. Die Spannung des inhaltlichen Gefüges wird bestimmt durch die Tatsache, daß hier eine Begegnung der beiden Exponenten der sozialen Stufenleiter statthat.

4. Der Prospekt ist durch eine bestimmte Staffage, der Stil durch bestimmte Formeln geprägt.

Ergänzend gebe ich die Bestimmung der Pastourelle nach ihren genuinen Elementen, wie sie seit Jeanroy kanonisch ist[86]:

1. „L'élément essentiel en est évidemment un débat, et particulièrement un débat amoureux". (Ursprünglichste Form: der berühmte ‚Contrasto' des Cielo d'Alcamo). Man begnügte sich dann nicht mehr mit der Vermutung oder Andeutung, der Ritter möge seinen Willen bekommen haben, sondern „prit l'habitude de développer et de préciser ce dénoûment": in Form der

2. „Oaristys", d. h. der „union des amants"[87].

Débat amoureux und Oaristys sind gemäß Jeanroy so eng benachbart, „qu'il est presque impossible de les isoler". Man versetze sie in eine ländliche Szenerie, schicke ihnen eine erzählende Einleitung voraus, in der sich der Erzähler als Held der Begebenheit ausgibt – und es schlüpft die scheinbar so „fremdartige" Pastourelle heraus.

---

[84] Jeanroy, Origines, S. 45; s. a. Moret, Mythe, S. 189: P. = „une variété du débat".

[85] Alfred Jeanroy, La poésie lyrique des troubadours, 2 Bde., Toulouse-Paris 1934, Bd. II, S. 249f., S. 282f.

[86] Les origines, S. 13 ff.

[87] „c'est-à-dire l'énoncé du motif de la rencontre" Moret, Débuts, S. 296; „récit de la rencontre de deux amants" Delbouille, S. 8. Man kann bezweifeln, ob dieser Terminus, den Jeanroy „mangels eines besseren" wählte, nützlich ist. Immerhin setzt er die Kenntnis des gleichnamigen Stückchens Hirtenpoesie des (Ps.-) Theokrit voraus (Wilamowitz Nr. XXVII), einer stichomythischen Liebesplauderszene zwischen Δάφνις und Κόρη (*adolescens* und *puella*). Einem ὀαριστής entspräche dann mhd. der *redegeselle*, *redebuole*, dem Vb. ὀαρίζειν Walthers *erkôsen* (112, 5) [s. Wilmanns-Michels II 317, Anm. zu 86, 28].

Die psychologische Erklärung für die Beliebtheit der Gattung nun gibt nach Jeanroy

3. die Gewohnheit der Alten „de *gaber*, c'est-à-dire de se vanter ... d'exploits plus ou moins imaginaires".

Was den Ursprung des Genres selbst angeht, so steht es um die Theorien und Bemühungen nicht weniger vertrackt als um die Frage nach dem Ursprung der mittelalterlichen volkssprachlichen Lyrik überhaupt. Virgil (Faral) und die Mittellateiner (Brinkmann, Delbouille), die autochthon-volkstümliche (Gaston Paris in seiner Mailiedtheorie) wie die höfisch-literarische Schicht (Jeanroy) sind für die Basis erklärt worden, und es ist zu erwarten, daß uns eine einhellige Lösung so wenig geschenkt werden wird wie z. B. für die Ursprungsfrage des Minnesangs. Indessen gehört eine Erörterung dieses Problems nicht in den Bereich unseres Themas. Vielmehr sind vorerst, nachdem wir die Elemente der Pastourelle phänomenologisch und genuin umrissen haben, einige Details zu Vokabular, Szenarium und Personal anzufügen.

Eines der Argumente, mit denen Moret das Recht zur Statuierung einer deutschen Pastourelle bestreitet, ist das Fehlen der „ouverture habituelle" in den deutschen Gedichten[88]. Selbst wenn sämtliche uns erhaltenen etwa 160 provenzalischen und französischen Pastourellen[89] ausnahmslos im Stil der Formel *l'autr' ier, l'autre jor* beginnen, dann bleibt doch Morets eigener Hinweis auf das Fragment *CB* Schmeller 105a (= Hilka-Schumann 142a) *Ih solde eines morgenes gan* wie auf den Herzog von Brabant (Bartsch LD 82, 37–57) *Eenes meienmorghens vroe* von einigem Gewicht. Freilich stehen diese beiden Dichtungen nicht eben im Zentrum der mittelalterlichen deutschen Lyrik, doch hat auch die deutsche Pastourelle – das sei hier schon gesagt – nicht im Zentrum, sondern am Rande gestanden; aber mehr als ein Mythos war sie doch. – Sodann kritisiert Moret das Szenarium der als solche ausgegebenen deutschen Pastourellen[90]. Die Szene werde bei ihnen zuweilen – wie nie in den provenzalischen oder französischen – z. B. in *walt, hecke* oder *holz* verlegt[90a]. In der Tat sind manche der von ihm monierten Stücke keine

---

[88] Mythe, S. 191; Débuts, S. 297.

[89] Moret, Mythe, S. 190: ca. 30 provenz., ca. 130 französische P.n; Delbouille, Origines, S. 5 f. und Anm. 2, 3 zählt ca. 25 provenz.: „au moins cinq fois plus nombreuses" seien die französischen; dazu kämen 5 mittellateinische.

[90] Ebda.

[90a] Und wie beurteilt Moret Marcabrus *L'autrier jost' una sebissa*, wie Guirauts *Can auzi d'una bergera | Lo chan jost' un plaissaditz*?

Pastourellen. Indessen sollte man mit der Topologie wohl nicht zu kleinlich verfahren, wenn nur die Begebenheit unter freiem Himmel angesiedelt ist. – Der schwerstgewichtige Einwand trifft das Personal. „Pastourelle" – das ist eine sich mit einer „kleinen Schäferin" beschäftigende Dichtung. Und eine Schäferin kommt in den deutschen Stücken nirgends vor!

Diese Figur nun rollt, verständlicherweise, das Herkunftsproblem wieder auf. Warum das einfache Mädchen ausgerechnet einem bestimmten Berufsstande angehören muß, ist auch der romanistischen Forschung nur dann einleuchtend, wenn sie hier das Vorbild der antiken Bukolik durchschimmern zu sehen vermag. Plausibel ist die Feststellung daß der Dichter sich nicht eines handfesten Liebeserlebnisses mit einer adligen Dame rühmen durfte. Also teilte man die Rolle der Partnerin dem einfachen Mädchen zu[91]. Nach Delbouille[92] erklärt sich dann die Fixierung auf die Schäferin aus Ort und Zeit, wie sie in der Gattung (und ihren Vorformen) seit dem XI. Jh. tradiert waren: Frühling und freie Natur.

Hier bedarf es einer kurzen Besinnung auf den elementaren Unterschied zwischen dem Pastourellen-Szenarium und -Personal einerseits und dem der abendländischen Pastoraldichtung der Antike, der Renaissance und des Barock, deren Eklogen, Dramen und Romanen anderseits: Die echte Hirtendichtung zielt auf eine spielerische Identifizierung der Gesellschaft mit dem Hirtenleben – die Pastourelle will im Gegenteil die Kontrastierung. Die echte Hirtendichtung spielt unter unechten Hirten – die echten Hirten der Pastourelle versperren in Grobheit und Tölpelhaftigkeit, in Sinnlichkeit und Derbheit den Weg zur echten Hirtendichtung. Die echte Hirtendichtung verklärt den Hirtenstand – die Pastourelle degradiert ihn. Die echte Hirtendichtung erfüllt die Natur mit dem Zauber von Göttern und Nymphen, Pan bläst die Flöte, Apoll ist nah, und Ganymed und Daphnis sind in jedem ihrer Schüler gegenwärtig, denen Platanen und Tamarisken des entrückten Arkadien labenden Schatten spenden[93]; – die Schäfersphäre der Pastourelle ist entzaubert, rauh, ja roh, und die Natur ist die Umwelt des Bauern[94]. Die eigentliche Hirtendichtung ist fern aller sozialen Problematik, Gesellschaft und imaginäres Hirtenvolk koinzidieren – die Pastourelle reißt bewußt in

---

[91] Jeanroy, Origines, S. 22.
[92] Origines, S. 43.
[93] S. dazu E. R. Curtius, ELLM 1948, S. 193 ff.
[94] Was selbstverständlich die Anwendung der *locus-amoenus*-Topik nicht ausschließt.

einem ihre Struktur bestimmenden Kunstgriff die sozialen Klüfte auf und trennt die eine Welt von der andern (auch und gerade in der Vereinigung durch die Trieb-Liebe)[95].

Das Ergebnis dieser Überlegungen: Für die echte Hirtendichtung ist das Hirtenkostüm konstitutiv – darunter hat sie nichts. Für die Pastourelle ist das Hirtengewand nur Kostüm – darunter steckt das Landkind. Offensichtlich ist in ihr der eine Stand lediglich soziologisch repräsentativ gemeint und steht für das niedere, das Landvolk schlechthin. Es lag nahe, da der Partner der Oberschicht immer klar fixiert war (vielleicht ursprünglich als Kleriker, in der klassischen Zeit jedenfalls immer als Edelmann), dem Parallelismus zuliebe das Bauernmädchen auch in einen Stand zu zwängen. Da mag dann die Tradition der Bukolik einen letzten Anstoß gegeben haben.

Nach diesen Erwägungen wird man sagen können, daß die Schäferin zwar gattungscharakteristisch, nicht aber gattungsbedingend ist[96].

Wir kommen zu einem weiteren wichtigen Element im „inneren Stil" der Pastourelle. Zu den charakteristischen Merkmalen der Pastourellen-Atmosphäre zählt die in vielen Fällen selbstverständliche Hingabe des Mädchens. Deren „Bereitwilligkeit, ja oft Begierde" erachtet z. B. Erich Köhler[97] (samt ihrer untergeordneten sozialen Stellung) als die

---

[95] Vossler hat – Tassos Aminta und die Hirtendichtung, 1906, wieder abgedruckt in: Aus der Romanischen Welt, Karlsruhe 1948, S. 57–77 – ausgeführt, wie sich aus der Berührung der beiden Pole Komik ergibt (S. 60) (denn dem Mittelalter war alles Ungewöhnliche, Exzentrische „komisch").

[96] Als ein Symptom dafür mag man auch ansehen, daß in der französischen wiss. Lit. zu diesem Thema synonym für *bergère* oft *vilaine, fille des champs* usw. gesagt wird, womit wir der *puella*, der *maget* und dem *chint* schon sehr nahe sind; daß ferner in einer klaren Definition der Pastourelle wie bei W. T. H. Jackson, ZfdA. 85, 1954/55, S. 301 nicht von einer Hirtin, sondern einem „Mädchen niederen Standes", einem „Bauernmädchen" gesprochen wird. Ebenso Vossler, Die Dichtungsformen der Romanen: „Mädchen aus bäurischem Stand" (126). Und als der „Kanzler" Guillem Molinier für seine (etwa unseren Meistersingerschulen vergleichbare) Akademie der *jeux floraux* in Toulouse um 1350 seine *Leys d'Amors* verfaßte, eine „Art Poetik" (A. Stimming), erklärte er die Pastourelle dort für ein heiteres Genre und explizierte die ihrer Stimmung entsprechenden Stoffe: Von solcher Art seien *Vaquieras, vergieras, poquieras, augieras, crabieras, ortolanas, monias, et enayssi de las autras lors semblans*: neben allen möglichen Varianten des Hirtinnenmetiers geltenden Liedern also auch „Gärtnerinnenlieder, Nonnenlieder und ebenso von anderen, die diesen ähnlich sind" (Bartsch, Provenzalische Chrestomathie, [4]1912, St. 124, S. 200); s. dazu Stimming in Gröbers Grundriß II, 2, S. 67; Bartsch, Grundriß (1872) § 56; Charles Camproux, Histoire de la littérature occitane, Paris 1953, S. 71.

[97] Romanist. Jb. V, 1952, S. 265.

„am stärksten ins Auge fallenden Merkmale" der Gattung. Diesen Zug der „femme solliciteuse" unterstreicht Moret insbesondere bei der Betrachtung mittellateinischer Pastourellen[98]. Symptomatisch für diesen Typ ist die auffordernde Strophe eines *Carmen Buranum* : (die *rustica puella*)

> *Conspexit in cespite*
> *scolarem sedere:*
> *,quid tu facis, domine?*
> *veni mecum ludere!'*[99]

Daß die Werbung von der Frau ausgeht, findet seine Formulierung schon früh und selbstverständlich: ich verweise auf die deutschen Verse 142a (Hilka-Schumann) der *CB*, die gewiß das Rudiment einer Pastourelle darstellen:

> *Ih solde eines morgenes gan*
> *eine wise breite;*
> *do sah ih eine maget stan,*
> *div gruozte mih bereite.*
> *si sprah: ,liebe, war wend ir?*
> *durfent ir geleite?'*
> *gegen den fuozen neig ih ir,*
> *gnade ih ir des seite.*

Ich verweise ferner auf Giraut de Bornelhs Pastorela *L'altrier, lo primer jorn d'aost*, wo die *vilana* den in höfischer Liebe sich quälenden Ritter zu trösten sich erbietet[100]. Die Bedeutung dieses Typus veranlaßte Hennig Brinkmann[101] zu der Frage, ob die vom Manne oder ob die von der Frau ausgehende Werbung die ältere Form sei[102]. Von solchem *veni* führt ein nicht weiter Weg zu dem „unzarten" *veni mecum flores legere* von Walthers *puella*[103]. Brinkmann hat darauf hingewiesen, daß diese *Komm-*

---

[98] Mythe, S. 189, S. 190; Débuts, S. 296; s. auch Delbouille, S. 30.

[99] Schmeller 63 = Hilka-Schumann 90; nach Schumann erweist sich diese Strophe nicht als ursprüngliche Fortsetzung der ersten – was jedoch an ihrem Wert für den Typus nichts ändert.

[100] S. Köhler, S. 259. – Anklänge im deutschen Volkslied: Uhland Nr. 88, III; 154, IV. – S. auch Frings, Minnesinger und Troubadours, S. 31.

[101] Entstehungsgeschichte des Minnesangs, S. 67.

[102] Brinkmann gibt vom Dialog zwischen Kleriker und Nonne her der Werbung durch den Mann die Priorität.

[103] Das Motiv des Rosenlesens hat Brinkmann für die mlat. Lit. des 11. Jh. bei Wido festgestellt, s. Entstehgs.gesch., S. 156.

Formel auf das ‚Hohe Lied' zurückgeht[104]. Ich glaube, daß gerade der inbrünstige auffordernde lockende Ton des Mädchens in manchen Pastourellen nicht zu verstehen ist ohne das Vorbild des *Canticum canticorum:* „Siehe, mein Freund, du bist schön und lieblich. Unser Bette grünet" (1, 16). – „Mein Freund ist weiß und rot, auserkoren unter vielen Tausenden" (usw., 5, 10). – „Mein Freund ist hinabgegangen in seinen Garten, zu den Wurzgärtlein, daß er weide in den Gärten, und Rosen breche. Mein Freund ist mein, und ich bin sein, der unter den Rosen weidet" (6, 2/3). – „Komm, mein Freund, laß uns aufs Feld hinausgehen, und auf den Dörfern bleiben, daß wir früh aufstehen zu den Weinbergen, daß wir sehen, ob der Weinstock sprosse und seine Blüten aufgehen, ob die Granatbäume blühen; da will ich dir meine Liebe geben" (7, 12/13)[105]. – Ich will nicht versessener Parallelenjagd das Wort reden – aber ohne das Vorbild dieser naturmythisch durchströmten Klänge inbrünstiger Hingabe an den Geliebten und die Natur wird man Stil, Bild- und Wortwahl ganzer Partien unserer mittelalterlichen Liebesdichtung schwerlich verstehen können – seien sie nun von vornherein über die jüdisch-arabisch-spanische Symbiose auf der Iberischen Halbinsel in die romanischen Volkssprachen gelangt, seien sie über die theologisch-allegorische Auslegung vorerst in die mittellateinische Dichtung übernommen worden[106].

Als Zusammenfassung des letzten Komplexes ergibt sich demnach, daß die mittelalterliche Dichtung für die Äußerung sehnsuchtsvollwerbender Liebessehnsucht der Frau nicht nur die alte monologische Form des Mädchenliedes, der Frauenstrophe kannte; sie war auch im

---

[104] Entstehgs.gesch., S. 176; vgl. auch Gesch. der Lateinischen Liebesdichtg., S. 78. – Frings (Altspanische Mädchenlieder, S. 179f) weist auf unüberhörbare Nachklänge des Hohenliedes in den hebräischen Gedichten des Jehuda Halevi hin, die ihrerseits in die frühe Liebeslyrik der Iberischen Halbinsel eingeflossen sind.

[105] *Ecce tu pulcher es dilecte mi, et decorus, lectulus noster floridus (1, 16). – Dilectus meus candidus et rubicundus, electus ex millibus (5, 10). – Dilectus meus descendit in hortum suum ad areolam aromatum, ut pascatur in hortis, et lilia colligat. Ego dilecto meo, et dilectus meus mihi qui pascitur inter lilia (6, 1/2). – Veni dilecte mi, egrediamur in agrum, commoremur in villis. Mane surgamus ad vineas, videamus si floruit vinea, si flores fructus parturiunt, si floruerunt mala punica: ibi dabo ubera mea (7, 11/12).*

[106] Zur Wirkung des *Cant. cant.* im 11./12. Jh. s. übrigens Friedrich Ohly, Geist und Formen der Hoheliedauslegung im 12. Jahrhundert, ZfdA. 85, 1954/55, S. 181–197. Wenngleich Ohly sich zur Aufgabe stellt, der theologischen Kommentierung und Wirkung nachzugehen, so sind doch seine Ausführungen höchst aufschlußreich für die Liebesauffassung dieser Zeit überhaupt. So ist z. B. aus ihnen zu ersehen (195), daß Landri von Waben (um 1180) in seiner afrz. Hohelieddichtung (der bedeutendsten dieses Sprachraums) das *Cant. cant.* eine *chanson d'amor* nennt!

Dialog möglich: in der Pastourelle (hinter der – wie hinter dem Liebeslied des Mädchens – die Inbrunst des ‚Hohenliedes' durchschimmert).

Schließlich sei noch auf zwei minder wichtige, aber im gegebenen Fall
doch interessante Einzelheiten eingegangen, die das Instrumentarium
der Pastourelle betreffen. Zu ihrem Schema gehört es, daß das junge
Landmädchen, dem der Ritter begegnet, „ordinairement" damit be-
schäftigt ist „à tresser un ‚chapel' de fleurs"[107]. Es zählt also der Kranz
zu den Requisiten dieser Gattung. – Sodann ist es Ausdruck der sozialen
Polarität in der Pastourelle, daß „celui qui tente de séduire l'autre est
riche et use de cet avantage pour arriver à ses fins"[108]. Das Schmeicheln
mit Geschenken also, *edelem gesteine* z. B., gehört zum Repertoire des
Pastourellen-Galans.

Wir wenden uns nunmehr dem Traummotiv zu. Brinkmann – der
schon darauf hinwies, daß Walther 74, 20 „wie die Lieder der sogenann-
ten ‚niederen Minne' überhaupt durch mittellateinische Pastourellen angeregt" sei[109] – verweist für Träume und Visionen auf das Vorbild
mittellateinischer Gedichte, „die gern Erzählung in Traumgewand klei-
deten (Metamorphosis, Apocalypsis, Archipoeta)"[110]. Von der Schilderung der Traumliebe durch die Trobadors Arnaut de Maroill und Jaufre
Rudel war schon oben (S. 130) die Rede[111]. Von großer Bedeutung für
unseren Zusammenhang nun ist ein Hinweis Delbouilles[112]. Es ist sein
Verdienst, bei der Betrachtung der Pastourelle die Einengung auf deren
romanisch-höfische Erscheinungsform durchbrochen[113] und z. B. ihre
nahe Verwandtschaft zur *chanson dramatique*, d. h. vor allem zur *chanson
de mal mariée*, unterstrichen zu haben. Es ergibt sich daraus sofort die
methodisch wichtige Frage, welches Maß an Variation eine Gattung
noch verträgt, ohne ihren Gattungscharakter einbüßen zu müssen bzw.
von welchem Punkt an die Modifikationen das Wesen der Sache soweit

---

[107] Jeanroy, Origines, S. 2; ebenso Jones, S. 7.

[108] Delbouille, S. 30.

[109] Entstehungsgesch., S. 157; zu *Under der linden* s. ebda. S. 158.

[110] Dies gelegentlich Walthers humorvoller Traumvision 94, 11; s. ferner Brinkmann, Lat. Liebesdichtung, S. 14, 24, 75 (Einfluß Ovids).

[111] Delbouille, S. 30 verweist noch auf ein frz. Traumlied: Bartsch, Altfranzös.
Romanz. u. Pastourellen I, S. 52. – Die Diss. von Emil Benezé, Das Traummotiv in
altdeutscher Dichtung, Jena 1896, behandelt S. 13–31 summarisch Träume in der
Lyrik der Troubadours und Minnesänger.

[112] Origines, S. 18 ff.

[113] Doch s. auch schon Brinkmann, Entstehungsgesch., S. 65, Anm. 1.

betreffen, daß sie ihrerseits ein neues Genre begründen. Delbouille betrachtet demnach die Pastourelle „comme une variété, la mieux représentée peut-être, mais comme une variété quand même d'un genre plus vaste qui aurait pour thème le récit de la rencontre d'une belle à la campagne"[114]. Somit wendet er seine Aufmerksamkeit bei der Suche nach den Ursprüngen dieser Gattung mehr auf die „intrigue", d. h. die inhaltliche Entwicklung, als auf Kostüm- und Staffage. Bei dieser Suche stößt er auf mittellateinische Dichtungen, die erfüllt von Traum und Liebe, von Frühling und Phantasie, von Göttern und Göttinnen, im Garten Eden lustwandeln. Von besonderem Gewicht – auch für uns – ist in diesem Zusammenhang ein anonymer Kleriker, der nach Delbouille zwischen 1150 und 1180, vermutlich in Nordfrankreich, dichtete[115], und von seinen Dichtungen interessiert uns wiederum besonders das Stück ,De Somnio'[116]. Seiner Bedeutung halber sei es hier in extenso wiedergegeben:

> *Si vera somnia forent, que somnio,*
> *Magno perhenniter replerer gaudio.*
> *Aprilis tempore, dum solus dormio,*
> *In prato viridi, iam satis florido,*
> 5 *Virgo pulcerrima, vultu sydereo*
> *Et proles sangine progressa regio,*
> *Ante me visa est, que suo pallio*
> *Auram mihi facit cum magno studio.*
> *Auram dum ventilat, interdum dultia*
> 10 *Hore mellifluo iungebat basia,*
> *Et latas lateri iunxisset pariter,*
> *Sed primum timuit ne ferrem graviter.*
> *Tandem sic loquitur, monitu Veneris:*
> *„Ad te devenio, dilecte iuvenis,*
> 15 *Face Cupidinis succensa pectore,*
> *Mente te diligo cum toto corpore.*
> *Ni me dilexeris, sicut te diligo,*
> *Credas quod moriar dolore nimio.*
> *Quare te deprecor, o decus iuvenum,*

---

[114] Ebda. S. 17.
[115] ed. Lluis Nicolau d'Olwer, 1923, s. Delbouille, S. 19, Anm. 2.
[116] d'Olwer Nr. 26, Delbouille S. 28f.

20   *Ut non me negligas, sed des solatium.*
      Nec iuste poteris nunc me negligere,
      Quippe sum regio progressa sangine.
      Aurum et pallia, vestes purpureas,
      Renones griseos et pelles varias
25   *Plures tibi dabo, si gratus fueris,*
      Et ut te diligo sic me dilixeris.
      Si pulchram faciem queris et splendidam,
      Hic sum, me teneas, quia te diligam:
      Cum nullus pulchrior te sit in seculo,
30   *Ut pulchram habeas amicam cupio."*
      His verbis virginis commotus ilico,
      Ipsam amplexibus duris circumligo.
      Genas deosculans, papillas palpito,
      Post illud dulcius secretum compleo.
35   *Inferre igitur possum quod nimium*
      Felix ipse forem et plus quam nimium,
      Illam si virginem tenerem vigilans,
      Quam prato tenui dum fui somnians.

Hier haben wir das wohl einzige bekannte Beispiel einer Kombination der für unser Thema entscheidend wichtigen Züge in mittelalterlicher Dichtung vor Walther: 1. Kulisse der Pastourelle; 2. Liebeserklärung und Werbung durch die Frau; 3. Das Erlebnis – Erscheinung und Liebesvereinigung – ist Traumvision[117]. Nächst diesen für uns entscheidenden Feststellungen registrieren wir mit Delbouille folgende das Gedicht der Pastourelle angleichende Einzelheiten: Erzähler und Held sind identisch; – beide Partner haben sich zuvor noch nie gesehen; – plötzlicher Schluß. – Das Stück eine Pastourelle zu nennen, würde mich nicht der soziale Status des Mädchens hindern, die nicht ein kindliches Geschöpf aus dem Volke, sondern eine nicht unerfahren wirkende Prinzessin ist: hier ist die soziale Polarität einfach pervertiert worden – und doch auch wieder in die Reihe gebracht: verführt wird, wer dem niedrigeren Stande angehört, hier also der arme Kleriker (dem gewiß *pallia* und *vestes* nicht minder erstrebenswert erschienen als einem großen Nachfahren, der dankbar *quinque solidos pro pellicio* empfing). Entschei-

---

[117] Am Rande sei vermerkt: Die Werbende verspricht Geschenke. – Sie ist durch die Schönheit des Jünglings bezwungen.

dend ist vielmehr, daß hier der für die Pastourelle konstitutive Dialog fehlt[118].

Ob unser „Anonyme amoureux" seinerseits durch provenzalische *pastoretas* (Cercamon? Marcabru?) angeregt wurde oder ob beide auf eine gemeinsame Vorform zurückgehen, vermag ich nicht zu beurteilen. Entscheidend ist für uns die Feststellung, daß in der Ausbildung und Entwicklung des Genres auch die Traumvision unverkennbar ihren Platz hat.

Ein langer Weg – und dennoch der direkte Weg zu Walthers Gedicht von der Traumliebe. Mit dem, was wir einsammelten, geben wir ihm, was ihm gehört. Wir stellen fest:

I. In der deutschen Lyrik vor und bei Walther gibt es keine Vorformen und Parallelen zu diesem geträumten Liebes-Dialog und seinem epischen Rahmen.

II. In der provenzalischen, altfranzösischen und mittellateinischen Lyrik gibt es die Gattung der Pastourelle. Das älteste überlieferte Beispiel stammt von Marcabru („1130–48 environ", Jeanroy), Vorformen (Dialog zwischen Kleriker und Nonne) gehen vielleicht bis ins 11. (oder gar 10.) Jh. zurück. Definition des Genres:

1. Die Pastourelle bestimmt sich nicht durch die strophisch-musikalische Form, sondern durch den Inhalt.

2. Inhalt ist die Liebesbegegnung unter freiem Frühlingshimmel zwischen zwei durch eine breite soziale Kluft getrennten Partnern: Ritter und Landmädchen.

3. Die Darstellungsmittel des Inhalts sind
   a. Epischer, „narrativer" Bericht der Begebenheit im Ich-Stil, bei dem Held und Erzähler meist identisch sind.
   b. Dialogische, „dramatische" Darstellung der Begegnung.

Alle diese Elemente enthält Walthers Lied.

Desgleichen finden wir in ihm jene Bestandteile wieder, die seit Jeanroys Bestimmung als die genuinen Bausteine der Pastourelle gelten: Den *débat amoureux*, der übergeht in das Liebesgeplauder der *Oaristys;* und auch den *gap*, den Hang zum Prahlen, der in höfischer Dichtung gedämpft und aufgehoben wird durch das Diskretionsmotiv und der doch gerade durch dessen ständige Erwähnung wieder in die Minneliturgie hineindringt: *wirt mirs iht mêr, daz trage ich tougen...*

---

[118] Was meint Delbouille, wenn er (S. 30) hier von den „deux personnages" spricht „entre lesquels se déroule un débat"?

Die zarte und doch deutliche Hingabebereitschaft des Mädchens hat ihr Vorbild und ihre Erklärung in einem bestimmten Mädchentyp der Pastourelle (und ist mit der weiblichen Liebesinbrunst des Hohenliedes zu verbinden).

Das Traumbild-Motiv, in mittellateinischer und auch romanischer Dichtung nicht selten, fanden wir vor in dem Gedicht des anonymen Klerikers, das zweifelsfrei der Pastourelle nahesteht und vermutlich an ihrer Ausprägung beteiligt war.

Darüber hinaus enthält Walthers Lied einige Details, die als typische (wenn auch sekundäre) Pastourellenzüge gelten müssen: den Kranz als Requisit z. B., und das Versprechen von Geschenken.

Es fehlen in Walthers Gedicht zwei Elemente, die als gattungstypisch gelten: Das erste, die Figur der Hirtin, haben wir bereits als relativ erkannt. Seine Funktion ist repräsentativer Natur. Das einfache Landkind ist die übergeordnete Größe, die Hirtin bereits eine Spezifizierung. Damit verliert der Einwand sein Gewicht. Allgemein gilt schließlich: Die Übertragung eines Genres in einen anderen kulturellen, soziologischen, sprachlichen Raum erzeugt notwendigerweise Modifikationen, die in diesem Falle doch als gewiß so leicht zu bezeichnen sind, daß man ihretwegen nicht von einer Auflösung der Gattung sprechen kann. Es wird müßig sein zu fragen, warum Walther sein Mädchen nicht eine Hirtin nannte. Der Grund für Verwandlungen dieser Art ist letztlich allemal in der Tiefe der dichterischen Persönlichkeit zu suchen, die in der Umformung des Überantworteten ihre schöpferische Kraft erweist: der mittelalterliche Dichter ist nicht gattungsetzend aber gattungprägend. Trotz z. T. einschneidender Wandlung des Überkommenen bezweifelt man nicht die Substanz der Gattung z. B. im frühen donauländisch-bairischen Minnesang oder im deutschen Artusroman. Warum sollte man es bei der vergleichsweise harmlosen Variante in unserem Falle tun? – Es fehlt sodann die „ouverture habituelle". Statt sich der zu erwartenden Formel *Eins tages* zu bedienen, geht Walther gleich medias in res. Zwar folgt eine epische Einführungsformel nach: *alsô sprach ich*, aber sie ersetzt nicht das Eingangsschema. Eine Erklärung dafür vermag ich nicht zu geben; aber ich vermag mich auch nicht zu entschließen, Walthers Pastourelle dieses Makels halber keine Pastourelle sein zu lassen.

Somit haben wir in Walthers *Nemt, frowe, disen kranz* die erste und – vom gattungspoetischen Standpunkt her gesehen – vollkommenste mittelhochdeutsche Pastourelle vor uns.

Es bleibt noch die literarhistorisch bedeutsame Frage nach dem Wesen von Walthers dichterischer Leistung in diesem, durch dieses Gedicht. Sie ist bestimmt durch eine klare Feststellung: Schon mit ihrem ersten Erscheinen trägt die Pastourelle als Gattung den Keim zu ihrer Selbstaufhebung in sich. Das hat Erich Köhler in dem bereits erwähnten Aufsatz ‚Marcabrus *L'autrier jost' una sebissa* und das Problem der Pastourelle‘[119] eindrucksvoll gezeigt. Begründet sieht Köhler – mit Scheludko – das Wesen dieser Gattung in der Gegenüberstellung der Stände (S. 260). Die erste provenzalische aber wie die erste deutsche Pastourelle zerstören dieses Schema. Die eine hebt bei solcher Konstellation die Liebesbegegnung, die andere die Standestrennung auf. Durchaus entgegengesetzte Konsequenzen erweisen eine durchaus gleiche Grundauffassung. Als die ersten Pastourellen-Dichter ihrer Sprache sind Marcabru und Walther gleichzeitig die ersten (und wirkungsmächtigen) Kritiker der durch das Schema tradierten „Pastourellen-Liebe“. Diese Parallelstellung gibt ihnen ihr Moralismus, der sich kundtut in dem rigorosen Mut, die geltende höfische Gesittung radikal in Frage zu stellen.

Köhler verweist (S. 257ff.) auf die Sozialethik des Mittelalters. Nach scholastischer Auffassung, wie sie im System des Aquinaten kulminiert, „ist die ständische Ordnung von der ratio aeterna geboten, entspricht der menschlichen Natur und dem göttlichen Ordnungswillen“. Jeder Stand hat seinen Platz, seine Ordnung und seine Grenze. Von hier her, meine ich, von der unbarmherzig ehrlichen Erkenntnis der ständig drohend spürbaren Unvereinbarkeit von Standesgesetz und seelisch-natürlichem Empfinden, muß man Walthers Ringen um die *ebene minne*, muß man sein verzweifelt-erfolgloses Flehen an *frowe Mâze* verstehen; aus diesem Grunde ist der Gegensatz zwischen Hoher und Niederer Minne, „von höfischer und natürlicher Liebe ... geradezu Mittelpunkt des Waltherschen Denkens und Schaffens und ist Kernfrage der deutschen Minnelyrik überhaupt“[120]. Der Stand des Ritters hat sich seine besondere, absonderliche, spekulativ spiritualisierte Liebesauffassung geschaffen, er hat sie immer höher gesteigert in imaginäre Bereiche, in Hoffen und *wænen*, Wünschen und *trûren*, bis sie nicht mehr von dieser Welt war – der er doch anderseits noch so intensiv verhaftet blieb. Schlägt nun dieser übersteigerte Spiritualismus ins Gegenteil um, dann

---

[119] Romanist. Jb. V, 1952, S. 256–268.
[120] Th. Frings, Erforschung des Minnesangs, Forschungen und Fortschritte 26, 1950, S. 15.

gebärdet er sich stilistisch als Naturalismus[121], für den das „Schwanken oder die Spannung zwischen den Extremen ... charakteristisch" ist. Dieses naturalistische Extrem ist für die „idealistische" Minne-Moral des Hofes die Welt der Pastourellenliebe: In ihre derbsinnliche, „nach Kuhstall" schmeckende[122] Aura brach der übersinnlich-sinnliche Freier aus – und gemäß den zynischen Anweisungen des Kaplans Andreas machte er mit den einfachen Mädchen und Frauen nicht viel Federlesens. Gegen diesen Bruch protestiert Marcabru, gegen eine „Umkehrung aller Werte"[123] die darin besteht, daß die ständische Ordnung und also Distanzierung[124] als gottgewollt deklariert, jedoch unter Ausnutzung ihrer Stufung und unter Berufung auf sie in der Verführung der *vilana* durchbrochen wird! Marcabru zieht die Konsequenz so, daß er durch den Mund des – den Ritter abweisenden – Mädchens Standesgrenzen als biologische Grenzen erklärt, die strikt zu wahren sind[125]; Walther nimmt diesen Protest wieder auf, zu dem beide Dichter die Erkenntnis der Inkongruenz von scholastisch-höfischer Minnedoktrin und seelisch-natürlichem Trieb gezwungen hat. Aber er zieht die entgegengesetzte Folgerung: er betrachtet die echte Liebe[126] als legitimes Mittel zur Durchbrechung dieser Schranken. Verführung wäre so die Demonstration dieser willkürlich und einseitig ausgenutzten ständischen Ordnung – Liebe ihre Aufhebung. Das ist das Programm von Walthers „Mädchenliedern".

Die „echte" Pastourelle will ständische Distanzierung – die sich eben manifestiert in der schnöden Verführung und Triebvereinigung. Walthers Pastourelle will ständische Harmonisierung, Integrierung. Von daher ist im tiefsten verständlich, warum es bei ihm das Mädchen ist, das in naiver Sicherheit die Liebesvereinigung wünscht und zu ihr lädt: Jedes Sträuben von ihrer, jedes Überreden von Mannes Seite ließe erneut das Standesdenken herein. Aus ihrer unbefangenen Sicherheit spricht das Gefühl der „Gleichberechtigung", wie es sich bildlich schon in dem Kranz „tausch" kundtut. Es ist dieselbe Sicherheit, die das *herzeliebe frouwelîn* in ihrer Erinnerung an das Erlebnis *Under der linden* spüren läßt.

---

[121] Richard Alewyn, Naturalismus bei Neidhart von Reuental, ZfdPh 56, 1931, S. 40; das folgende Zitat ebda.

[122] Vossler, Tassos Aminta, aaO., 60.

[123] Köhler, S. 258.

[124] Wie sie sich poetologisch in der *Rota Virgilii* ausdrückt.

[125] Köhler, S. 258.

[126] Und die echte Liebe allerdings ist Walthers ureigenste Zutat.

Die älteste provenzalische wie die älteste deutsche Pastourelle also stellen das Genre durch die Einbeziehung des sittlichen Elementes in Frage. Daraus mag sich auch die geringe Nachfolge erklären, die beide Vorbilder in ihrem Sprachbereich erfahren haben. Als Mittel der sozialen Distanzierung ist durch beider Dichten die Pastourelle unmöglich geworden. Durch den sittlichen Adel, den Marcabru seiner *vilana* gab, verringerte er den Wertabstand zwischen ihrem und dem Ritterstande – was sich gerade in dessen Abweisung durch sie kundtut[127]. Durch den sittlichen Adel, den Walther seiner *maget* gab, erzeugte er den gleichen Effekt – was sich gerade in seiner Liebe zu ihr kundtut. Marcabrus Ethos: Da strengste Isolierung die beiden Stände trennt, ist Liebesvereinigung zwischen ihnen unsittlich. Walthers Ethos: Wenn Liebe beide Stände verbindet, ist strengste Isolierung zwischen ihnen unsittlich. In solcher Aufhebung der Spaltung von Geist und Sinnlichkeit, in solchem Erobern eines ungestörten Verhältnisses zur Wirklichkeit[128] erweist sich die Einheit von moralischer und poetischer Substanz, die für Walther bezeichnend und das Signum seiner Bedeutung ist.

Freilich – wir glauben zu wissen, daß ihm auch diese seine Welt der Mädchenlieder den Frieden nicht gegeben, den Zwiespalt nicht geschlossen hat. Er verließ sie wieder, und so mag es denn seine tiefere Bedeutung haben und nicht nur als Alibi vor der Gesellschaft und ihrem Comment aufgefaßt werden, daß er das Glück nur im Traum erlebte. Sein Suchen in der Welt der Wachen scheint vergeblich zu sein ...

An diesem Doppelakt der Gründung und des In-Frage-Stellens zugleich mag es liegen, daß die Gattung Pastourelle nicht recht heimisch wurde in Deutschland[129]. Wir haben deutliche Nachklänge im Volkslied (s. Uhland 103, 105, 109, 111, 113; Erk-Böhme 71 ff.). Zwar ist das Thema hier „nicht eben häufig", jedoch bis in unsere Tage zu verfolgen[130] – was sich doch am ehesten erklärt, wenn es durch ein voraufgehendes Kunstlied tradiert wurde. (Ein schönes Beispiel für Bewahrung und Wandlung ist Goethes Lied vom Edelknaben und der Müllerin[131].)

---

[127] Köhler, S. 257, 259.

[128] S. Alewyn, S. 39 f.

[129] S. dazu auch Morets Hinweis auf die im Mhd. nur einmal vorkommende Bezeichnung *pasturête*, Trist. 8072 (Mythe, S. 191).

[130] John Meier, Deutsche Volkslieder 2/I, 1937, S. 150 f. – „Das Lied von der Versuchung einer Grasmagd ist seit dem 16. Jahrh. bekannt", Erk-Böhme I, S. 252.

[131] S. Karl Vossler, Der Trobador Marcabru ... S. 59 f.

Was nun aber die mittelhochdeutschen Pastourellen oder „Pastourellen" angeht, so wird man, wenn man meine Bestimmung (oben S. 149) zu akzeptieren vermag, unschwer die rechten von den schlechten sondern können. Eine tabellarische Abhandlung im einzelnen würde Platz und Leser überanstrengen. Man wird sich ebensosehr vor einer Verwischung des Genres hüten müssen (sondern sollte sich dann doch lieber mit der Feststellung „pastourellenhafter Züge" begnügen) wie vor einem zu pedantischen Insistieren auf Schema-Details. Neidhart z. B. hat gewiß keine Pastourellen gedichtet, das hat – im Gegensatz zu vielen Handbüchern – schon Bielschowsky richtig gesehen; desgleichen erfüllt Neifens Dichtung[132] nicht die Voraussetzungen der Gattungszugehörigkeit. Anderseits sollte man ebensowenig Anstand nehmen, des Kol von Niunzen unfeines Stück[133] eine Pastourelle zu nennen wie die zierliche Gelehrsamkeit von des Tannhäusers zweitem und drittem Leich (denen beiden übrigens ein traumhafter Zug eigen ist).

Das künstlerische Niveau jedenfalls, auf das Walthers Gründungsakt die Pastourelle hob, hat sie in deutscher Sprache nicht annähernd wieder erreicht. Sie war ein großer Versuch, diese Doppelbewegung Walthers: die Minnekanzone aus ihren verstiegenen Höhen herunter auf die Erde, die Pastourelle aus triebhafter Niederung herauf auf die Erde zu zwingen. Die *mâze* hätte ihm Dauer geben können. Aber sie versagte sich. Denn Göttinnen sind nicht minder Traumvisionen als das Glück[134].

---

[132] Kraus, LD 15, XXVII und (XLI).

[133] Kraus, LD 29, I.

[134] Ich danke dem romanistischen Kollegen Hans Robert Jauss für Literaturhinweise und Auskünfte. – Nach Abschluß des Ms. erschien die Interpretation unseres Liedes von Fr. Neumann (Die deutsche Lyrik, Form und Geschichte, hrsg. von B. v. Wiese, Düsseldorf 1956, Bd. I, S. 62–70), die ich leider nicht mehr benutzen konnte. N. beläßt es bei der Reihenfolge *a b c*: „Wir haben kein Recht, die Überlieferung der ersten drei Strophen zu verlassen, da sie alles hergibt, was wir brauchen" (Anm. S. 433). Ich hoffe, daß die vorliegende Untersuchung uns dieses Recht wiedergibt und zur Pflicht steigert.

Bibliographischer Nachtrag seit 1957

Wolfgang Mohr, Vortragsform und Form im mittelhochdeutschen Lied, Festschrift für Ulrich Pretzel, 1963, 128–138. (Mohr hält das Vertauschen der Strophen b und c für unnötig).

Erich Köhler, Die Pastourellen des Trobadors Gavaudan, GRM 45, 1964, 337–349.

H. B. Willson, Nemt vrouwe, disen kranz, Medium aevum 34, 1965, 189–202.

Gerhard Hahn, Nemt, frowe disen kranz, Interpretationen mittelhochdeutscher Lyrik, hg. von Günther Jungbluth, 1969, 205–226.

DIE WEISEN AUS DEM MORGENLAND
AUF DER MAGDEBURGER WEIHNACHT
Zu Walther von der Vogelweide 19,5

> We three kings of Orient are
> Bearing gifts we travel afar
> Field and fountain
> Moor and mountain
> Following yonder star. (Trad.)[1]

I

Ez gienc eins tages als unser hêrre wart geborn
von einer maget dier im ze muoter hât erkorn,
ze Megdeburc der künec Philippes schône.
Dâ gienc eins keisers bruoder und eins keisers kint
5 *in einer wât, swie doch die namen drîge sint.*
er truoc den zepter und des rîches krône.
Er trat vil lîse, im was niht gâch:
im sleich ein hôhgeborniu küneginne nâch,
rôse âne dorn, ein tûbe sunder gallen.
10 *diu zuht was niener anderswâ:*
die Düringe und die Sahsen dienten alsô dâ,
daz ez den wîsen muoste[2] wol gevallen.

II

Paraphrase: An jenem Tage, der die Geburt unsres Herrn feiert aus einer
Jungfrau, schritt zu Magdeburg der König Philipp in seiner Herrlich-
keit: In seiner einen Person schritt nicht nur er sondern der Bruder eines
Kaisers und der Sohn eines Kaisers in einer Gewandung, – wiewohl es

---

[1] Englisches Weihnachtslied, fehlt in der Sammlung British and American Classical
Poems, edited and annotated by Horst Meller und Rudolf Sühnel (Braunschweig, 1966).
[2] So B und die Herausgeber; C *müeste*, dazu s. u. S. 170f.

sich bei ihnen doch um drei Namen handelt. Er trug die ehrwürdigen
Reichsinsignien, Zepter und Krone. Er schritt in würdevoller Gelassen-
heit. Ihm folgte in der gleichen Haltung fürstlicher Würde die Königin
aus edelstem Geschlecht, Rose ohne Dorn, Taube ohne Galle. Nirgendwo sonst mochte man einen Aufzug in der Vollkommenheit solcher
Formen erleben! Die von Thüringen und von Sachsen boten ihre Huldigung dort derart, daß die Weisen ihr Wohlgefallen daran fanden.

III

Ein Festzug zu Weihnachten 1199. Die Darstellung eines höfischen
Spektakels, von Walther mit gewohntem Kunstvermögen in die konzentrierte Form von 12 Versen gefaßt. Und doch viel mehr. Das Fest des
Erlösers der Menschheit wird von ihm sehr kühn in Beziehung gesetzt
zur gegenwärtigen politischen Situation. So hatte es der Kanzler Konrad
von Querfurt arrangiert, dessen Festzugs-Ordnung „ihm viel Lob ein-
trug"[3]. Die Absicht war, vor aller Welt in aller Herrlichkeit zu demon-
strieren, daß es gut stand um die Sache Philipps von Schwaben. Walther
aber geht weiter. Soweit er den Festzug beschreibt, berührt er sich mit
dem Wortlaut der zeitgenössischen Chronisten[4]; seine assoziierenden
Anspielungen aber sind offenbar sein eigenes Werk, und sie geben dem
Vorgang eine Deutung, die ebenso kühn wie entschieden ist. Der
fromme Anlaß ermöglicht es dem Dichter, im weltlichen Gepränge des
prachtvollen Aufzugs Gott selber mitschreiten zu lassen. Solches vermag er kraft geschickter Anwendung der spezifisch mittelalterlichen
Denkform der Analogie. König Philipp ist er selbst; und ist weiter der
Bruder Kaiser Heinrichs VI.; und ist schließlich Sohn Kaiser Friedrichs I. – dies alles umschlossen von e i n e r Hülle. Damit ist das schwer
faßliche Paradox des christlichen Gottesbegriffs erlebt und wiederholt
in dem jungen König: das Geheimnis der Trinität. Ein Verfahren, das
den modernen Sinn erschreckt und ihm blasphemisch erscheinen muß,
da seine Entfremdung von Gott ihm diesen entrückten Gott schließlich
nur mehr in dem isolierten Raum seiner kultischen Verherrlichung zu
erleben gestattet. Das Mittelalter indes begriff die *civitas Dei* auch in der

---

[3] Eduard Winkelmann, Philipp von Schwaben und Otto IV. von Braunschweig,
2 Bde. (1873 und 1878), Bd. 1, S. 149.

[4] Siehe ebda., S. 148–150 und Anm.; Wilmanns-Michels, Walther von der Vogelweide, Bd. 1 (²1916), S. 95.

civitas terrena verwirklicht und vermochte Diesseits und Jenseits in vertrauter, ja fast vertraulicher Nähe zu sehen: Die Heiliggeist-Kirche zu Heidelberg nimmt heute noch die Stände des Schuhmachers, des Gemüse- und Andenken- und gar des Zeitschriften-Händlers in mildem Verstehen unter die Fittiche ihres Daches; und die Wies'n des Hamburgers heißt heute noch: „der Dom".

Walthers Schilderung gibt damit dem Ereignis nahezu die Weihe göttlicher Realpräsenz, und seine trinitarische Analogie sagt nicht weniger als daß zur Feier des Erlösers der Menschheit hier nun d e r Mensch einherschreite, der als Erlöser begriffen werden muß von den Übeln der politischen Wirrnis, als Erlöser aus dem Chaos der *inordinatio*, die alles Leben im Reiche zerrüttet hat in den zwei Jahren seit Heinrichs VI. Tod und des unglücklichen Doppelkönigtums.

Damit nicht genug. Er stellt auch die Königin in diesen geweihten Raum der Gott-Analogie: indem er ihr Attribute verleiht, die eigentlich nur der Gottesmutter zukommen: *rosa sine spina, columba (turtur) sine fele.* Der Vergleich bot sich umso eher an, als die byzantinische Kaisertochter Eirene Augusta nach ihrer Verheiratung mit Philipp den Namen Maria angenommen hatte[5]. Gott in dem Geheimnis seiner Dreieinigkeit, die Heilige Jungfrau in dem Geheimnis ihrer Gottesmutterschaft und Gottesbrautschaft sind zugegen in dem irdischen legitimen Herrscherpaar, das in der Feier des Höchsten auch sich selber feiert.

Hier ist nicht das schwierige Gebiet der mittelalterlichen, wesentlich durch Augustinus und Abaelard bestimmten Trinitätsspekulation zu behandeln. Es mag genügen darauf hinzuweisen, daß der Begriff der *persona* in der trinitarischen Formel *una substantia in tribus personis* mittelhochdeutsch wiedergegeben wird durch *name*[6]. Der „materielle", „substantielle" Begriff der *wât* vertritt dann bei Walther den der *substantia*[7].

Die Sitte des „Unter der Krone Gehens" weist als Selbstdarstellung des Königs ihn als Herrscher aus vor allem Volk[8]. Walther aber sakrali-

---

[5] Ebda., S. 30: „wahrscheinlich bei Gelegenheit der Krönung ihres Gatten im Jahre 1198".

[6] Siehe BMZ, Bd. 2, 1, S. 307a; Lexer, Bd. 2, Sp. 31.

[7] Zum Begriff der Trinität siehe zuletzt ³RGG, Bd. 4 s. v. Trinität: Sp. 1025–1032 dogmengeschichtlich (F. H. Kettler), Sp. 1032–1038 dogmatisch (Edmund Schlink).

[8] Siehe Hans-Walter Klewitz, ZSavRg, 59 (1939; Kan. Abt.), 48–96. Dort die Festkrönungen seit den Sachsenkaisern verzeichnet. Philipps Vater, Friedrich I., hat diesem Brauch offenbar mit besonderem Eifer gehuldigt, siehe Klewitz, S. 58f. – Übrigens feierte Otto IV. ein Jahr nach Philipp das Weihnachtsfest zu Mainz unter der Krone (Klewitz, S. 65) – vielleicht eine bewußt arrangierte Gegendemonstration?

siert den Vorgang und überführt ihn damit in den Bereich der christlich-mittelalterlichen Reichsmetaphysik und eschatologischen Heilserwartung. *Den jungen süezen man*, so hat er in dem vorausgehenden Spruch 18,29 Philipp genannt, „geheiligten Jüngling" heißt das geradezu[9], und dieser Jüngling ist der Krone gemäß wie sie ihm. So feiert das Fest der Geburt des Herrn zugleich das Fest der Wiedergeburt seines irdischen Stellvertreters, des zeitlichen Friedensfürsten. Er trägt *den zepter und des rîches krône*: mit allem Bedacht ist das gesagt, und es betont nicht nur die Insignien, sondern es betont deren Charakter: sie sind *des rîches*[10], es handelt sich um die echten Reichsinsignien. Gemäß mittelalterlicher Denkweise sind diese „Dinge" identisch mit der Sache die sie repräsentieren, und solchermaßen legitimieren sie wiederum ihren Träger: Das Reich, die Krone und ihr Träger sind wesensgleich – und sie alle drei können demgemäß auch gleich heißen: *daz rîche* nämlich. Daß der Gegenkönig Otto ein König außerhalb der Legalität ist, erweist sich schon daran, daß er nicht die echten Herrschaftszeichen trägt.

Solche höchste Idealisierung des Kaiseramtes und der Kaisergestalt verdankt sich antikem Weltherrschaftsanspruch und messianischer Heilserwartung. Der Kaiser, gottgeweiht, gottgeliebt, gottbestimmt, wird nicht erst durch Walther und seine Zeit in diese Höhen verklärender Gottähnlichkeit gesteigert. Hier offenbart sich eine alte Ideentradition, die sich lebendig erweist im Konzept des Renovatiogedankens. Die Idee von der Erneuerung des römischen Weltreichs durch das christlich-abendländische Kaisertum hat wesentlich die Selbstauffassung der mittelalterlichen Herrscher bestimmt und spricht aus der Chronistik wie aus den Kanzleiverlautbarungen vom Ende der Karolinger bis zum Ende der Staufer[11]. Sie spricht auch aus Walther. Und die in dieser Idee anzutreffende Vorstellung vom Kaiser als *Imago Dei*[12], als eines Wesens nicht mehr von Fleisch und Blut: diese konsequent entwickelte und dargelegte geschichtsmetaphysische Konzeption erklärt, wie Walther es wagen konnte, die Gottheit so unbefangen zu verschwistern mit der Menschheit und Menschlichkeit des Kaiserpaares.

---

[9] Siehe Werner Armknecht, Geschichte des Wortes ‚süß', 1. Teil: Bis zum Ausgang des Mittelalters (1936).

[10] Das Genitiv-Attribut kann mittelhochdeutscher Ausdrucksweise gemäß auf die beiden Objekte bezogen werden.

[11] Hierzu Percy Ernst Schramm, Kaiser Rom und Renovatio (1929, Nachdruck 1957).

[12] So im Mittelalter etwa bei Benzo, Bischof von Alba in Ligurien, dem erklärten Anhänger Heinrichs IV., siehe Schramm, S. 271–274.

Es kommen andere Strömungen hinzu, Gedanken irrationalen Ursprungs, die sich knüpfen an Vision und Weissagung und die ihren Ausdruck gefunden haben etwa in den Sibyllinischen Sprüchen, *Oracula Sibyllina*. Heidnisch-jüdisch-christlich fügt es sich da zusammen und formuliert in griechischen Hexametern Weltende und Bußmahnung und Hoffnung auf den Friedensfürsten, der da kommen wird[13]. Wiewohl dieser Traditionszusammenhang in der Zeit der Völkerwanderung gestört wurde, so hatte das Mittelalter doch Kenntnis von der Sibylle und ihren Gesichten[14]. Hier gab es von altersher auch eine Tradition der Personenbeschreibung des Friedensfürsten, und die Sibyllinen in den Rezensionen des Mittelalters preisen den Gottgeliebten in typischen Wendungen als *magnus, statura grandis, aspectu decens, vultu splendidus atque per singula membrorum lineamenta decenter compositus*. Dem Außen entspricht das Innen, er ist *piissimus, potens, fortis, misericors, bonus, faciens iustitiam*[15]. Man denkt auch an den 71. (72.) Psalm:

> Orietur in diebus ejus iustitia et abundantia pacis, donec auferatur luna. Et dominabitur a mari usque ad mare, et a flumine usque ad terminos orbis terrarum. Coram illo procident Aethiopes, et inimici ejus terram lingent. Reges Tharsis et insulae munera offerent; reges Arabum et Saba dona adducent; et adorabunt eum omnes reges terrae, omnes gentes servient ei (7–11).

Alles dieses und mehr schwingt mit in Walthers Schilderung und Rühmung. Vor diesem Hintergrund muß man den Text des Spruches verstehen und sich bewußt machen, was seine ungewöhnliche Anreicherung mit religiösen und theologischen Termini besagen will.

IV

Ungewöhnliche Anreicherung:

1 : *unser hêrre (wart geborn)*;
2 : *maget (muoter)*;
3 : *Megdeburc* (‚Stadt der Jungfrau‘);

---

[13] Sibyllinische Weissagungen, Urtext und Übersetzung, ed. Alfons Kurfess (1951).

[14] Siehe ebda., S. 22; S. 204–279; Ernst Bernheim, Mittelalterliche Zeitanschauungen in ihrem Einfluß auf Politik und Geschichtsschreibung, 1. (einziger) Teil (1918; Neudruck 1964), passim.

[15] Bernheim, S. 99; S. 108.

4f.: *eins und eins in einer wât – namen drîge* (Trinitäts-Analogie);
9: *rôse âne dorn, tûbe sunder gallen* (Marien-Attribute).

Der Termin und Anlaß, der Ort und das Personal bestimmen sich als Bestandteil einer frommen Szenerie, der sehr bewußt die mittelalterliche Herrschaftsidee eingefügt wird. Deren Signaturen sind hier die Titel König und Kaiser und „hochgeborene Königin"[16] und die Herrschaftszeichen Reichskrone und Reichszepter.

Wenn das aber so ist, wenn hier der Friedensfürst seine Geburt erlebt in der Feier seiner selbst; wenn mit Hilfe der Denk- oder vielmehr Erlebensform der Analogie sich hier das Wunder von Bethlehem wiederholt in der Stadt der Jungfrau; wenn das Ebenbild Gottes in königlicher Würde die Messiashoffnung einer von Not und Krieg gepeinigten Menschheit verkörpert und die Gottheit als Trinität den Vorgang begleitend segnet: wenn also hier die Weihnachtsgeschichte aktualisiert wird und die Verse in sinnvoller Steigerung ihren Höhepunkt finden in der Beschreibung des *dienen* – wer kann dann als Urteilsinstanz wohl anders gemeint sein als jene Dienenden, deren Huldigung des neugeborenen Königs die äußere Manifestation schlechthin seiner weltverändernden Sendung war? Die *wîsen*. Das „eigenartige Lob"[17] wird verständlich, ja sinnvoll nur wenn es sich orientiert an einer in diese göttlich-herrscherliche Szenerie gehörigen Instanz, auf deren Wohlgefallen, deren Beifall angespielt wird. Diese Instanz sollte jenes von den Spruchdichtern zur Entscheidung über Gut und Böse gesetzte Tribunal sein, wie man mit Berufung auf Roethes *Reinmar von Zweter*[18] vermutet[19]?

---

[16] „Sehr auffallend" findet Konrad Burdach (Der mythische und der geschichtliche Walther, [1902], wiederabgedruckt im Vorspiel [1925], Bd. 1, 1; hier S. 370) diese Titulatur: „sie, die Tochter des byzantinischen Kaisers Isaak Angelos" werde „nur" als Königin vorgestellt. Woraus Burdach den Schluß zieht, daß hier „genau" der Kurialstil der staufischen Kanzlei wie der Stil des staufischen Hofzeremoniells wiedergegeben sei, die den Kaiser von Konstantinopel immer nur als den König der Griechen haben gelten lassen. Das ist wohl richtig, indes bestätigt nun gerade Walthers Wortgebrauch diese Erkenntnis nicht, da er doch ganz eindeutig auch Philipp (im hörbaren Gegensatz zu Vater und Bruder) lediglich *künec* nennt (3) – wie sollte Irene-Maria da wohl als *keiserinne* erscheinen?

[17] Wilmanns-Michels, Bd. 1, S. 95.

[18] Roethe (1887), S. 330.

[19] Siehe Wilmanns-Michels, Bd. 2, S. 100 z. St.; Rainer Gruenter, Anzeiger 69 (1956/1957), 69. – Übrigens führt Roethe unter seinen Belegen zwar zweimal Walther auf – sonst meist spätere Autoren –, jedoch nicht diese Stelle!

Das wäre in der Tat ein merkwürdiger Bruch von Stil, Bild und Aussage. Nur wer mit Wilmanns-Michels[20] der Meinung ist, Walther feiere hier „nicht sowohl das christliche Fest als den höfischen Aufzug", wird sich mit dieser trivialen Schlußpointe zufriedengeben wollen. Wir haben gesehen, daß Walther hier in dem christlichen Fest und in dem höfischen Aufzug mehr feiert[21].

V

Evangelium secundum Matthaeum

Vulgata 2,1:	Luther 2,1:
Cum ergo natus esset Jesus in Bethlehem Juda in diebus Herodis regis, ecce Magi ab Oriente venerunt Jerosolymam	Da Jesus geboren war zu Bethlehem im jüdischen Lande zur Zeit des Königs Herodes, siehe da kamen die Weisen vom Morgenland gen Jerusalem
2,7:	**2,7:**
Tunc Herodes, clam vocatis Magis, diligenter didicit ab eis tempus stellae, quae apparuit eis	Da berief Herodes die Weisen heimlich, und erlernte mit Fleiß von ihnen, wann der Stern erschienen wäre
2,16:	**2,16:**
Tunc Herodes videns quoniam illusus esset a Magis, iratus est valde, et mittens occidit omnes pueros qui erant in Bethlehem et in omnibus finibus ejus, a bimatu et infra, secundum tempus quod exquisierat a Magis	Da Herodes nun sah, daß er von den Weisen betrogen war, ward er sehr zornig, und schickte aus, und ließ alle Kinder zu Bethlehem töten und an ihren ganzen Grenzen, die da zweijährig und drunter waren, nach der Zeit, die er mit Fleiß von den Weisen erlernet hatte

---

[20] Wilmanns-Michels, Bd. 2, S. 109.

[21] Es mag nicht überflüssig sein anzumerken, daß Roethe seine Belegsammlung einleitet mit der Feststellung: „So werden die *wîsen* gerne als Gewähr für Gnomen citiert", wovon hier nicht die Rede sein kann.

VI

Anton Wallner hat im Jahre 1908 festgestellt[22], es habe der Spruch von der Magdeburger Weihnacht „einen für Walther unerhört matten abschluss", und er führt Wilmanns als Zeugen auf: „die Worte klingen wie das Urteil eines Zeremonienmeisters"[23]. Der Kontex führt ihn zu dem Vorschlag, die *wîsen* als die „fürstlichen magier aus morgenland" zu verstehen – bei Wahrung der Möglichkeit, daß hier auch „der schillernde doppelsinn" bewußt eingeplant sei: „den *wîsen* ab oriente hätt es gefallen und den *wîsen* ‚den kennern'[24] beim Magdeburger fest".

Wer nun zu behaupten wagt, auch vor Luther schon seien die *Magi-*Μάγοι als, ‚Weise' bezeichnet worden, wird sich allererst der Frage nach den Belegen stellen müssen. Wallner verweist auf das *Speculum ecclesiae* (eine dem 12. Jahrhundert zugehörige deutsche Predigtsammlung), wo es (I 17, 14) von Herodes heißt (Matth. 2,7): *ʒi imo er ladôta thie wîson man (clam vocavit magos)*; und eine andere Predigt „betont wenigstens": *die künige die waren wise*[25]. Ein Beleg und ein weiterer halber. Das ist nicht eben viel, und so wird man Wallners Folgerung als kühn bezeichnen müssen: „man darf also das wort auch bei Walther so verstehen". Die Forschung hat es nicht so verstehen wollen, die Interpreten haben es weiter belassen bei den „Kennern"[26].

Lediglich Rotraut Ruck[27] stimmt wieder für die *Magi* und begründet ihr Votum mit kompositorischen Argumenten, von denen der Hinweis auf die Beziehung dieses Spruches zu dem vorangehenden 18, 29 (*Diu krône ist elter*) von besonderer Einsichtigkeit zeugt. Wir kommen darauf zurück. Aber neue Belege hat auch Rotraut Ruck nicht beigebracht. – Nun hat Rainer Gruenter in seiner an sich wohlwollenden Rezension dieser Studie[28] im Heffner-Lehmann wie im Benecke-Müller-Zarncke (III, 752f.) „alle Belege für *wîse* geprüft", und er kommt zu dem Ergeb-

---

[22] Anton Wallner, Beiträge, 35 (1908), 193.
[23] Walther von der Vogelweide, Bd. 2 (⁴1924), z. St., dort Wilmanns' früheres Urteil durch Michels trotz Zurückweisung von Wallners Vorschlag übernommen.
[24] Vgl. dazu Roethes Reinmar, S. 330.
[25] Schönbach, Bd. 3, S. 20, 39.
[26] Siehe z. B. Carl von Kraus, WU, S. 58.
[27] Rotraut Ruck, Walther von der Vogelweide: Der künstlerische Gedankenaufbau (Basel, 1954), S. 11–13.
[28] Gruenter, S. 69, Anm. 1.

nis: „Keinmal begegnet ein Beleg in der Bedeutung von *magi*." Das ist richtig, liegt aber nicht am Material sondern an den Wörterbüchern. Es bleibt also nichts, als den Wortgebrauch der Denkmäler nachzuprüfen, die diese Geschichte bringen.

Dabei leuchtet ohne weiteres ein – und die Texte bestätigen es –, daß die deutschen Autoren sich schwer tun mußten mit der Fassung der biblischen *Magi*. Recht übersetzt, hätte daraus mittelhochdeutsch *zouberaere* werden müssen – und also eine dubiose, zwielichtige und im Bereich des Bösen angesiedelte Macht[29]. So nimmt es nicht wunder, daß die Verfasser sich durchweg der Königs-Version bemächtigen – dies zumal da in einer ständisch gegliederten Welt der König dem Weisen und dem Zauberer gewiß voransteht. So hält es etwa Frau Ava[30], so der Priester Wernher in seinen *Driu liet von der maget*, so halten es Konrad von Fussesbrunnen[31] oder Walther von Rheinau[32] oder der Bruder Philipp[33] oder der Dichter des *Passional*[34] oder Hermann von Fritzlar[35]; so halten es auch die Predigten, wie etwa ein Blick in Schönbachs Sammlung zeigt[36]: Sie alle reden von *kunegen* und *herren*. Freilich, daß Weisheit deren bestes Teil ist, vermerken gelegentlich auch diese Quellen: Wernher erklärt[37]: *in gab der ware gotes svn | den sin vnd auch den weistuom*... und wie irritierend die Benennung *Magi* gewirkt hat, spürt man noch aus der Formulierung[38] *Do die kvnige frey, | die da haizzent magi* ... Von ähnlicher Verlegenheit kündet schon die Fassung des ersten deutschen Übersetzers. Im *Tatian*[39] wird einfach die Form der Vorlage übernommen: *senu thô magi óstana quamun;* und das fremde Wort wird unbefangen deutsch flektiert: *magin*[40].

Wenn bis jetzt die (stichprobenartige) Musterung der Belege nicht viel ergeben hat, so wird sich nunmehr zeigen, daß die ersten poetischen

---

[29] μάγος = „Zauberer" bei Luther: s. u. Anm. 48.
[30] Diemer, S. 234f.
[31] Kochendörffer, Vv. 1217–1219.
[32] Perjus, Vv. 3870–3873 und 4015–4017.
[33] Bobertag, Vv. 2475f.
[34] Hahn, S. 24, 5–9 u. ö.
[35] Pfeiffer, Bd. 1, S. 49.
[36] Schönbach, Bd. 1, S. 89, 90, 153; Bd. 2, S. 30; Bd. 3, S. 22.
[37] Bearbeitung A. Wesle, Vv. 3927f.
[38] Ebda., Vv. 3941f.
[39] Sievers, Tatian, S. 27, VIII, 1.
[40] Ebda., VIII, 4, Dativ als Entsprechung des Abl. absolutus *(vocatis) magis.*

Bearbeiter des Jesuslebens Gebrauch gemacht haben von ihrer dichterischen Freiheit, und so erscheint denn zum ersten Male in deutscher Sprache die Bezeichnung „Weise" für die Drei Könige. Die erwähnte Stelle Matth. 2,7 *Tunc Herodes clam vocatis Magis diligenter didicit ab eis* ... heißt bei Otfried[41]:

> *Zi imo er ouh tho ládota*   *thie wisun man theih ságeta,*
> *mit in gistuont er thíngon*   *joh filu hálingon.*

Mehr noch tut die aufwendige Rhetorik des *Heliand*-Dichters. Vorgestellt werden bereits die *thegnos snelle* als *suîdo glauua gumon*, „sehr kluge Männer"[42], und Bartsch bemerkt zu dieser Formel mit Recht: „deckt das für den Dichter unbrauchbare *magi*". Und immer wieder streicht der Dichter die „Weisheit" der drei Herren heraus, den Begriff nach seiner Weise variierend: *thea ferahton man* (677), und: *sie giuuit mikil | bârun an iro briostun* (689f.); und: *uuârun im glauue gumon* (654). Entscheidendes Gewicht aber für unsere Untersuchung haben die drei Belege V. 641, V. 649 und V. 687: der Wortlaut Matth. 2,8 *et (Herodes) mittens illos in Bethlehem, dixit: et interrogate diligenter de puero: et cum inveneritis, renuntiate mihi* ... erscheint im *Heliand* als *endi the cuning selƀo gibôd | ... them uuîsun mannun, êr than sie fôrin uuestan ford* ... So brechen sie denn auf: *Thô uuârun thea uuîson man | fûsa te faranne*. Schließlich nach der Traumwarnung *bigunnun thea uuîson man seggean iro sueƀanos*.

In mittelhochdeutscher Zeit begegnet häufiger die schon von Wallner bemerkte Kompromißlösung. So etwa bei Thomasin[43] *die wisen künege drî, Caspâr, | Melchjôr unde Balthasâr*, oder in Rudolfs von Ems *Barlaam und Josaphat*[44]: *... von Arâbîe und von Tharsîs, | von Sabâ die künege wîs | bringent im ir gâbe hin:* in diesen Formulierungen bewahrt das Attribut *wîs* den Königen die alte „magische" Kraft.

Mehr Gewicht noch wird man indes dem Wortlaut der „Ersten deutschen Bibel" geben wollen, jener Version also, die (wohl) 1466 von dem Straßburger Drucker Johann Mentelin unter die Presse genommen wurde. Es ist längst erwiesen, daß Mentelin eine schon damals durch ihr Alter ehrwürdige Textfassung druckte. Die Entstehungszeit dieser Übersetzung eines unbekannten Verfassers setzt man allgemein an auf

---

[41] Erdmann-Wolff, S. 38, XVII, 41f.

[42] Behaghel, S. 21, 542f.

[43] Rückert, V. 9223.

[44] Pfeiffer, Sp. 69, 11; die beiden letzten Belege danke ich der Belesenheit Helmut Brackerts.

die Mitte des 14. Jahrhunderts[45]. Dort heißt es Matth. 2,1[46]: *secht die weysen kamen von osten (ecce Magi ab Oriente venerunt)*; Matth. 2,7: *Do rief herodes haimlich den weysen vnd lernt fleissiglich von in (Tunc Herodes, clam vocatis Magis, diligenter didicit ab eis);* Matth. 2,10: *Wann do die weysen gesahen den stern (Videntes autem stellam)*; Matth. 2,16: *Do herodes sach, das er was betrogen von den weysen (Tunc Herodes videns quoniam illusus esset a Magis)*; ibid.: *nach dem ʒeyt das er hett gelernt von den weysen (secundum tempus quod exquisierat a Magis)*[47]. Mit dieser Übersetzung von *Magi* durch das absolut stehende substantivierte Adjektiv „die Weisen" liefert uns die Mentel-Bibel einen rund 170 Jahre vor Luther anzusetzenden Beleg[48].

Endlich: Früher noch als die durch Mentelin gedruckte Bibelübersetzung ist vermutlich eine Übertragung der vier Evangelien anzusetzen, die (neben anderen neutestamentlichen Stücken und einem Perikopenbuch) eine Augsburger Sammelhandschrift (Ms. 3) aus dem 14. Jahrhundert überliefert. Denn der u. a. auch die Evangelien enthaltene Teil der Hs. wurde laut Eintragung eines Schreibers *volbraht ʒu schriben* im Jahre 1350[49]. Der unbekannte Übersetzer gibt die *Magi* Matth. 2,1; 2,7 und 2,16 wieder durch *wîsen*[50].

---

[45] Siehe Kurrelmeyer, Bd. 1, S. VIII; zuletzt dazu Hans Volz, Vom Spätmittelhochdeutschen zum Frühneuhochdeutschen (1963), S. IX–XIII; dort auch Literatur.

[46] Kurrelmeyer, Bd. 1, S. 9f.

[47] Gleichermaßen übersetzen 7 der insgesamt 13 von M(entelin) abhängigen Bibeldrucke, während deren „dritte Gruppe", also 6 Drucke, anstelle der *weysen* hier *kunig* eingesetzt haben. Die beiden Hss. dieser ersten deutschen Bibelversion T (der *Codex Teplensis*, die Schrift deutet auf die Wende des 14. Jahrhunderts zum 15., siehe Kurrelmeyer, Bd. 1, S. 19; Volz, S. IX Anm. 8) und F (*Codex Fribergensis*, die Schriftzüge nach Kurrelmeyer, Bd. 1, S. XXIII, vom Anfang des 16. Jahrhunderts) haben ebenfalls *weyse*.

[48] Dabei differenzierten Luther wie schon vor ihm die Erste deutsche Bibel sehr genau: Act. Ap. 8,9 *magus* (μαγεύων) „der Zauberei trieb" Luther, *ʒauberer* Mentelin und die übrigen Drucke (Kurrelmeyer, Bd. 2, S. 312); Act. Ap. 13,6 und 13,8 *magum* (μάγον) und *magus* (μάγος) „Zauberer" Luther wie Mentelin und die übrigen (Kurrelmeyer, Bd. 2, S. 335). – Auch die *venifici* (φαρμακοί) Apocal. 21,8 und 22,15 faßt Luther wiederum wie sein Vorgänger (Kurrelmeyer, Bd. 2, S. 523, 527) als „Zauberer". – Die Stellenhinweise danke ich Walther Bulst.

[49] Max Bisewski, Die mhd. Übersetzung des Perikopenbuchs, der Apokalypse und der katholischen Briefe in der Augsburger Handschrift (Diss. Greifswald, 1908), S. 1–3.

[50] Fritz Felke, Die mittelhochdeutsche Übersetzung der vier Evangelien in der Augsburger Handschrift (Diss. Greifswald, 1909), S. 52. – Den Hinweis danke ich Thomas Cramer; zur Augsburger Hs. siehe Wilhelm Walther, Die Deutsche Bibel-

Unsere Musterung der hierhergehörenden Textpartien beschränkte sich auf Proben, die vorgelegten Zeugnisse können keinerlei Ansprüche auf Vollständigkeit erheben und wären gewiß zu vermehren. Hier jedoch geht es nicht um eine Wortstatistik zum Zwecke der Untersuchung des übersetzungstechnischen Verfahrens der Bibelvermittler, sondern lediglich um den Versuch darzulegen, daß Wort- und Denkgebrauch zur Zeit Walthers einer Ansetzung *wîse = Magi* nicht im Wege stehen. Die herangezogenen Textzeugen reichen aus, um die Möglichkeit dieser Gleichung sicherzustellen. Indessen beweist die Möglichkeit dieser spezifischen Wortbedeutung noch längst nicht, daß sie hier auch vorliege. Der nächste Schritt wird also der Antwort auf die Frage gelten müssen, warum hier anstelle der usuellen Bedeutung die okkasionelle zu verstehen sei, warum anstelle der „Kenner" die *Magi* nach ihrem Urteil gefragt werden.

VII

Im Zeichen des Sterns vollzieht sich die Proklamation des Königs. *Hoc signum magni regis!* Der Stern ist das über die Erde hin leuchtende Signal der Erscheinung des Friedensfürsten. Der Stern leitet den suchenden Menschen seinem Heile zu: Leitstern. Die Repräsentanten schlechthin der ihren König suchenden Menschen sind die drei Weisen. „Stern und Magier lassen sich überhaupt nicht voneinander trennen"[51].

Die beiden Hss. B und C überliefern in unmittelbarer Nachbarschaft des Weihnachtsspruches die Verse vom Kronenwunder (*Diu krône ist elter*, 18,29; geht in C voraus, folgt in B). Das *ebene*-Phänomen, d. h. der sich im „Passen" der Krone offenbarende Entsprechungscharakter von Signum und Träger, ist die Voraussetzung für die des Spruches Gipfel darstellende Aufforderung:

> *swer nû des rîches irre gê,*
> *der schouwe wem der weise ob sîme nacke stê:*
> *der stein ist aller fürsten leitesterne.*

Form wie Inhalt dieser beiden Sprüche im *Ersten-Philipps-Ton* zwingen dazu, sie unmittelbar aufeinander zu beziehen und sie als Aussagen zu

---

übersetzung des Mittelalters, Teil 2 (1891), Spp. 356 ff.: repräsentiert den „7. Zweig" nach Walthers Ordnung.

[51] Hugo Kehrer, Die Heiligen Drei Könige in Literatur und Kunst, 2 Bde. (1908/09) hier Bd. 1, S. 1.

dem gleichen Thema zu begreifen[52]. Der eine ist vermutlich im Zusammenhang mit der Krönung Philipps entstanden (8. Sept. 1198), der andere Weihnachten 1199. Man wird indessen um der Thematik und der ihr zugehörigen Ding-Symbolik willen auch den Reichsspruch *Ich hôrte ein wazzer diezen* (8,28, gedichtet 1198 vor Philipps Krönung) heranziehen müssen. Auch er mündet in der Schlußsteigerung eines Appells aus: Du deutsches Volk setze Philipp *den weisen ûf und heiz sie* (die Vasallenfürsten) *treten hinder sich!* In jedem dieser drei Sprüche wird die Krone als Legitimation des sie Tragenden dargestellt und begriffen. Der Weg nun vom Reichsspruch zum Spruch vom Kronenwunder geht über den Wunderstein in der Reichskrone, den *weisen*.

... *ob sîme nacke stê*, formuliert Walther (19, 3), und diese Angabe hat Verwirrung angerichtet, da man den geheimnis- und wundermächtigen ‚Weisen‘, diesen um seiner Einzigartigkeit willen als *unio* oder *orphanus (pupilla)* empfundenen herausragend großen und kostbaren Edelstein (ein Milch-Opal oder Opal-Jaspis) der Stirnplatte der (für Ottos des Großen Kaiserkrönung angefertigten) Krone eingefügt glaubte. Wie also sollte sein Strahl die sich hinter dem König scharenden Fürsten treffen können? Die Frage scheint jetzt geklärt: laut Hansmartin Decker-Hauff[53] zierten zwei „Zentralsteine“ die Krone, einer in der Stirn, der andre in der Nackenplatte, und die Überlieferung empfand einmal den einen und ein andermal den anderen als den ‚Waisen‘[54]. Nun hat die höchst subtile Untersuchung der Zahlenverhältnisse dieses kostbaren Zierrats durch Decker-Hauff erwiesen, daß jeder Stein und jede Perle Glied eines kunstvoll errichteten Zahlensystems sind, dessen Plan harmonische Proportional-Verhältnisse zugrunde liegen, die sich etwa auf die Zahlenmystik der Apokalypse zurückführen und in den Steinen der Nacken- und der Stirnplatte den Grundriß des Himmlischen Jerusalem erkennen lassen[55]. Wichtig ist nun, daß die beiden (heute verlorenen) „Zentralsteine“ auf der Stirn- und auf der Nackenplatte außerhalb dieses Zahlensystems stehen, also „einzig“ sind und allein – wie es ihrer Kostbarkeit und ihrer geheimnisvollen Geschichte, deren sich die Sage vom Herzog Ernst bemächtigt hat, ent-

---

[52] Siehe oben die Bemerkung zu dem *jungen süezen man*, S. 158.
[53] Herrschaftszeichen und Staatssymbolik, von Percy Ernst Schramm u. a. = Schriften der Monumenta Germaniae historica 13, Bde. 1–3, Bd. 2 (1955), S. 560–637, hier S. 609 f.; P. E. Schramm in Bd. 3 (1956), S. 803–860, hier S. 811.
[54] Ebda., Bd. 3, S. 81.
[55] Decker-Hauff, S. 586–603.

spricht. Es ist bemerkenswert, daß Decker-Hauff für diese beiden Steine
den Begriff „Leitstein" geprägt hat[56] – und dies offenbar ohne etwa
auf Walthers *leitesterne* anzuspielen. Aber sie meinen beide das gleiche
Gestirn.

et ecce stella, quam viderunt in Oriente, antecedebat eos (Matth. 2,9): er
„ging vor ihnen hin", sagt Luther. Hier festigt sich das Bild: in solchem
Sinne geht der Waisen-Stern der Kaiserkrone als Leitstern den Fürsten
voran, die, von ihm geführt, nun nicht mehr des *rîches irre gên* können,
die zurücktreten (9, 15) und aufschauen zu ihm: *der schouwe wem der weise
ob sîme nacke stê: der stein ist aller fürsten leitesterne.*

Somit festigt sich Rotraut Rucks Vermutung[57], es sei mit dem *leitesterne* der Stern von Bethlehem gemeint. Aber hier lediglich von einem
„Doppelsinn" zu sprechen heißt, einen ontologischen Sachverhalt auf
einen bloß stilistischen zu reduzieren. Die Krone ist *signum sanctitatis*[58],
und der in ihr strahlende Steinstern ist der Leitstern von Bethlehem.
Dieser Stern aber ist die Manifestation des Friedensfürsten: *Christus
stella duce Gentibus est manifestatus:* so hat es Augustinus formuliert,
der den *Magi* ihren eigentlichen theologischen Rang verliehen hat[59].
stella duce, das meint Walthers *leitesterne.* So wie der Stern über dem Stall
Christus den König allen Heiden offenbart, so offenbart der Stern in der
Krone Philipp den König allen „Ungläubigen". Der Stern ist es, der
den wahren Gott und König verkündet. Wie wurde seine Botschaft
aufgenommen?

VIII

Ein glänzender Kreis von Fürsten des Reichs sammelte sich Weihnachten 1199 zu Magdeburg um König Philipp[60]. Die Bischöfe von Halber-
stadt und Osnabrück, die Erzbischöfe von Bremen und Magdeburg, die

---

[56] Ebda., S. 587, S. 609.

[57] Rotraut Ruck, S. 10.

[58] Siehe Decker-Hauff, S. 617–619.

[59] Siehe Kehrer, Bd. 1, S. 47.

[60] Siehe hierzu Winkelmann, Bd. 1, S. 148 ff.; die betreffenden Partien aus der
„Magdeburger Schöppenchronik", der „Halberstädtischen Chronik", aus Eike von
Repgau, aus Gottfrieds von Köln Chronik und aus der „Braunschweigischen Reim-
chronik" abgedruckt im Anhang von Lachmanns Walther zu 19,5. – Die widerspre-
chenden Jahresangaben (1198 oder 1199) scheinen seit Winkelmann (siehe Bd. 1,
S. 148 Anm. 2) zugunsten von 1199 entschieden.

Bischöfe von Würzburg und Freising, Herzog Bernhard von Sachsen, Landgraf Hermann von Thüringen („wie vielleicht Dietrich von Meißen") und viele Fürsten, Grafen und Edelherren vor allem aus den mittel- und norddeutschen Landen[61]. Den feierlichen Zug zum Dome führte Herzog Bernhard von Sachsen an (*qui et ensem regium preferebat* wie die *Halberstädtische Chronik* zu bemerken nicht versäumt), das Reichsschwert tragend. Hinter ihm schritt feierlich der König, *die sancto regalibus indumentis et imperiali dyademate insignitus*; danach *coniux sua Erina Augusta regio cultu excellentissime simul ornata*, geleitet von der Herzogin Judith von Sachsen und der Fürstäbtissin Agnes von Quedlinburg. Dann die übrigen Fürsten und Herren – und unermeßlich die Schar der jubelnden, begeisterten und applaudierenden Menschen. Konrad aber, fährt die *Halberstädtische Chronik* fort, *imperialis aule cancellarius sagaciter cuncta disposuit et prudenter*.

Das prunkvolle Spektakel war nicht um seiner selbst willen arrangiert worden. Philipp beging dieses Fest *cum ingenti magnificentia* mit der Absicht der Demonstration. Er hatte die welfische Macht im Nordosten gebrochen, und die öffentliche und allem Volk deutliche Huldigung der Fürsten aus diesem Bereich war Beweis dafür, daß „man auch in diesen Gegenden Otto IV. mehr und mehr als verlorenen Mann betrachtete"[62]. Zwar war auch der Süden Deutschlands durch Repräsentanten seines Adels vertreten – aber das wog gering gegenüber dem Dienst derer, die Walther zusammenfaßt unter *Düringe und Sahsen*.

Gemäß der politischen Konstellation kam alles auf Entschiedenheit, auf den Ernst und die Wahrhaftigkeit an, mit der diese Herren sich Philipp beugten. Der höchste Maßstab mußte an ihre Huldigung gelegt werden. Es gibt aber nur eine Gruppe von Fürsten, die in ihrer dienenden Hingabe geradezu als Prototyp der Huldigung des Friedensfürsten begriffen werden können. Das sind die Weisen. Wer sich dem König so beugt wie einstmals sie, der wird auch vor ihrem Urteil bestehen können. Der dient *alsô, daʒ eʒ den wîsen müeste wol gevallen*.

IX

Bei Tertullian zuerst, um 200 also, wird deutlich, daß aus den Magiern und Sternenpriestern Könige geworden sind, und im Abendland können

---

[61] Siehe Winkelmann, Bd. 1, S. 148 f.

[62] Ebda., S. 148.

sie seit dem 6. Jahrhundert diese Würde annehmen[63]. Eine Wandlung, die sich auf dem Wege über die Vorstellung des Priesterkönigtums ohne Zwang vollziehen mochte und die ihren Ursprung hat in der Wirkung alttestamentlicher Prophetien. Vor allem in der hymnischen Verkündigung des 71. Psalms, der den Friedensfürsten besingt: *Reges Tharsis et insulae munera offerent; reges Arabum et Saba dona adducent; et adorabunt eum omnes reges terrae, omnes gentes servient ei*[64]. In der Nachfolge also der Könige *omnes gentes servient ei*. Das findet sich geradezu als Übersetzung wieder bei Walther: gemäß dem Muster der biblischen Anbetenden dienen nun *die Düringe und Sahsen*. Und tun es so, daß die Vorbilder ihre Freude daran haben; oder hätten.

An dieser Stelle ist ein Wort über die Lesart von V. 12 zu sagen: B *muoste*, C *müeste*. Lachmann zu den Strophen des *Ersten-Philipps-Tones*[65]: „diese strophen giebt C, wie ich glaube, nach sorgfältigerer überlieferung." Sodann verdient die Lesart von C auch deshalb den Vorzug, weil sie die *lectio difficilior* vertritt. Denn der Indikativ zielt auf den trivialen Sinn einer wie auch immer zu denkenden gegenwärtigen Urteilsinstanz, während der Konjunktiv die Dimension des Weihnachtswunders öffnet. Es sprechen mithin alle textkritischen Erwägungen für die Einsetzung der Lesart *müeste*, wie schon von Wallner und dann wieder von Rotraut Ruck vorgeschlagen. Die Interpretation hat auszugehen von der Textgestalt, so sicher sie herstellbar ist, und nicht die Textgestaltung in ihrem Gefolge ziehen zu lassen[66]. Wir wissen, daß es ein Fundamentalgesetz der Literatur im Mittelalter ist, dem Wort, dem Sinn, der Aussage ein weites, vielfältig schimmerndes Bedeutungsspektrum mitzugeben. Wallner hat gewiß recht wenn er ein vordergründiges Mitschwingen der

---

[63] Siehe ³RGG, Bd. 2, Spp. 264f. (H. Paulus); Kehrer, Bd. 1, S. 36. – Zu der Frage des sozialen Status äußert sich die stigmatisierte Jungfrau Therese Neumann auf Grund ihrer Visionen folgendermaßen: „Sie waren wirkliche, herrschende Fürsten, selbst sehr reich, nicht herrschsüchtig, sondern recht gemütlich mit den Leuten" (mitgeteilt von Kaplan Fahsel in dem von ihm hg. Bande Die heiligen Drei Könige in der Legende und nach den Visionen der Anna Katharina Emmerich, 1941, S. 19 Anm. b).

[64] Daß der 71. Psalm Walther wohlvertraut war, zeigt auch die Nutzung des Bildes des 6. Verses vom Regen der fürstlichen Gnade im Spruch 20,31.

[65] In den Anmerkungen zu 18,29.

[66] Nicht eben konsequent Carl von Kraus, WU, S. 57f. zu unserem Spruch: zu V. 5 kritisiert er die Lesart „der sonst hier überall (!) schlechteren Handschrift B", zum letzten Vers aber tadelt er „den Konjunktiv *müeste*, den Wallner mit C einsetzt", denn er „paßt nicht (!) zu den ‚Kennern'".

vordergründigen Bedeutung „Kenner des Hofzeremoniells" vermutet[67].
Über das *servire* des Psalmisten sind aus den Magiern des Matthäus die
dienenden Könige geworden. Über das *dienen* der Fürsten und der norddeutschen „Völker" sind die Magier-Könige in die Magdeburger Weihnacht aufgenommen worden. Befragt, würden sie ihr Wohlgefallen
haben an der Art, wie man es ihnen hier nachtat. Was ist die Bedeutung
ihres Dienstes?

X

Seit dem 4. Jahrhundert durchziehen die Könige auf dem Weg nach
ihrem Stern das Land der christlichen Volksfrömmigkeit. Sie bringen
Gutes, sie wehren das Böse ab, sie werden zu familiären Heiligen und
Nothelfern, ihre Dreizahl wird fest seit dem 8. Jahrhundert, und nun
kennt man auch ihre Namen[68], malt an ihrem Tage deren Initialen mit
Kreide an die Stalltüren zum Schutz gegen Feuersbrand und Seuchen:
CMB, und fügt das Kreuz hinzu; man weiht Wasser und Salz am Drei-
königsabend und ahmt den frommen Vorgang nach im geistlichen Spiel
und seinem schlichten Ausläufer, dem Sternsingen der Kinder[69]. Solchem vertrauten Umgang mit ihnen in der Volksfrömmigkeit stellt die
Theologie die Bedeutung der *Magi* und ihren Anteil an der Menschwer-
dung des Gottessohnes entgegen. Gott wird „wirklich" erst in dem Akt
seines Erkanntwerdens. Die Huldigung durch die drei *Magi* ist der Kom-
plementärvorgang seiner Offenbarung, i s t seine Offenbarung, und ihr
Dienen ist mithin ein Vorgang von aufschließender und aufschlüsselnder
Funktion. Indem sich der *unigenitus visibilis et corporalis* den *Magi* zeigt,
ist erst die Ensarkose Gottes theologisch recht eigentlich vollzogen. So
nimmt diese Anbetungsszene in den christlichen Glaubensvorstellungen
eine zentrale Position ein[70]. Augustinus hat den *Magi* ihren hervorragen-
den Platz in der Heilsgeschichte gegeben durch die Verleihung des

---

[67] Siehe auch Gruenter, S. 69. – Nebenbei sei darauf hingewiesen, wie weihnacht-
lich für unsere Ohren die Sequenz endet mit dem *wol gevallen*. Aber das „Wohlgefallen"
ist Luthers Werk, der in der Rezension des Erasmus den Nominativ (ἐν ἀνθρώποις)
εὐδοκία vorfand anstelle des Vulgata-Wortlautes (*hominibus*) *bonae voluntatis*. So muß
der Vorklang denn ein Zufall sein.

[68] Siehe ³RGG, Bd. 2, Sp. 264; Karl Meisen, Die heiligen drei Könige und ihr
Festtag im volkstümlichen Glauben und Brauch (1949), S. 50; Kehrer, Bd. 1, S. 75 ff.

[69] Meisen, S. 52 f., 56, 60 u. ä.

[70] Hierzu siehe Kehrer, Bd. 1, S. 47–53 u. ö.

Titels der *primitiae gentium*, ‚Erstlinge der Heiden'[71], in ihnen repräsentiert sich gewissermaßen der ökumenische Gedanke und Anspruch der Kirche. So ging dann die Anbetung auch ein in den Zyklus der *Sieben Freuden Mariae*[72].

Zur Rühmung nicht nur, sondern zur Bestimmung und Offenbarung des Friedensfürsten gehören als die ihn offenbarende Macht die ihm dienenden *reges*. Intensiver konnte der Sinn der Magdeburger Weihnacht und ihres Hoftags nicht vertieft werden als durch Einbeziehung der *wîsen* und ihrer evangelischen Funktion. So wie die *Magi* die *primitiae gentium* darstellen, so die Fürsten der *Düringe und Sahsen* die Erstlinge der noch gänzlich zu bekehrenden Welt.

Die Beziehung verdichtet sich noch, wenn man die „Technik" des Dienens betrachtet. Denn die bildende Kunst hat von der hellenistischen Zeit an bis ins hohe Mittelalter die Form der Huldigung durch die drei Weisen mit großer Genauigkeit und der Sorgfalt einer Zeit dargestellt, die das Zeremoniell als Ausdruck hierarchischer und religiöser Wahrheit begriff. Die Form der *Magi*-Adoration war dem Menschen des Mittelalters von Tafelbildern und Skulpturen, von Darstellungen auf Fresken, Mosaiken, Reliefs in großer Zahl wohlvertraut[73]. So daß die Vorstellung von einer beliebigen Huldigungsgebärde sich ganz natürlich auf das Muster der Huldigenden schlechthin richtete, die also nicht nur gemäß ihrer geistigen sondern auch gemäß ihrer technisch-formalen Haltung den normgebenden Modellfall darstellten. Diese Erkenntnis zeigt vollends, daß der zeremonielle Hinweis in Walthers Aussage nicht abgelöst zu werden braucht von dem Wahrheitsgehalt ihrer Beziehung auf den königlichen Offenbarungscharakter der Szene.

Die Kunstgeschichte hat die Varianten der Adorationsgestik aufgezeigt: die (vielleicht von der orientalischen Proskynese ausgehende) Gebärde der Inclinatio, der „Beugefigur", der Erniedrigung der Gestalt im „Knielauf", ihrer Neigung in der Genuflexio; die Entblößung des Hauptes, das vor dem König der Könige auf die Krone verzichtet; die fein differenzierte Stufung in der Haltung der drei *Magi*; die ehrfurchtsvolle Deutegebärde auf den Stern: all dies und anderes bezeugt die formgewordene Anbetung. Welche ihrerseits wiederum das Angebetete bezeugt. Solche Darstellung des Vorgangs ist Geist des Mittelalters, Geist eines Staatsdenkens das sich vorzüglich bestimmte aus dem

---

[71] Ebda., S. 34, 47 u. ö.

[72] Siehe ³RGG, Bd. 6, Sp. 1568; Kehrer, Bd. 1, S. 54.

[73] Hierzu wie zu dem Folgenden siehe Kehrer, Bd. 2, passim.

hierarchischen Prinzip, aus dem Gedanken des Lehnswesens. So ist es nicht verwunderlich, daß der Adorationstypus der Drei Könige sich auch mit den Darstellungen des Belehnungsrituals berührt: im Gestus des Händefaltens, in der Neigung des unbedeckten Hauptes[74].

Die fürstliche Würde der *Magi* nimmt überdies dem Akt der Demut den Charakter der Demütigung, wenn er des großen Vorbildes eingedenk vollzogen wird. Im Frankreich des Mittelalters gab es eine Epiphaniassitte, der gemäß die Könige persönlich ihr Opfer an Gold und Weihrauch und Myrrhen entrichteten[75]. „Fürstliche Opfergänge am Dreikönigstag kommen auch in Burgund und England auf und bieten vom vierzehnten bis zum sechzehnten Jahrhundert Anlaß zu weitgehenden Hofzeremonien"[76]. Diese recht unbestimmten Angaben verwehren jeden Versuch zu unmittelbarer und kausaler Verknüpfung der Magdeburger Weihnacht mit solchen Bräuchen. Entscheidend jedoch ist, daß hier stillschweigend und selbstverständlich „der Idee nach eine Identifizierung mit den Magierkönigen" statthat[77]. Aus solchem Geiste heraus konnte Walther umso zwangloser die huldigenden Fürsten zu Magdeburg dem Urteil der *wîsen* unterstellen, ja sie auf solche Weise annähernd mit ihnen identifizieren. Der kühne Schritt freilich über den frommen Brauch der französischen Könige hinaus besteht in der Identifizierung des irdischen Königs mit dem himmlischen, wie ihn die mittelalterliche Geschichtsspekulation und Herrscher-Metaphysik gewagt hat. Es zeigt sich je länger je mehr, daß die Anwesenheit der Heiligen Drei Könige bei dem Huldigungsakt zu Magdeburg nicht nur nicht verwunderlich sondern recht selbstverständlich und natürlich ist.

Indessen: am Weihnachtstage, der doch ihr Tag nicht ist?

XI

Das Fest der Epiphanie Christi am 6. Januar entstand im 4. Jahrhundert im Orient[78]. Seiner ursprünglichen Konzeption nach vereinigte es drei Festes-Ideen, deren Summe die Wahrheit der Offenbarung Gottes ergibt: Geburt und Anbetung und Taufe. Im 4. Jahrhundert noch löst Rom das

---

[74] Ebda., S. 75 Anm. 1; S. 138.

[75] Ebda., Bd. 1, S. 52.

[76] AaO.

[77] AaO.

[78] Vgl. hierzu ³RGG, Bd. 2, Sp. 530f. s. v. Epiphanienfest; Bd. 6, Spp. 1564–1569 s. v. Weihnachten; Kehrer, Bd. 1, S. 23, 48, 51 u. ö.

Geburtsfest des Herrn vom Tage seiner Offenbarung und verlegt es auf den 25. Dezember[79], damit die Fülle des Festes auflösend, verteilend und seit etwa 450 den 6. Januar zum *Festum stellae*, zum *Festum Magorum* vereinfachend. Dem natürlichen Frömmigkeitsempfinden, das Geburt und Offenbarung ineins setzt, entspricht auch nach der Trennung der Feste die Tradition der bildlichen Darstellungen, die in der Frühzeit immer die Geburt verbinden mit der Anbetung der Hirten oder der *Magi*[80]. Noch das hohe Mittelalter kennt die Kombination von Geburtsszene und Anbetung im Typus der „Liegenden Madonna" und ihrer Szenerie[81]. Am konsequentesten aber setzte sich die Dichtung in Form des geistlichen Schauspiels über die Trennung der beiden Feste hinweg und schuf in dem Spiel von den Drei Königen unbefangen eine Synthese von Weihnachts- und Epiphanienfeier, von *Magi* und Hirten[82].

Ursprung und Sinn des Festes wie volkstümliche Traditionen hindern also, die Trennung allzuscharf zu vollziehen und den *Magi* ein Erscheinen am Fest der Geburt ihres Herrn zu verbieten[83]. Wir sahen, wie die Herbeirufung der *Magi* dazu beiträgt, dem religiösen Ritual des Festes die aktuelle Wendung zu geben. Lag indes auch ein aktueller Anlaß vor, sie herbeizurufen?

XII

Zu jener Zeit saß Otto „meist ruhig in Köln", dem Machtzentrum der welfischen Partei, und lenkte die Aufmerksamkeit der Geschichtschreiber nicht einmal durch Tatenlosigkeit auf sich[84]. Sein eigentlicher Kö-

---

[79] Nur die armenische Kirche hat sich an die ursprüngliche Ordnung gehalten und feiert heute noch Christi Geburt zugleich mit seiner Epiphanie am 6. Januar.

[80] ³RGG, Bd. 6, Sp. 1566.

[81] Vielleicht entstanden aus dem „Syrisch-byzantinischen Kollektivtypus", der sich aus der Festperikope der orientalischen Kirche erklärt, in der die *Magi*-Geschichte zum 25. Dezember gehört, Kehrer, Bd. 2, S. 28.

[82] Kehrer, Bd. 1, S. 54–59.

[83] Auch die Stilisierung der Königin Irene-Maria warnt vor allzu logischer Distinktion der durchaus komplex begriffenen Vorgänge. Sie ist hier als Braut des Gott-Königs dargestellt am Tag von dessen Geburt, der ihre Erscheinung als „Mutter" forderte. – Übrigens bleibt der Termin der Abfassung von Walthers Versen zu erwägen: schwerlich hat er sie bereits vor der Zeit des Ereignisses zur Feier der Feier verfaßt – das zu glauben verbietet ihr Reflex-Charakter. Mithin sind sie in der Folge des Festes entstanden – vielleicht bestimmt zum Vortrag am Epiphanias-Tage?

[84] Winkelmann, Bd. 1, S. 148.

nigsmacher, Erzbischof Adolf von Köln, einer der mächtigsten Fürsten des Reiches, war insofern über seine politischen Mittel hinaus von großer Bedeutung für Ottos Königtum, als er ihm den Anschein der Legalität vermittelte. Denn die Rechtsmittel der beiden Kronprätendenten nahmen sich etwa so aus, wie sie Innozenz III. in scheinbar unparteiischem Abwägen kasuistisch formulierte[85]. „Der Eine", Philipp nämlich, war im Besitze der echten Reichsinsignien und erwählt von der Mehrzahl der Reichsfürsten – aber gekrönt war er weder am rechten Ort noch vom rechten Bischof. „Der Andere" hingegen hatte zwar weniger Fürsten hinter sich, aber er war in Aachen gekrönt worden und vom rechten Bischof, dem Erzbischof von Köln nämlich. Daher die hervorragende Bedeutung der echten Reichsinsignien auch in Walthers Dichtung. Was aber konnte darüber hinaus getan werden, um Otto einiges von seiner angemaßten Legitimation zu nehmen? Man konnte die Heiligen Drei Könige kurzerhand dem Lager Philipps zuteilen, deren Ort doch Köln war.

In Köln nämlich ruhen ihre Reliquien; und daß es dazu kam, war das Verdienst des Staufischen Hauses, war dem Vater Philipps, Friedrich Barbarossa, zu danken. Es heißt[86], die heilige Helena, Mutter Konstantins, habe die Gebeine der Drei Könige der Stadt Konstantinopel geschenkt. Von dort habe sie der Heilige Eustorgius I., geborener Grieche und Bischof von Mailand (gest. 331), nach Mailand verbracht. Wo die drei Särge 1158 von den Mailändern wiederentdeckt wurden. Vom 6. August des gleichen Jahres an belagert Friedrich Barbarossa die Stadt, die endgültig 1162 kapituliert. Mit ihr fallen die Reliquien der *Magi* in die Hände der Sieger. Barbarossa vermacht sie dem Erzbischof von Köln, seinem Kanzler Reinald von Dassel. Am 23. Juli 1164 ziehen die heiligen Gebeine in Köln ein. Da wurde *das kostlich heyltumb ... mit grosser wird enpfangen vnd mit grossen frewden, vnn wardtt da gelegt in Sant Peters mynster*[87].

Die Translatio führt zu einem mächtigen Aufblühen des Kultes der Drei Könige in Köln und von Köln aus. Rainalds Nachfolger im Amt, Erzbischof Philipp von Heinsberg (1167–91)[88], machte sich daran, mit

---

[85] Ebda., S. 180.

[86] Das Folgende nach Kehrer, Bd. 1, S. 81f.; vgl. [3]RGG, Bd. 4, Sp. 1568.

[87] Wie eine die Legende der Magier im 15. Jahrhundert überliefernde Münchner Hs. schreibt, abgedruckt bei Kehrer, Bd. 1, S. 82–94, hier S. 93.

[88] Dies und das Folgende nach Hermann Schnitzler, Der Dreikönigsschrein (1939), S. 6 f.

Hilfe der berühmten Kölner Goldschmiedeschule dem Heiligtum einen Schrein von höchster Kostbarkeit zu schaffen. An ihm hat man nach Ausweis des stilistischen Befundes etwa ein halbes Jahrhundert gearbeitet. Der Strom der anbetenden Pilger sprengte die Fassungskraft des alten Domes. Im Jahre 1322 erfolgte die Translatio der Gebeine in die Marienkapelle des neuen Domes, und die Zeiten gaben ihrem Schrein ein ihnen jeweils angemessenes Gesicht und eine ihnen angemessen erscheinende Aufstellung. Seit dem 19. Jahrhundert ist sein Platz in der Domschatzkammer[89].

Das Gold für die Stirnseite des Schreines hat Otto IV. gestiftet (vor 1206, dem Jahre des Abfalls Adolfs von Köln). Die untere Arkadenzone zeigt die Epiphanie: In der Mitte Maria thronend, im Schoße das Kind. Von links nahen sich unter Kleeblattbogen die Drei Könige; die Szene rechts zeigt die Taufe Christi im Jordan. Unter dem Giebel: Christus als Weltenrichter. Und ganz links hinter den Drei Königen die demutsvollkleine Gestalt des Stifters, fromm einen Schrein in den Händen: König Otto (siehe Abbildungen 1 und 2)[90].

Otto hat sich die *Magi* noch näher verpflichtet. Der Mittelstreifen der Stirnseite wird heute eingenommen von einem großen Goldtopas im Zentrum, ihm zur Seite ein Kameo und eine Gemme. An der Stelle dieser Steine aber befanden sich einst drei Kronen, nach Angabe von J. P. N. M. Vogel, dessen Stich von 1781 wir die Kenntnis des alten Zustandes verdanken, jede „sechs Pfund an Gold schwer, mit den kostbarsten Perlen … ausgeziert"[91]. In den Wirren der Revolutionskriege wurde der Schrein geflüchtet, die Kronen wurden 1803 eingeschmolzen. Gestiftet aber waren sie im Jahre 1200 durch Otto IV.: *Otto rex Colonie curiam celebrans, tres coronas de auro capitibus trium magorum imposuit*[92].

Otto, dem neben anderen übeln Zeugnissen von den Zeitgenossen auch das des Geizes ausgestellt worden ist[93], verwandte seine Hilfsgelder begreiflicherweise sehr bedacht und ausschließlich zu machtpolitischen Zwecken. In diese Bereiche menschlicher Bedingtheit und weltlicher Befangenheit wurden nun auch die Heiligen hineingezogen. Wo es ihm

---

[89] Jetzt im Chor des Doms.

[90] Abbildung 1: Rheinisches Bildarchiv, Köln; Abbildung 2: Foto Marburg, Marburg.

[91] Ebda., S. 187.

[92] *Annales Sti. Trudperti*, Ebda., S. 187.

[93] *magnificus promissor et parcissimus exactor* nennt ihn Matthaeus von Paris, siehe Wilmanns-Michels, Bd. 1, S. 140.

Abb. 1. Dreikönigenschrein. Stirnseite. (Stich). Schnützenmuseum.

Abb. 2. Dreikönigenschrein. Madonnenseite. Gesamtansicht. Köln, Dom.

an so vielem fehlte, das den geweihten König bestimmt, versicherte Otto sich wenigstens des Beistandes der in seiner Bastion Köln residierenden *tres reges*. Und er, der selber die heilige Krone des Reiches nicht trug, gab sich den Charakter der Legitimität dadurch daß er die Heiligen Könige krönte.

In dieses Feld der Gesten und Formen gehört auch Walthers Apostrophierung der *wîsen*. Eben sie, die in des Gegners Residenz gebunden zu sein scheinen, werden von Walther mit überlegener Gebärde vindiziert und auf solchem Wege zu den Schutzheiligen und Parteigängern des Staufers gemacht, dem sie gemäß der Geschichte ihrer Reliquien rechtens zugehören.

Übrigens mochte Walther der Kölner Schrein vertraut sein. Denn das Monument ist in Entwurf und Planung wie in Teilen der Durchführung auf jenen Meister Nikolaus von Verdun zurückzuführen, der 1181 zu Klosterneuburg bei Wien den „Verduner" Altar schuf. Klosterneuburg aber ist die Residenz der Babenberger Herzöge, der Altar und sein Meister werden Walther nicht fremd gewesen sein. Nach 1181 hat Nikolaus sich einige Jahre mit seiner Werkstatt in Köln aufgehalten, sein Einfluß ist dem Ganzen wie einigen Details des Schreines unschwer abzulesen[94].

Es ist deutlich: um das Jahr 1200 bemühen sich die staufische wie die welfische Partei mit großem Nachdruck um die Demonstration ihrer Legitimität. Teil dieses Bemühens ist auch das Werben um die Heiligen Drei Könige. Otto IV. bringt ihnen Gold. Walther aber gibt sie den Staufern zurück anläßlich von Philipps religiös empfundener und inszenierter Machtdemonstration. . . . *diu zuht was niener anderswâ:* Nirgendwo sonst in der Welt konnte sich eine Prozession von solcher Vollkommenheit und Bedeutungsfülle entfalten – am wenigsten im Herrschaftsbereich von Ottos angemaßtem Königtum, am wenigsten in Köln!

XIII

Schließlich bestätigt die Form diese Erwägungen. Die Strophen des *Ersten-Philipp-Tones* unterstehen dem Kompositionsgesetz der tria-

---

[94] Schnitzler, S. 13 f.; Schramm-Mütherich, S. 188. – Abbildungen des Schreines und der Stirnseite finden sich bei Schnitzler, aaO.; bei Schramm-Mütherich, vgl. oben, Anm. 89; bei Wilhelm Pinder, Die Kunst der deutschen Kaiserzeit, Bildband (²1952), Nrn. 260 und 261.

dischen Struktur. Jeder Spruch setzt sich zusammen aus vier durch Reim, Metrum und Aussage klar artikulierten Terzinen, von denen je zwei den Aufgesang und je zwei den Abgesang bilden. Dieses tektonische Element der Dreiheit wird indes im Spruch von der Magdeburger Weihnacht gespiegelt und also verfestigt durch die Darstellung selbst, die sich der triadischen Formel konsequent anvertraut.

In der exponierenden ersten Terzine wird bereits ein Dreiklang durch die Alliteration erzeugt: *maget – muoter – Megdeburc*, der jedoch über das akustische Moment hinaus schon die heilige, in diesem Falle mariologische Sphäre präludiert.

Die zweite Terzine gehört dem König: *keisers bruoder – keisers kint – in einer wât;* es folgt die Aufschlüsselung in ihrer transzendierenden Funktion: *name drîge.* Damit ist die heilige Trinität herabgestiegen in den Fürsten des Festes.

Die dritte Terzine gilt der Königin: *hôhgeborniu küneginne – rôse âne dorn – tûbe sunder gallen.* Wieder eine Bestimmung mit Hilfe dreier Begriffe (und wieder mit transzendierender Funktion).

Die letzte Terzine nun: *Düringe und Sahsen* scheinen diese Tektonik zu stören, denn sie bilden lediglich ein Duo. Es ist wiederum eine triadische Größe zu erwarten, wie bisher in jeder Terzine. Mit den *wîsen* ist sie da.

XIV

Wir fassen zusammen. Der weihnachtliche Festzug König Philipps zu Magdeburg im Jahre 1199 wird durch Walther, den Sprecher staufischer Geschichts- und Herrscherauffassung, empfunden als eine Feier des Friedensfürsten und Demonstration des heiligen Herrschaftsanspruchs des legitimen, gottähnlichen und ihn nicht nur vertretenden sondern darstellenden Fürsten (Abschnitt III–IV). Das Weihnachtsereignis in seiner biblischen und politischen Wirklichkeit legt es nahe, eine schon 1908 von Wallner vorgeschlagene Auffassung des letzten Verses neu zu erwägen: die *wîsen* sind nicht das Institut des Hofprotokolls sondern die *Magi* des Matthäus. Die Musterung einer Reihe von mittelhochdeutschen Fassungen der *Magi* erwies, daß im Gegensatz zu der bisher vertretenen Meinung eine Übersetzung *Magi: wîse* nicht nur nicht ausgeschlossen werden muß sondern sogar nachweisbar ist (Abschnitt VI). Stern und Leitstern, Waise und Krone sind zentrale Themen von Walthers zugunsten Philipps optierenden und mit leidenschaftlichem politischem

Appell verbundenen Sprüchen. Die *wîsen* als *Magi* im Spruch von der Magdeburger Weihnacht sind vorbereitet und angekündigt durch ihren Stern. Denn Stern und *Magi* sind nicht zu trennen (Abschnitt VII). Dieser Stern ist *signum regis*, er verkündet den wahren Fürsten –, verkündet ihn dem sich nunmehr huldigend unterwerfenden Adel aus dem Bereich der welfischen Macht (Abschnitt VIII). Der 71. Psalm preist den künftigen Friedensfürsten, er ordnet ihm die ihm dienenden Könige zu – deren Titel dann in der Überlieferung die dienenden *Magi* des Matthäus annehmen. Sie sind der Prototyp der durch die Fürsten dem König dargebrachten Huldigung schlechthin, ihre Art des Dienens berührt sich als Muster und Modell auch mit der Lehnshuldigung, – ein Vorgang, der den König nicht nur ehrt sondern ihn in seiner herrscherlichen Würde erst eigentlich offenbart und damit wirklich macht. Die *Magi* als *primitiae gentium* repräsentieren die zu bekehrende Welt – so die *Düringe und Sahsen* jene *gentes*, die nun der „Bekehrung" teilhaftig werden und ihrerseits durch ihr Dienen die Epiphanie des Königs bewirken (Abschnitte IX–XI).

Die Herbeirufung der *Magi* aktualisiert das Fest, ist jedoch auch durch aktuelle Verhältnisse ausgelöst: Die *Magi* sind dank dem Umstand, daß ihre Reliquien zu Köln aufbewahrt werden (dem Zentrum der Macht Ottos), auch die Hausheiligen der welfischen Partei. Otto hat ihnen Gold gebracht und ihren Schrein kostbar mit Kronen geschmückt – Walther reklamiert sie wiederum für die staufische Sache, der sie ihre Translatio nach Köln zu danken haben (Abschnitt XII). Endlich bestätigt die Form die *wîsen* als die Drei Könige: der Spruch ist konsequent bestimmt durch die triadische Formel, und lediglich die letzte Terzine entbehrte der Dreieinigkeit, wenn die *wîsen* nicht die Drei Weisen wären (Abschnitt XIII).

Die *Magdeburger Schöppenchronik* berichtet davon[95], wie die Fürsten im Jahre 1198 zusammenkamen und *koren Philippum, keyser Hinrikes broder,* und wie Philipp dem Bischof Ludolf von Magdeburg Dispens erteilte von den Reichsabgaben zum Dank für seine Stimme bei der Wahl. Dann fährt der Chronist fort: *koning Philippus kam dar na to wynachten hyr mit dren koningen, und hadden groten hof, und gyngk hir gecronet ...*

mit der koninginne, muß es laut Aussage des Kontextes an dieser Stelle heißen, so fordert es die gelehrte Einsicht. Aber ob nicht die Wahrheit

---

dem Verschreiber die Hand geführt hat, als er König Philippus zu
Weihnachten 1199 in Magdeburg einziehen ließ *mit dren koningen?*[96]

---

[96] Der Zusammenhang legt es nahe, hier ein Wort der gottseligen Anna Katharina
Emmerich wiederzugeben, das sie äußerte anläßlich ihrer Vision von der Anbetung
des Jesuskindes durch die Heiligen Drei Könige, wie Brentano (Sämtliche Werke, ed.
Schüddekopf, Bd. 14, 2, S. 304) sie aufgezeichnet hat: Die Reden der vor der Krippe
anbetenden Könige waren rührend und kindlich, und dabei „glühten sie in Demuth
und Liebe, und die Freudenthränen rollten ihnen über Wange und Bart".

Als die Emmerich nun gesehen hat, wie demütig Maria die Geschenke empfängt,
äußert sie: „O da habe ich wohl wieder etwas gelernt, ich sprach zu mir selbst: O wie
süß und lieblich dankend nimmt sie jede Gabe an; sie . . . nimmt jede Gabe der Liebe
mit Demuth an, da kann ich wohl lernen, wie man die Gaben der Liebe empfangen
muß, auch ich will künftig jede milde Gabe mit Dank in aller Demuth annehmen".

Es muß schwer fallen, diese Bemerkungen nicht mit den Mitteln analogen Vollzugs
auf die uns hier gegebene Situation anzuwenden in Zustimmung und Erwartung.
Rudolf Sühnel, Magier und Weiser auch er (wie seine Freunde wissen), soll geehrt
werden durch die Gaben dieses Bandes. Die Empfindungen in den Beiträgern, deren
„Reden" hier niedergelegt sind, mögen durchaus denen entsprechen, die Katharina
Emmerich eben den Königen attestiert hat. Möchte nun der Gefeierte sich der Mahnung nicht verschließen, die in Katharinas selbstkritischen Worten gewiß nicht nur
für sie allein formuliert wurde und sie begreifen ließ: „da kann ich wohl lernen, wie
man die Gaben der Liebe empfangen muß".

REINMARS RECHTFERTIGUNG
Zu MF 196, 35 und 155, 10

I

Die Dichtung des Mittelalters war Gesellschaftskultur. Das ist ein Gemeinplatz. Genauer formuliert, will er sagen: Die weltliche Dichtung des Hohen Mittelalters war in Entstehung wie Ausübung an die adlig-geistliche Führungsschicht gebunden – anders als in der neueren Zeit, da sie isoliert und dennoch vorhanden sein konnte, ja ihre Entstehung und Berechtigung gelegentlich geradezu aus dem Umstand bezog, daß ihr Wille sich nicht mit dem der Gesellschaft deckte.

Der Einblick in die Wirklichkeit und Alltäglichkeit des literarischen Lebens jener Zeit ist uns verwehrt; so daß die Literatur selber Zeugnis des Lebens dieser Literatur sein muß. Solches Leben ist naturgemäß dann am ehesten zum faßbaren Ausdruck geworden, wenn es sich seiner wehren muß. Wenn also der Dichter sich gefährdet sah – und damit seinen gesellschaftlichen Auftrag – durch Bezweifelung seiner Glaubwürdigkeit. Vorgänge solcher Art finden ihren Niederschlag in Literaturfehden. Hier liegt die Voraussetzung für das Interesse der Philologie an etwa den Kontroversen zwischen Wolfram von Eschenbach und Gottfried von Straßburg oder zwischen Reinmar und Walther von der Vogelweide; hier liegt die Rechtfertigung für deren genaue Untersuchung. Handelte es sich um nichts anderes als um kollegiale Intrigen und neidisches Schulgezänk, könnte man sich getrost von diesem Komplex abwenden. Uns aber steht er für mehr – und so hat sich auch der verehrte Empfänger dieser Zeilen dem Thema der Poetenkontroverse erhellend zugewandt[1]. Als ich im Februar 1963 an der Universität London einige Vorträge halten durfte, deren Leitmotiv gleichfalls dem Bereich der Dichterfehde entnommen war, zählte Frederick Norman zu den Gastgebern und Hörern. Indem dieser Aufsatz die seinerzeit vorgetragenen Gedanken[2] fortsetzt und abrundet, möge er zugleich als Dank verstanden werden.

---

[1] German Life & Letters, New Series, XV (1961), S. 53–67.
[2] Vor allem zum 'Schachlied' Walthers 111, 22, s. o. S. 74–108.

II

Reinmars klassisches Preislied *Waz ich nu niuwer mære sage* (MF 165, 10)
dankt seine Entstehung nach Carl von Kraus[3] drei Motiven:

Dem Bedürfnis, Walthers Vorwurf zu widerlegen, Reinmar habe seine
Minnedame auf Kosten der anderen Damen gerühmt; zum andern dem
Bedürfnis, Walthers Spott über das *verbieten* abzuwehren[4]; schließlich
dem Bedürfnis, die Herausforderung von Walthers Preislied *Si wunderwol
gemachet wîp* (mit der Provokation: *lob ich hie, sô lob er dort* 53, 34) anzunehmen. Das dritte Motiv gibt Kraus dann in seinen Walther-Untersuchungen[5] unter dem Druck der Argumente Halbachs und Nordmeyers preis[6].

Es will mir indes scheinen, als sei ein weiteres Motiv von Gewicht;
ein Motiv, das den Zusammenhang der Walthers Hieb parierenden
Lieder festigt und ihn durch die Scharniere logischer Verbindungen
sichert. Die These dieses Aufsatzes lautet mithin: Reinmars Preislied
165, 10 – nach Krausens Anordnung das Lied Nr. 16 – erhält seine
Konturen erst vor dem deutlich gemachten Hintergrund seines Liedes
196, 35 *Herzeclîcher frôide wart mir nie sô nôt* (Kraus Nr. 15). Beide Dichtungen antworten auf Walthers Hieb 111, 23. Beide tun es als Teile einer
geschlossenen Aktion: im Sinne von Theorie und Exempel, von Pro-
legomenon und Werk, von Rechtfertigung in der Passivität und Wider-
legung in der Aktion. Solche Verbundenheit also und Korrelation der
Reinmar-Lieder 15 und 16 wollen die folgenden Ausführungen deutlich
machen.

III

Auch für Carl von Kraus gilt – wie seine Bezifferung zeigt – die Auf-
einanderfolge der beiden Lieder Reinmars als erwiesen. Doch begnügt
er sich mit dem Aufweis nur einer direkten Beziehung, wo ich deren ein

---

[3] RU III, S. 11.

[4] W. 111, 23; von „Spott" kann keine Rede sein, vielmehr handelt es sich um einen
bitterbösen Schlag.

[5] = WU, 1935, S. 196.

[6] u. S. 193 f. werden wir einige Argumente zugunsten auch dieses dritten Motivs
finden.

Dutzend glaube belegen zu können. Für Kraus besteht Reinmar 196,35 = Nr. 15 „fast nur aus der Polemik gegen Walther; dadurch wird auch seine Stelle in der Reihe der übrigen bestimmt"[7]. Über diesen Beziehungen auf Walther hat Kraus die auf das nächste Lied Reinmars 165,10 = Nr. 16[8] fast gänzlich ignoriert. Damit begibt er sich jedoch der Möglichkeit, auch die hier vorgetragene ‚Polemik gegen Walther' erschöpfend zu bestimmen. Darüberhinaus bleibt noch die Echtheit zweier Strophen von Lied 15 zu klären – und vielleicht kann man auch hier einen Schritt weiterkommen.

Die durch Kraus notierte Beziehung von 15 zu 16 besteht in der Wiederaufnahme des *daz si mir lieber sî dan elliu wîp* von 15, II, 2 durch das *und si vor aller werlde hân* in 16, V, 3: Protest gegen Walthers Behauptung, solche Bevorzugung sei *unmâze* (15, II, 1), sei ein *verbieten*[9]. Arbeitet man indessen die anderen Beziehungen dieser beiden Reinmar-Lieder heraus, dann ergibt sich für manche Aussagen Reinmars und damit auch für manche Partien der Kontroverse mit Walther eine andere Bedeutung als die ihnen durch Kraus zuerkannte.

In 15, IV, 3 beklagt Reinmar sich über den Anwurf, daß er zu viel Redens mache von seiner Herrin *und diu liebe sî ein lüge diech von ir sage*. Kraus deutet[10] dieses *liebe* im Sinne von ‚Freude' oder ‚Glück' und schließt daran mancherlei Kombination: Walther habe sich mokiert über die ‚Freude', die Reinmar schon beim Anblick der geliebten Herrin empfinde[11], und habe sie als etwas ‚Minderwertiges' hingestellt. Das hat Walther zwar getan, nicht aber wehrt Reinmars Vers sich gegen diesen Hieb, nicht also ist er zu verstehen als ‚Und das Glücksempfinden schon bei ihrem Anblick sei gelogen, das ich behaupte' – vielmehr setzt er sich eindeutig fort in dem Passus von 16, II, 2: (Die *bôhgemuoten* werfen mir

---

[7] RU II, S. 37.

[8] Dargelegt in RU III, S. 9, künftig der Einfachheit halber als 15 und 16 mit Strophen- und Verszahl zitiert.

[9] In Walthers Schachlied 111, 23. Freilich entzieht sich Reinmar hier dem Angriff mit einem Trick: er hatte ganz anderes behauptet als er hier vorgibt, behauptet zu haben und den unverzeihlichen Verstoß gegen die höfische Komparation (dazu Kolb, Euphorion 11, 1957, S. 447) begangen, seine Herrin auf Kosten der anderen Damen zu rühmen (MF 159, 5–9) und damit die anderen herabzusetzen! So schon H. W. Nordmeyer, Ein Anti-Reinmar, PMLA, XLV (1930), S. 679. – Strophenzählung von 15 nach der Fassung in MF, nicht nach der in RU.

[10] RU III, S. 9.

[11] Schachlied 111, 25.

vor,) *ich minne niht so sêre als ich gebâre ein wîp.* Kraus hat[12] die Verbindung der beiden Formulierungen durch das Lüge-Motiv festgestellt, jedoch nicht die klare Festlegung des Wortsinnes von *liebe* in 15 durch *minne* in 16. Die Fortführung des Gedankens in 16 zeigt[13], daß *liebe* in 15, IV tatsächlich ,Liebe' meint. Mithin wehrt diese Formulierung den Vorwurf der (durch Walther repräsentierten) Umwelt ab, Reinmar rufe mit seinen beharrlichen Klagereden Zweifel wach an der Wirklichkeit seiner Liebesempfindungen. Mit seinen beharrlichen Klagereden: denn in eben diesem Zusammenhang heißt es in 15, IV einen Vers zuvor: *si jehent daz ich ze vil gerede von ir.* *ze vil* nämlich, um noch Anspruch erheben zu können auf die Glaubhaftigkeit seiner Zuneigung, seiner *liebe* (des nächsten Verses). Kraus jedoch möchte dieses *ze vil* nicht quantitativ auffassen, sondern qualitativ, denn er bezieht ja den ganzen Passus, wie schon seine Deutung des *liebe* zeigte, auf den *verbieten*-Vorwurf in Walthers Schachlied: ,daß ich ihr zu viele = zu große Vorzüge zuspreche, sie zu hoch rühme'[14]. Krausens Deutung zerreißt eine kausal geschlossene Aussage in 15, IV, 2–3 (weil zu viel des Redens – deshalb Inhalt des Redens unglaubhaft) in zwei getrennte Gedanken: Verstiegenes Rühmen; und: Die Behauptung des Glücksempfindens ist unglaubhaft. Daß unsere Auffassung (,Weil ich nach der Meinung Jener zu viel von ihr rede, deshalb seien meine behaupteten Liebesempfindungen *ein lüge*') richtig ist, ergibt sich aus der resignierenden Entsprechung in 16, 1, 4: *des man ze vil gehœret, dem ist allem sô.* Die stilistische Korrespondenz von *ze vil gerede* und *ze vil gehœret* ist evident, und so meinen die beiden Stellen im Zusammenhang: „Vieles Klagen ermutigt die Bösen, den Inhalt der Klage zu bezweifeln und ermächtigt sogar die Freunde, der Sache satt zu sein".

So lange man nun Vers 3 der II. Strophe des Preisliedes 16 *si liegent unde unêrent sich* nicht zusammen mit der voraufgehenden Zeile auf das Thema von 15, IV, 3 bezog: die *lüge* der vorgegebenen Liebe, betonte

---

[12] RU III, S. 11.

[13] Das Stichwort „Fortführung" nötigt zu dem Hinweis, daß meine Darlegungen grundsätzlich die Konstituierung eines Zyklus oder einer Reihenfolge der Lieder Reinmars hinnehmen. Im einzelnen müssen die subtilen Nachweise Krausens neu untersucht und hier als zu fein gesponnen abgetan, dort als unterschätzt verstärkt werden. Insgesamt führt die konsequente Observation von „Beziehungen" und „Entsprechungen" gewiß zur Überbewertung der einzelnen Formulierung, und in vielem wird man heute skeptischer urteilen als seinerzeit Kraus – was den Wert von dessen ebenso feinfühligen wie gelehrten Einsichten grundsätzlich nicht mindert.

[14] s. RU III, S. 9.

man sie falsch. Das Personalpronomen ist pointiert: *si liegent* ...! Die
hôhgemuoten nämlich, die Reinmar die *lüge* vorgeworfen haben. Er setzt
hier also unter Anspielung auf 15, IV den einleitenden Gedanken von
16, 1 fort: ,Von einer Sache viel reden heißt, sogar die Freunde ermüden
– heißt aber noch längst nicht, daß der Inhalt der *rede* eine *lüge* sei! Vielmehr werde der Spieß jetzt umgedreht: Die solches behaupten, *die*
lügen ...!

Ze vil gerede von ir: Der Vorwurf läßt Reinmar keine Ruhe. In 15, IV
und in 16, I reagiert er noch aus der Abwehr, mit dem Rücken gegen
die Wand. In der III. Strophe jedoch, als der Frauenpreis in vollen
Akkorden einsetzt und das Bild der Einen in dem Aller strahlend auf-
geht, da gibt der Sänger die Begründung für das viele *reden* (ein Problem, das gerade den so beharrlich das eine Thema, die Chandos-Frage
letztlich von der Gültigkeit der Worte in immer erneuter Variation be-
handelnden Reinmar fesseln mußte) und bezeugt, warum der *rede von ir*
niemals *ze vil* sein kann: *dîn lop nieman mit rede volenden kan* (16, III, 5).
Worte versagen vor der Aufgabe, die Herrin und die Frau schlechthin
angemessen zu rühmen[15].

Die Einzigartigkeit also seiner Herrin macht die Einzigartigkeit seines
Rühmens verständlich – macht sodann verständlich, warum der Vorwurf der Unglaubwürdigkeit Reinmar so schmerzlich trifft. Immer
wieder greift er ihn auf. In 15, II, 1–4 verwahrt er sich gegen Walthers
Vorwurf des *verbieten:* ,Was ist denn darin *unmâze*, daß ich geschworen
habe, Sie sei mir lieber als alle andern? Zu diesem Eide stehe ich: *des
setze ich ir ze pfande mînen lîp.*' Nicht also ohne Einsatz schwört er (wie
Walther mit seiner Formulierung *âne pfliht* behauptet, 111, 23),[16] sondern sein Leben setzt er als Pfand[17]. Diesen Schwur nimmt er in seinem
Preislied wieder auf und erneuert den Einsatz: (,Die mich der Lüge
zeihen, die lügen vielmehr, denn':) *si was mir ie gelîcher mâze sô der lîp*
(16, II, 4).

Dieses Lüge-Wahrheit-Motiv, psychologisch das dominante Thema
des großen Preisliedes 16, bestimmt nun auch dessen Schlußakkord und
steigert sich zu einer Auffassung des dichterischen Tuns, die geradezu
wie ein Bekenntnis der modernen Erlebnisdichtung anmutet: ... *unde*

---

[15] Denn in der Spezies „Weib" ist die Minneherrin mitgerühmt, s. RU II, S. 37.
[16] Dazu Dietrich Kralik, Walther gegen Reinmar. WSB phil.-hist. Klasse, 230.
Bd. 1. Abh. (1955), S. 50–64 [sowie oben S. 89; 108].
[17] Zu dem Trick dieser Selbstinterpretation s. o. Anm. 9.

merke wâ ich ie spræche ein wort, | ezn læge ê i'z gespræche herzen bî: Das Wort als Frucht der Vermählung des Herzens mit dem Gedanken (16, V, 8 f.).

Die Gesellschaft aber empfängt die Früchte solcher Hochzeit mit schnödem Mißtrauen: *Ungefüeger schimpf bestêt mich alle tage* (15, IV, 1) – und der mehrt noch den *schaden* (*ibid.* 4), an dem der nicht erhörte Minnediener gerade schwer genug zu tragen hat. Der hier noch im Stil einer verzweifelten Frage angeschnittene Gedanke wird durch das Preislied in resignierender Aussage ergänzt (16, I, 5): *nu hân ich es beidiu schaden unde spot.* Ein Gedankengang, der sich fortsetzt in der Exklamation am Schlusse des Preisliedes: *swer nu gibt daz ich ze spotte künne klagen* (16, V, 5): ‚Wer nun immer noch meint, meine Klagereden seien derart, daß ihnen (weil unglaubhaft) nichts gebühre als Spott...'. Und so wie das Finale des Preisliedes in Gedanken einmündet, die eine dichterische Überhöhung des zuvor in Lied 15 angebahnten Rechtfertigungsversuches sind (s. o. zu 16, V, 8 f.), so erweisen sich schließlich auch die eröffnenden Verse als Wiederaufnahme und Weiterführung: *Herzeclîcher fröide wart mir nie sô nôt* bekennt der erste Vers von 15; und dieses negativ gerichtete *fröide*-Thema eröffnet auch das Preislied: Die so dringend erhoffte *fröide* ist ihm nicht gewährt worden: *ich enbin niht vrô* (16, I, 2).

IV

Eine Reihe direkter Beziehungen zwischen den Liedern 15 und 16 hat also einen dichten Zusammenhang zwischen ihnen hergestellt und läßt das eine als die Theorie der Rechtfertigung erscheinen, der die Praxis des gültigen Dichterwortes, die Abwehr überholend und erübrigend, nachfolgt.

Der Übersichtlichkeit halber folgt hier eine Tabelle der Entsprechungen[18]:

(1) 15, II, 2	wieder aufgenommen durch			16, V, 3
(2) 15, IV, 3	,,	,,	,,	16, II, 2
(3) 15, IV, 2	,,	,,	,,	16, I, 4
(4) 15, IV, 3	,,	,,	,,	16, II, 3

---

[18] Die erste bereits durch Kraus notiert; hinzu kommen die u. S. 192 vermerkten drei Entsprechungen, die von 15, 111 ausgehen.

(5) 15, IV, 2   wieder aufgenommen durch   16, III, 5
(6) 15, II, 4   „   „   „   16, II, 4
(7) 15, IV, 2-3   „   „   „   16, V, 8f.
(8) 15, IV, 1
    und 4   „   „   „   16, I, 5
(9) 15, I, 1   „   „   „   16, I, 2

V

Unsere Annahme, daß Reinmar diese beiden Lieder in unmittelbarem Zusammenhang verfaßt hat, wird gestützt durch eine Untersuchung des Reimmaterials:

	Lied 15:		Lied 16:	
(1)	(*tage* :) *sage*	IV, 1	*sage* (: *klage*)	I, 1
			(*klagen* :) *sagen*	V, 5
(2)	*hân* : *getân*	V, 1	*getân* : *hân*	V, 1
	getân (: *gân*)	IV, 5	(s. a. *getuot*	II, 6)
(3)	*leben* : *geben*	II, 5	*leben* : *geben*	III, 7
(4)	*wê* (: *begê*)	I, 2	*wê* (: *mê*)	IV, 7
(5)	(*ich* :) *mich*	III, 4	*mich* (: *sich*)	II, 1
(6)	*bî* (: *sî*)	III, 5	*bî* (: *sî*?)	V, 9
			(s. a. *bî*	I, 8)
(7)	*sîn* : *mîn*	V, 2	*sîn* : *mîn*	V, 2
			mîn : *sîn*	IV, 2
			(*sîn* jeweils = *esse*)	
(8)	*wîp* : *lîp*	II, 2	*wîp* : *lîp*	II, 2
(9)	*sô* : *frô*	V, 5	*vrô* : *sô*	I, 2
			(s. a. *vrô*	IV, 8)

Es zeigt sich also: von den insgesamt 15 Reimpaaren des Liedes 15 kehren fünf im Liede 16 wieder (die Nrn. 2, 3, 7 [zweimal], 8 und 9). Weitere vier Reime von Lied 15 finden sich in 16 als einer der beiden Reimpartner wieder (die Nrn. 1, 4, 5, 6). Schließlich ist zweimal ein Reimwort von 15, das in 16 gleichfalls auftaucht, dort überdies als Waise eingesetzt (Nrn. 6 und 9, betr. 16, I, 8 und IV, 8)[19].

---

[19] Bzw. als Caesurwort in die Langzeile gestellt.

Statistiken sind mannigfach deutbar. In diesem Falle aber ist offensichtlich, daß rund zwei Drittel der Reimpaare oder Reime des Liedes 15 in dem Lied 16 ihre Wiederholung finden. Es ergibt sich also vom Reimmaterial her ein ähnlicher Befund wie von der Analyse des Gedankenstoffs: Wiederaufnahme und Fortführung.

VI

Man wird bemerkt haben, daß in die Reimrechnung auch die Strophen III und V des Liedes 15 einbezogen wurden, die nicht in C und E sondern lediglich in E überliefert sind (III außerdem – unter Walther – in m) und sich deshalb verdächtig gemacht haben. Haupt, Erich Schmidt, Burdach, Vogt und Kraus haben sie als unecht verworfen[20]. Jüngst ist Kralik ihnen gefolgt[21]. Schwieriger macht es sich (und uns) Nordmeyer[22], der Teile der Strophen III, IV und V Reinmar beläßt, andere Teile einem Interpolator zur Last legt, dem „Anti-Reinmar".

Vom Reim her ist für die Lösung dieser Frage wenig Förderung zu erwarten. Denn um die oben aufgemachte Rechnung negativ ausgedrückt zu wiederholen: die dem Liede 15 im Hinblick auf Lied 16 allein eigenen Reime sind einigermaßen gleichmäßig über alle Strophen gestreut: jede von ihnen enthält ein ‚eigenes‘ Reimpaar, d. h. eines das nicht in 16 wiederkehrt. Es handelt sich um I, 1; II, 1; III, 1; IV, 2. Lediglich V besteht gänzlich aus auch in 16 wiederzufindenden Reimpaaren[23]. Es zeigt sich also, daß der Befund, nachdem ein unverhältnismäßig großer Teil der Reime von 15 auch als Reim in 16 verwandt wird, nicht wesentlich beeinflußt wird von der Einbeziehung oder Außerachtlassung der verdächtigten Strophen. Anderseits aber geben diese Reime auch für die Echtheitsfrage nichts her: Mit ihrer Hilfe kann man ebensowohl für die Autorschaft Reinmars plädieren, wie die geschickte Kopierbegabung des einfallslosen Nachahmers behaupten. Freilich: die Beweislast obliegt jenen, die den Strophen ihre Echtheit absprechen! Denn daß sie nicht parallel sondern nur in E (m) überliefert sind, ist kein ausschlaggebendes Argument. Was Kraus gegen sie an stilistischen und

---

[20] s. MFAnm. zu 196, 35; MFU S. 403f.; RU I, S. 24.

[21] Walther gegen Reinmar, S. 10.

[22] PMLA, XLV, 1930, S. 639f.; S. 673f.

[23] Hinzu kommt 1, 5: *lân: gân;* zwar als Reim in 16 vorhanden, aber mit anderen Reimwörtern.

inhaltlichen Argumenten vorbringt[24], klingt peinlich für den Dichter, läßt sich aber mit gleichem Recht und in gleicher Tonlage über viele Strophen Reinmars sagen, deren Authentizität niemand anzweifelt. Offenbar ist solche Kritik durch die Überlieferung wachgerufen – durch das gleiche Vertrauen in C, das auch für die Gestaltung der letzten beiden Verse der (unbezweifelten) Strophe III von Vogt und Kraus verantwortlich ist[25]. Sie lauten

in C:	in E:
si möhten tuon als ich dâ hân getân	*Möhte etlicher tuon als ich.*
unde heten wert ir liep	*Unde hete wert sin liep.*
und liezen mîne frowen gân	*Und liezze loben mine frauwen mich*

Während Burdach[26] wie für das ganze Lied so auch für diese Verse E folgen möchte, entscheiden Vogt und Kraus sich zugunsten von C. Begründung: der erste der beiden Verse ist in E metrisch nicht in Ordnung; und: die Reime *ir* : *mir* und *ich* : *mich* seien „hintereinander zu ungeschickt"[27]. Dagegen ist zu sagen: so wie der erste Vers in E metrisch gestört ist, so gewiß ist der zweite in C „nicht ganz fehlerlos"[28]. Und was die „Ungeschicklichkeit" des Reims angeht, so findet mit gleichem Recht Burdach, es sehe das *und liezen mîne frowen gân* „sehr nach einer aus Reimnot entstandenen Wendung" aus[29]. Mir will scheinen, daß es nicht angängig ist, ohne Not in der III. Strophe die Leithandschrift zu verlassen, nachdem Vogt und Kraus sie (Burdach und Wilmanns folgend) für die erste Strophe anerkannt haben[30]: E nämlich. Ohne Not: Kraus fühlt sich in seiner textkritischen Entscheidung zwar bestätigt durch die inhaltliche Betrachtung, denn auch sie führe „zu einem E ungünstigen Ergebnis" insofern als C zeige, daß es Walthers Angriff kenne. Anders E: es habe seine Formulierung wohl nur aus dem Beginn der Strophe II

---

[24] RU I, S. 24; vor allem aber WU S. 452–455.

[25] Während an anderen Stellen beide Haupts Bevorzugung von C abbauen und E vorziehen, s. MFAnm. zu 196, 35.

[26] Reinmar der Alte und Walther von der Vogelweide ([2]1928) S. 229f.

[27] Vogt MFAnm. zu 196, 35.

[28] RU II, S. 45 Anm. 8; s. a. MFU S. 404. – Kralik hat das *unde* aus dem mißlichen Auftakt herausgenommen und vorgeschlagen *und heten wert ir liep und liezen mîne frowen ledic gân*, Walther gegen Reinmar, S. 12f.

[29] AaO.

[30] MFAnm. zu 196, 35.

„herausgesponnen"[31]. Es ist richtig, daß C sich auf Walther bezieht, und zwar auf die II. Strophe seines Schachliedes, in der er Reinmars Herrin hatte sprechen und ihren Sänger peinlich als Kußräuber denunzieren lassen. So bedeutete denn der Schlußvers von Strophe III in der Fassung C: ‚. . . und verehrten ihre Liebe und ließen meine Herrin in Ruh (statt sie auf die Bühne zu zerren)'. Hätte Kraus jedoch die „ungeschickte Wortstellung im letzten Vers" von E[32] nicht als solche sondern als bewußt vom Sinn der Aussage geprägt erkannt, dann wäre ihm deutlich gewesen, daß nicht nur in C sondern gleichfalls in E ein Angriff Walthers vorausgesetzt und pariert wird: ‚. . . und verehrte seine Liebe und überließe die Rühmung meiner Herrin m i r !"

Was meint das? Nach meinem Dafürhalten bezieht sich diese Aufforderung auf die Pointe am Schluß der ersten Strophe von Walthers Schachlied (111, 30). *Bezzer wære mîner frowen senfter gruoz* heißt (wenn man *mîner frowen* als Dativ erkennt): ‚Besser als jenes outrierte Rühmen auf Kosten der angeblich mattgesetzten anderen Damen käme unsrer Herrin ein *senfter gruoz* zu, eine zarte Huldigung'[33]. Gereizt reagiert Reinmar – und die Hintanstellung des Personalpronomens in den Reim gibt dem Vers seinen Sinn: *. . . Und liezze loben mine frauwen m i c h* – ‚. . . und überließe es freundlichst m i r, die rechte Art der Rühmung meiner Herrin (ob zart oder heftig) zu bestimmen!'

Erkennt man den Wert von E als der Leithandschrift für dieses Reinmar-Lied an, dann ist ihre lectio am Schluß der III. Strophe eine starke Stütze für diese Auffassung des Schachliedes. Denkt man nämlich (wie bisher) an einen von der Dame ausgehenden *gruoz*, dann wäre Reinmars Formulierung in der Tat nicht zu verstehen (was Krausens Zweifel an E verständlich macht). Wie erklärt sich nun die Variante in C? Offenbar hat man schon früh in Walthers Lied den Dativ *mîner frowen* nicht mehr als solchen verstanden (sondern die Genitiv-Lesung vorgezogen). Bei solcher Auffassung aber hing Reinmars Aufforderung in der Luft. So dichtete man Reinmars sich ursprünglich auf Strophe I des Schachliedes beziehende (und jetzt beziehungslose) Formulierung um, indem man sie geschickt auf Walthers zweite Strophe zielen ließ (den Auftritt seiner Herrin).

---

[31] RU I, S. 24.
[32] RU I, S. 24 Anm. 1.
[33] Ich verweise auf Anm. 2.

VII

Die Einsicht indessen, daß in der CE-Überlieferung E die Führung zukomme, beweist noch nicht die Echtheit der beiden nur in E (m)[34] überlieferten Strophen 15, III und V. Ihre Unechtheit freilich wird noch schwerer zu beweisen sein, jedenfalls was III anbetrifft. Kraus findet sie vom Inhalt her abschweifend[35]. Das ist sie nicht. Schon die erste Zeile verbindet sich wieder unmittelbar mit dem Preislied 16: *daʒ si an mir tæte wol* wird aufgenommen durch 16, II, 8: *mir ist eteswenne wol gewesen.* So auch die nächste Zeile in 15: *wan gnædeclîchen* bezieht sich gleichfalls auf 16, II: *der ungenâden muoʒ ich ... erbeiten*[36]. Der Sinn der beiden Eingangszeilen von 15, III ist nicht ganz deutlich. Meint er: ‚Ich habe nie behauptet ‚sie habe mir ihre Gunst geschenkt – vielmehr ihre Huld, die habe ich erbeten‘?[37] Einleuchtender ist mir die Auffassung: ‚Ich habe nie (zu ihr) gesagt, daß sie mir ihre Gunst schenken solle – nur daß sie mich freundlich behandele, darum habe ich gebeten‘; und so faßt auch m die Stelle auf: *Ik sprach ny vrowe tut an myr wol*[38]. Die endgültige Entscheidung wird man von der möglichen Einbeziehung der Aussage in die Auseinandersetzung mit Walther-Versen abhängig machen. In jedem Falle stellt sich die Verbindung zwischen 15, III und 16, II zwanglos her: das *wol tuon*, um das er (15) nicht bittet (oder von dem er nie erzählt habe), dessen erinnert er sich (16) nun als eines Klangs aus der Jugendzeit.... Und *gnædeclîchen* behandelt zu werden, erbat er in 15, erwartet er vergeblich aber ergeben in 16. – In 15 setzt der Dichter den Gedanken fort: er findet sich nicht zurecht, denn zwar erlaubt sie ihm zu reden, – sie aber *swîget alleʒ.* Das ist zwar schon etwas, jedoch: *da ist volleclîches trôstes noch nicht bî* (III, 5). Wieder findet sich das gleiche Stichwort in der II. Strophe von 16: *nie getrôste si darunder mir den muot* (5). Freilich sind diese Berufungen nicht von der gleichen Exaktheit wie die in den ersten vier Versen von 16, II niedergelegten; es handelt sich eher um das Auffangen von freischwebenden Leitmotiven des Minnewesens, denen

---

[34] Burdach aaO.: m „aus derselben Quelle, wie E“.
[35] RU I, S. 24.
[36] Vogt MFAnm. zu 196, 35 verweist auf das *genâde* in 15, I, 4.
[37] So Nordmeyer S. 673.
[38] Dritte Möglichkeit: Emphatische Betonung des Ich – was hieße: ein ándrer hingegen hat derartiges von seiner Herrin verlangt – wohingegen Reinmar nur distanzierte Freundlichkeit erbeten hat. Auch eine Opposition *sprechen-biten* ist zu erwägen.

jedoch im Zusammenhang unserer Beweisführung Gewicht zukommt, weil das Spiel sich von einer Strophe (III) in 15 hin zu einer Strophe (II) in 16 vollzieht[39]. Das *swîgen*-Motiv in 15, III schließlich erinnert an Walthers kokettes Geständnis 115, 22, da es ihm beim Anblick der Geliebten die wohlpräparierten Worte verschlägt. Reinmar hingegen versteht es zwar, gewandt zu parlieren – aber viel ist das ja nun auch nicht: *si swîget*. . . . Wenn die Richtung dieser Anspielung stimmt, dann handelt es sich also um einen Rückgriff auf den Beginn der Auseinandersetzung, denn des törichten jungen Rivalen Stummheit hatte zu den die Kontroverse auslösenden Faktoren gehört[40].

Drei Gedanken und Formulierungen dieser angezweifelten Strophe 15, III finden sich mithin in der zweiten Strophe des Liedes 16 wieder. Das kann kaum Zufall sein. Ein Zudichter mag sich als noch so geschickte parodistische Begabung erweisen, er wird schwerlich die Nachahmung so weit treiben, daß er die komplementäre Funktion des Liedes 16 in bezug auf Lied 15 nicht nur erkennt sondern ausbaut; und zwar derart, daß er seine zugedichtete Strophe mit Termini ausstattet, in Betracht derer bestimmte Termini in 16, II als Responsionen erscheinen.

Demnach wäre die Tabelle o. S. 186f. zu ergänzen um die Posten:

(10)	15, III, 1	wieder aufgenommen durch			16, II, 8
(11)	15, III, 2	„	„	„	16, II, 6
(12)	15, III, 5	„	„	„	16, II, 5

Die Echtheit der Strophe V jedoch zu erhärten mit Hilfe der inhaltlichen Einrichtung auf das Preislied will nicht recht gelingen – so deutlich die Beziehungen auf andere Reinmar-Lieder wie auf Walther auch sind[41].

---

[39] Krausens Einwand – RU I, S. 24 – entfällt, weil auf unzutreffender Deutung von *liebe* (s. o. S. 183 f.) beruhend. – Übrigens wird Reinmar 160, 22ff. (23, II) von seiner Herrin gefragt, welcher Art *genâden* er denn erstrebe von ihr. Diese Frage bezieht Kraus – RU II, S. 37 – durchaus nicht überzeugend auf das Preislied 16: sie sei wohl „durch die Worte: *du gîst al der werlde hôhen muot: wan maht ouch mir ein lützel frôiden geben* (Strophe III) hervorgerufen worden". Viel wahrscheinlicher doch durch unsere Zeile III, 2 (deren Echtheitscharakter dadurch erhärtet würde). (Oder auch durch 18, V und 21, V, s. RU II, S. 14 Anm. 3.)

[40] Wie immer man die Frage: „Wer hat angefangen?" beantworten mag, über deren Klärung sich die Forschung bekanntlich nicht einig ist. – Kraus bezog das *swîgen* mit Wilmanns anfänglich auf Walther 121, 2f. und 121, 23 (RU I, S. 24), hat aber dann dieses Lied WU S. 445ff. für unecht erklärt.

[41] s. WU S. 454.

VIII

Reinmar hatte sich verstiegen. Er hatte seine Herrin nicht lediglich hyperbolisch gepriesen, wie es der Minnesang nicht nur erlaubt sondern fordert; er hatte sie vielmehr zu Lasten der andern Damen extrem verherrlicht, hatte erklärt, daß der übliche Rühmungssang von ihr nicht als hinreichend akzeptiert werde, daß sie im Stande der Vollkommenheit alle anderen Frauen mattsetze (MF 159, 1). Dagegen protestiert empört Walther und mit ihm wohl eine ganze Hofpartei. Der Protest gipfelt in Walthers Schachlied. Nun muß Reinmar sich stellen. Er tut es in zwei Liedern, die einander wie Hohlform und Form entsprechen und zubestimmt sind. Er stellt sich geschickt – wenn auch nicht ganz redlich. Denn sein Schwur hatte gelautet: *Sie* befinde sich im Stande der absoluten weiblichen Vollkommenheit – und solchermaßen setze sie alle andern Damen matt! Höchst geschickt aber wendet sein Verteidigungslied 15 die Spitze in andre Richtung: Er habe geschworen, heißt es da, sie bedeute ihm mehr als alle andren Frauen (II, 1 f.). Das objektiv sich gebärdende Urteil wird also nachträglich in ein subjektives Bekenntnis umgewandelt, das in dieser Form nie die Empörung des Hofes erregt hätte. An das eifernde, befangene und sich noch durch Ausfälle wehrende Verteidigungslied (15) fügt dann der Dichter die eigentliche Rechtfertigung (die als solche zugleich Widerruf ist). Er rühmt nicht mehr die eine individualisierte Minnedame, er rühmt in ihr die Frau schlechthin, den Begriff, den *ordo*. Subjektiv mag er weiterhin seine Herrin für die edelste halten – objektiv formuliert das Urteil nunmehr nur den Ruhm der Frau als des Höchsten, das Gott geschaffen: *Sô wol dir, wîp, wie reine ein nam!* Diesen Klang singt Walther dem toten Rivalen in sein Grab nach, denn mit diesem Lobpsalm auf die Frau schlechthin hat Reinmar sich – besser und überzeugender als in jeder Replik – gereinigt von dem Makel, er verabsolutiere seine *frowe* und sein Dienen in ihrem Sold.

Reinmars Preislied richtet sich freilich auch auf Walthers Preislied *Si wunderwol gemachet wîp* (53, 25)[42]. Reinmar setzt sittlichen Glanz gegen den Glanz der Schönheit des Leibes und der Glieder, beruft sich angesichts solch ethischer Vollkommenheit auf den Unsagbarkeits-Topos *din lop nieman mit rede volenden kan* wo Walther Himmel und Erde be-

---

[42] Daran möchte ich mit Kraus RU III, S. 10f. festhalten gegen den Kraus der WU S. 196 und gegen Halbach, Nordmeyer und Marlene Haupt.

müht, und demonstriert eine letzte große Verteidigung der *wân*-Minne gegenüber dem Lobpreis der Schönheit in ihrer sinnlichen Erscheinung.

So fügen sich uns diese Dichtungen zu architektonisch ausgewogener Entsprechung:

Walther: greift falsches Rühmen an mit schneidender Kritik: im Schach-lied;
dann: setzt er das Exempel rechten Rühmens: im Preislied (53, 25).

Reinmar: verteidigt sich gegen den Vorwurf falschen Rühmens mit heftiger Abwehr: im Verteidigungslied (15);
dann: setzt er das Exempel rechten Rühmens: im Preislied (16).

QUELLENNACHWEISE

Des Kürenbergers Falkenlied, in: Euphorion 53, 1959, S. 1–19.

Morungens Tagelied, in: Annali dell'Istituto Universitario Orientale. Sezione Germanica 4, 1961, S. 1–10.

Der Sänger und die Dame. Zu Walthers Schachlied (111, 23), in: Euphorion 60, 1966, S. 1–29.

Walthers Lied von der Traumliebe (74, 20) und die deutschsprachige Pastourelle, in: Euphorion 51, 1957, S. 113–150. – Neudruck 1971 in Wege der Forschung Bd. CXII.

Die Weisen aus dem Morgenland auf der Magdeburger Weihnacht. (Zu Walther von der Vogelweide 19, 5), in: Lebende Antike, Symposion für Rudolf Sühnel, 1967, S. 74–94.

Reinmars Rechtfertigung. Zu MF 196, 35 und 165, 10, in: Mediaeval German Studies, Presented to Frederick Norman, London 1965, S. 71–83.

Die Abhandlungen *Zwei Altdeutsche Frauenlieder* und *Kaiserlied und Kaisertopos* entstanden 1974 und 1975 und sind bisher ungedruckt.

REGISTER

der Begriffe, Dichter, Titel und Wissenschaftler
(Zahlen in Klammern beziehen sich auf Anmerkungsziffern)
Zusammengestellt von Dr. J. Stehling